HACKERS
READING
SMART
LEVEL **3**

해설집

HACKERS

본문 해석

① 자동차 사고 후에 누군가가 병원으로 급히 수송되었다고 상상해 보아라. ② 그 환자는 수술 중에 많은 피를 흘리기 시작한다. ③ 병원은 보급 본부에 더 많은 혈액을 요청한다. ④ 하지만 차로 혈액 주머니를 배달하는 데는 몇 시간이 걸릴 수 있다. ⑤ 대신에, 본부는 드론을 보낸다. ⑥ 혈액 주머니를 배달하는 데 15분밖에 걸리지 않는다! ⑦ 드론은 이미 이와 같이 생명을 살리는 배달을 아프리카에서만 25,000번을 했다. ⑧ 그리고 그것들은 착륙을 하지 않고 배달한다. ⑨ 드론은 의료 보급품이 들어 있는 상자를 하늘에서 그냥 떨어뜨린다. ⑩ 그 상자는 작은 낙하산에 붙어있고, 이는 상자가 안전하게 착륙하도록 한다.

⑪ 하지만, 이것이 드론이 생명을 살리기 위해서 수행하는 유일한 임무는 아니다. ⑫ 그것들은 자연재해 이후 실종된 사람들을 찾을 때 특히 큰 역할을 한다. ⑬ 드론은 어둠 속이나 닿기 힘든 지역에서 수색을 할 수 있다. ⑭ 그래서 드론은 가끔 구조가 필요한 사람들을 구할 최선의 방법이다.

① Imagine / someone has been rushed to the hospital / after a car
상상해 보아라 누군가가 병원으로 급히 수송되었다고   자동차

accident. / ② The patient starts losing a lot of blood / during an operation. /
사고 후에   그 환자는 많은 피를 흘리기 시작한다   수술 중에

③ The hospital asks the supply center / for more blood. / ④ But it can take
병원은 보급 본부에 요청한다   더 많은 혈액을   하지만 몇 시간이

hours / to deliver blood bags by car. / (② ⑤ Instead, / the center sends
걸릴 수 있다   차로 혈액 주머니를 배달하는 데   대신에   본부는 드론을 보낸다

a drone. /) ⑥ It only takes 15 minutes / to deliver the bags! / ⑦ Drones
              15분밖에 걸리지 않는다   (혈액) 주머니를 배달하는 데   드론은

have already made life-saving deliveries like this / 25,000 times / in Africa
이미 이와 같이 생명을 살리는 배달을 했다   25,000번을   아프리카에서만

alone. / ⑧ And they make the deliveries / without landing. / ⑨ The drones
          그리고 그것들은 배달한다   착륙을 하지 않고   드론들은 그냥

simply drop a box / containing medical supplies / from the sky. / ⑩ The
상자를 떨어뜨린다   의료 보급품이 들어 있는   하늘에서   그

box is attached to a small parachute, / which allows it to land safely. /
상자는 작은 낙하산에 붙어있다   그런데 이것은 그것이 안전하게 착륙하도록 한다

⑪ However, / this isn't the only task / drones perform / to save lives. /
하지만   이것이 유일한 임무는 아니다   드론이 수행하는   생명을 살리기 위해서

⑫ They play an especially big role / when looking for missing people /
그것들은 특히 큰 역할을 한다   실종된 사람들을 찾을 때

after natural disasters. / ⑬ Drones can search / in the dark / or in areas
자연재해 이후   드론은 수색을 할 수 있다   어둠 속에서   또는 닿기 힘든

that are hard to reach. / ⑭ So / a drone is sometimes the best way / to save
지역에서   그래서 드론은 가끔 최선의 방법이다   구조가

people in need of rescue. /
필요한 사람들을 구할

구문 해설

① has been rushed는 수동태가 현재완료 시제로 쓰인 것이다. 현재완료 시제는 have/has 뒤에 과거분사(p.p.)가 오므로, 현재완료 시제의 수동태는 「have/has been + p.p.」가 된다.

② starts losing a lot of blood는 '많은 피를 흘리기 시작한다'라고 해석한다. start는 목적어로 동명사와 to부정사 모두 쓸 수 있다.
ex. She **started to lose** her confidence about the test. (그녀는 시험에 대한 자신감을 잃기 시작했다.)

④ 「it takes + (사람) + 시간 + to-v」는 '(사람이) ~하는 데 …의 시간이 걸리다'라는 의미이다.

⑦ have made는 현재완료 시제(have p.p.)로, 이 문장에서는 과거에 시작된 일이 현재에 끝난 [완료]를 나타낸다. 현재완료 시제로 완료를 나타낼 때는 주로 already, just, yet, lately, recently 등이 함께 쓰인다.

⑨ The drones simply drop a box [**containing** medical supplies] from the sky.
→ [ ]는 앞에 온 a box를 수식하는 현재분사구이다. 이때 containing은 '들어 있는'이라고 해석한다.

1 이 글의 제목으로 가장 적절한 것은?

① Accidents Caused by Drones 드론에 의해 야기된 사고들
② Is Delivery by Drones Possible? 드론에 의한 배달이 가능한가?
③ How Drones Will Affect the Future 드론은 어떻게 미래에 영향을 줄 것인가
④ The Need for Medical Support in Africa 아프리카 내 의료 지원의 필요성
⑤ The Use of Drones to Help People in Danger 위험에 처한 사람들을 돕기 위한 드론의 사용

2 이 글의 흐름으로 보아, 다음 문장이 들어가기에 가장 적절한 곳은?

> Instead, the center sends a drone.
> 대신에, 본부는 드론을 보낸다.

①　　　　②✓　　　　③　　　　④　　　　⑤

3 이 글의 빈칸에 들어갈 말로 가장 적절한 것은?

① delivering food to people 사람들에게 음식을 배달할
② looking for missing people 실종된 사람들을 찾을 ✓
③ checking people's health 사람들의 건강을 확인할
④ offering free medical care 무료 건강 관리를 제공할
⑤ repairing some damaged buildings 피해를 입은 건물들을 수리할

4 이 글의 내용으로 보아, 다음 빈칸에 공통으로 들어갈 말을 글에서 찾아 쓰시오.

> Drones can ____save____ time when delivering medical supplies in an emergency. They can also be used to ____save____ people's lives in disaster areas.

드론은 응급 상황에서 의료 보급품을 배달할 때 시간을 절약할 수 있다. 그것들은 또한 재난 지역에서 사람들의 생명을 구하기 위해 사용될 수도 있다.

정답 1 ⑤ 　 2 ② 　 3 ② 　 4 save

1 의료 보급품을 빠르게 배달하고 실종된 사람들을 수색하는 등 드론이 생명을 살리기 위해 수행하는 임무들을 설명하는 글이므로, 제목으로 ⑤ '위험에 처한 사람들을 돕기 위한 드론의 사용'이 가장 적절하다.

2 주어진 문장은 혈액을 가진 본부가 어떤 것 대신 드론을 보낸다고 설명하고 있다. 따라서 차로 혈액 주머니를 보내면 몇 시간이 걸릴 수 있다고 설명하는 문장 ❹와 드론으로 보낼 경우 15분밖에 걸리지 않는다고 설명하는 문장 ❻ 사이에 오는 것이 자연스러우므로, ②가 가장 적절하다.

3 빈칸 앞에서 드론이 생명을 살리기 위해서 하는 임무가 더 있다고 했고, 빈칸 뒤에서 드론은 어둠 속이나 닿기 힘든 곳에서 수색을 할 수 있어서 구조가 필요한 사람들을 구하기 위한 최선의 방법이 된다고 했다. 따라서 빈칸에는 ② '실종된 사람들을 찾을'이 가장 적절하다.

4 문제 해석 참고

---

⑩ The box is attached to a small parachute[, **which** *allows it to land* safely].
　→ [ ]는 계속적 용법의 관계대명사절로, '그런데 (선행사는) ~하다'라고 해석한다. 이때 관계대명사 앞에는 항상 콤마를 쓴다. 여기서는 앞 문장 전체를 선행사로 가져 '그런데 이것(상자가 작은 낙하산에 붙어있는 것)은 ~하다'라고 해석한다.
　→「allow + 목적어 + to-v」는 '~이 …하도록 (허락)하다'라는 의미이다. 여기서는 '그것이 안전하게 착륙하도록 한다'라고 해석한다.

⑫ They play an especially big role [**when looking for** missing people after natural disasters].
　→ [ ]는 '자연재해 이후 실종된 사람들을 찾을 때'라는 의미로, [시간]을 나타내는 분사구문이다. 분사구문은 부사절에서 접속사와 주어를 생략한 후, 동사를 v-ing로 바꿔 만드는데, 여기서는 분사구문의 의미를 분명하게 하기 위해 접속사 when이 생략되지 않았다.
　=「접속사 + 주어 + 동사」 *ex.* They play an especially big role **when they look for** missing people ~.

⑭ to save 이하는 '구조가 필요한 사람들을 구할'이라는 의미로, to부정사의 형용사적 용법으로 쓰여 the best way를 수식하고 있다. 형용사적 용법의 to부정사는 앞에 온 명사 또는 대명사를 수식한다.

본문 해석

❶ 유명 작가인 기 드 모파상은, 에펠탑 안에 있는 식당에서 매일 점심을 먹곤 했다. ❷ 그는, "여기가 파리에서 유일하게 내가 앉아서 사실상 그 탑을 보지 않을 수 있는 곳이에요!"라고 말했다. ❸ 그와 같이, 많은 파리 사람들이 처음에는 에펠탑을 싫어했다.

❹ 하지만, 그 탑은 도시의 중심에 위치해 있어서, 사람들은 자연스럽게 그것을 매일 봤다. ❺ 시간이 지나면서, 그들은 그것에 익숙해졌고 그것을 좋아하기 시작했다. ❻ 이것은 친숙성 원칙의 한 예시이다. ❼ 어떤 것에 더 많이 노출될수록, 당신은 그것을 더 많이 좋아하게 된다.

❽ 당신은 광고에 대해 이런 경험을 했을 수도 있다. ❾ 광고주들은 반복적으로 같은 광고를 사용한다. ❿ 처음에는, 무관심하거나 그것에 짜증이 날 수도 있다. ⓫ 하지만 나중에, 당신은 광고에서 본 그 브랜드를 고르고 있는 자신의 모습을 발견한다. ⓬ 마치 파리 사람들과 에펠탑처럼, 당신은 그것에 너무 익숙해져서 결국 그것을 좋아하게 된다.

❶ Guy de Maupassant, a famous writer, / used to have lunch / every
유명 작가인 기 드 모파상은   점심을 먹곤 했다   매일

day / at a restaurant inside the Eiffel Tower. / ❷ He said, "It is the only
에펠탑 안에 있는 식당에서   그는 말했다   여기가 파리에서

place in Paris / where I can sit / and not actually see the tower!" / ❸ Like
유일한 곳이에요   내가 앉을 수 있는   그리고 사실상 그 탑을 보지 않을 수 있는   그와 같이

him, / many Parisians hated the Eiffel Tower / at first. /
         많은 파리 사람들이 에펠탑을 싫어했다   처음에는

❹ However, / the tower was located in the city's center, / so people
하지만   그 탑은 도시의 중심에 위치해 있었다   그래서 사람들은

naturally saw it / every day. / ❺ Over time, / they got used to it / and
자연스럽게 그것을 봤다   매일   시간이 지나면서   그들은 그것에 익숙해졌다   그리고

started to love it. / ❻ This is an example of the familiarity principle. /
그것을 좋아하기 시작했다   이것은 친숙성 원칙의 한 예시이다

❼ The more you are exposed to something, / the more you like it. /
당신이 어떤 것에 더 많이 노출될수록   당신은 그것을 더 많이 좋아하게 된다

❽ You may have had this experience / with advertisements. /
당신은 이런 경험을 했을 수도 있다   광고에 대해

❾ Advertisers use the same commercial / repeatedly. / ❿ At first, / you
광고주들은 같은 광고를 사용한다   반복적으로   처음에는   당신은

may be indifferent / or even annoyed by it. / ⓫ But later, / you find
무관심할 수도 있다   또는 그것에 의해 짜증이 날 수도 있다   하지만 나중에   당신은 발견한다

yourself choosing the brand / you saw in the commercial. / ⓬ Just like
그 브랜드를 고르고 있는 자신을   당신이 광고에서 본   마치

the Parisians and the Eiffel Tower, / you get so familiar with it / that you
파리 사람들과 에펠탑처럼   당신은 그것에 너무 익숙해져서   당신은 결국

like it in the end. /
그것을 좋아하게 된다

구문 해설

❶ **Guy de Maupassant, a famous writer**, *used to* have lunch every day at a restaurant inside the Eiffel Tower.
   → Guy de Maupassant과 a famous writer는 콤마로 연결된 동격 관계로, Guy de Maupassant이 유명한 작가라는 의미이다. 이 문장에서는 '유명 작가인 기 드 모파상'이라고 해석한다.
   → used to는 '~하곤 했다' 또는 '전에는 ~이었다'라는 의미로 과거의 습관이나 상태를 나타낸다.
   cf. 「be used + to-v」: ~하는 데 사용되다   *ex.* This key **is used to open** the box. (이 열쇠는 상자를 여는 데 사용된다.)
   「be used to + (동)명사」: ~에 익숙하다   *ex.* I **am used to exercising** in the morning. (나는 아침에 운동하는 것에 익숙하다.)

❷ He said, "It is the only place in Paris [**where** I can sit and not actually see the tower]!"
   → [ ]는 앞에 온 선행사 the only place in Paris를 수식하는 관계부사절로, 선행사가 장소이면 관계부사 where를 쓴다. 관계부사는 「전치사 + 관계대명사」로 바꿔 쓸 수 있다.   = It is the only place in Paris **in which** I can sit ~!

❼ 「the + 비교급 ~ , the + 비교급 …」은 '~할수록 더 …하다'라는 의미이다.

1 모파상이 매일 에펠탑 안의 식당에서 점심을 먹은 이유는?

① 식당의 요리사가 매우 유명했기 때문에
✓② 에펠탑을 보지 않을 수 있었기 때문에
③ 파리 경치를 감상하며 식사할 수 있었기 때문에
④ 글을 쓰는 데 영감을 얻을 수 있었기 때문에
⑤ 에펠탑을 보러 온 사람들을 피할 수 있었기 때문에

2 시간이 지나면서 에펠탑에 대한 파리 사람들의 반응이 어떻게 달라졌는지 우리말로 쓰시오.

처음에는 에펠탑을 싫어했으나, 익숙해져서 좋아하기 시작했다.

3 이 글의 빈칸에 들어갈 말로 가장 적절한 것은?

① you have never heard of 당신이 들어본 적 없는
② you trust the most 당신이 가장 신뢰하는
③ you have researched before 당신이 이전에 조사해본 적 있는
✓④ you saw in the commercial 당신이 광고에서 본
⑤ your friends recommended 당신의 친구들이 추천한

4 다음 중, 이 글에서 설명하는 원칙에 해당하는 사례를 말한 사람은?

① Woojin: It is hard to satisfy everyone.
　우진: 모두를 만족시키는 것은 힘들어.
② Nayoung: I try to give a good first impression to strangers.
　나영: 난 낯선 사람들에게 좋은 첫인상을 주려고 노력해.
③ Jihye: I want to follow what other people do.
　지혜: 난 다른 사람들이 하는 것을 따라서 하고 싶어.
✓④ Youngmin: As I meet my friends often, I become more fond of them.
　영민: 난 내 친구들을 자주 만날수록, 그들을 더 좋아하게 돼.
⑤ Hyuna: If you change your point of view, familiar things can seem new.
　현아: 관점을 바꾸면, 익숙한 것도 새롭게 보일 수 있어.

1 문장 ❷에서 모파상은 에펠탑 안의 식당이 파리에서 유일하게 앉아서 탑을 보지 않을 수 있는 곳이라고 말했다고 했다. 따라서 모파상이 매일 그곳에서 점심을 먹은 이유로 ②가 가장 적절하다.

2 문장 ❸-❺에서 많은 파리 사람들이 처음에는 에펠탑을 싫어했으나, 도시 중심에 있는 그 탑을 매일 보게 되자 그것에 익숙해졌고 좋아하기 시작했다고 했다.

3 빈칸 앞에서 광고주들이 같은 광고를 반복적으로 사용하는데, 처음에는 무관심하거나 짜증이 나다가 나중에는 그 브랜드를 고르게 된다고 했고, 빈칸 뒤에서 이는 파리 사람들과 에펠탑처럼 그것에 너무 익숙해져서 좋아하게 된 것이라고 했다. 따라서 빈칸에는 ④ '당신이 광고에서 본'이 가장 적절하다.

4 문장 ❼에서 친숙성 원칙은 어떤 것에 더 많이 노출될수록 그것을 더 많이 좋아하게 되는 것이라고 했으므로, 이 원칙에 해당하는 사례를 말한 사람은 ④ '영민: 난 내 친구들을 자주 만날수록, 그들을 더 좋아하게 돼.'이다.

정답 **1** ② **2** 처음에는 에펠탑을 싫어했으나, 익숙해져서 좋아하기 시작했다. **3** ④ **4** ④

❽ 「조동사 + have p.p.」는 과거 사실에 대한 추측이나 후회를 나타낸다. 이 문장에서는 조동사 may가 쓰여 '~했을 수도 있다, ~했을지도 모른다'라는 의미로 과거 사실에 대한 약한 추측을 나타낸다.　*cf.* 「must have p.p.」: ~했음에 틀림없다 [과거 사실에 대한 강한 추측]

⓫ But later, you find **yourself** [*choosing* the brand {(which/that) you saw in the commercial}].
　→ 동사 find의 목적어가 주어(you)와 같은 대상이므로 재귀대명사 yourself가 쓰였다. 이때의 재귀대명사는 '당신 자신'이라고 해석하며, 생략할 수 없다.
　→ [ ]는 앞에 온 yourself를 수식하는 현재분사구이다. 이때 choosing은 '고르고 있는'이라고 해석한다.
　→ { }는 앞에 온 선행사 the brand를 수식하는 목적격 관계대명사절로, 목적격 관계대명사 which/that이 생략되어 있다.

⓬ Just like the Parisians and the Eiffel Tower, you get **so familiar** with it **that** you like it in the end.
　→ 「so + 형용사/부사 + that절」은 '너무/매우 ~해서 …하다'라는 의미이다. 이 문장에서는 '당신은 그것에 너무 익숙해져서 결국 그것을 좋아하게 된다'라고 해석한다.

본문 해석

❶ 만약 당신이 동계 올림픽을 본 적 있다면, 쇼트트랙 스케이팅과 스피드 스케이팅이 매우 비슷하게 보인다고 생각했을 수도 있다. ❷ 하지만, 이 둘은 완전히 다른 스포츠이다. ❸ 가장 기본적인 차이점은 트랙 길이이다. ❹ 400미터 길이인 스피드 스케이팅 트랙은 쇼트트랙 스케이팅의 트랙보다 네 배 정도 더 길다.

❺ 규칙들도 꽤 다르다. ❻ 쇼트트랙 스케이팅에서는, 네 명에서 여덟 명의 스케이트 선수들이 한 번에 겨룬다. ❼ 트랙 위에 너무 많은 선수들이 있기 때문에, 경쟁자들을 추월하고 그들 주위에서 빠르게 길을 찾는 것이 중요한 기술들이다. ❽ 하지만 스피드 스케이팅에서는, 두 명의 스케이트 선수들만 빙판 위에 있고, 각자 자기 자신의 레인에서 스케이트를 탄다. ❾ 스케이트 선수들은 가능한 한 빠르게 달리는 데만 집중한다.

❿ 게다가, 스피드 스케이트의 날은 길어서 더 빠른 속도를 제공한다. ⓫ 반면에, 쇼트트랙 스케이트의 날은, 스케이트 선수들이 방향을 더 쉽게 틀 수 있도록 더 짧다.

❶ If you've ever seen the Winter Olympics, / you may have thought /
만약 당신이 동계 올림픽을 본 적 있다면   당신은 생각했을 수도 있다

short-track skating and speed skating / look very similar. / ❷ (A) However, /
쇼트트랙 스케이팅과 스피드 스케이팅이   매우 비슷하게 보인다고   하지만

these two are completely different sports. / ❸ The most basic difference /
이 둘은 완전히 다른 스포츠이다   가장 기본적인 차이점은

is the track length. / ❹ The track for speed skating, / which is 400 meters
트랙 길이이다   스피드 스케이팅의 트랙은   400미터 길이인

long, / is around four times longer / than that for short-track skating. /
네 배 정도 더 길다   쇼트트랙 스케이팅의 그것(트랙)보다

❺ The rules are also quite different. / ❻ In short-track skating, / four to
규칙들도 꽤 다르다   쇼트트랙 스케이팅에서는   네 명에서

eight skaters compete / at once. / ❼ Because there are so many skaters /
여덟 명의 스케이트 선수들이 겨룬다   한 번에   너무 많은 스케이트 선수들이 있기 때문에

on the track, / passing competitors / and navigating around them quickly /
트랙 위에   경쟁자들을 추월하는 것   그리고 그들 주위에서 빠르게 길을 찾는 것은

are important skills. / ❽ But in speed skating, / only two skaters are on
중요한 기술들이다   하지만 스피드 스케이팅에서는   두 명의 스케이트 선수들만 빙판

the ice, / each skating / in his or her own lane. / ❾ Skaters only focus on
위에 있다   그리고 각자 스케이트를 탄다   자기 자신의 레인에서   스케이트 선수들은 달리는 데만

going / as fast as possible. /
집중한다   가능한 한 빠르게

❿ In addition, / the blades of speed skates are long / to provide more
게다가   스피드 스케이트의 날은 길다   그래서 더 빠른 속도를

speed. / ⓫ The blades of short-track skates, / (B) on the other hand, /
제공한다   쇼트트랙 스케이트의 날은   반면에

are shorter / so that the skaters can make turns / more easily. /
더 짧다   스케이트 선수들이 방향을 틀 수 있도록   더 쉽게

구문 해설

❶ If you've ever **seen** ~ Olympics, you *may have thought* short-track skating and speed skating look very similar.
→ 've(=have) seen은 현재완료 시제(have p.p.)로, 이 문장에서는 과거의 [경험]을 나타내어 '본 적 있다'라고 해석한다. 현재완료 시제로 과거의 [경험]을 나타낼 때는 주로 ever, never, before 등이 함께 쓰인다.
→ 「may have p.p.」는 '~했을 수도 있다, ~했을지도 모른다'라는 의미로 과거 사실에 대한 약한 추측을 나타낸다.
→ 「look + 형용사」는 '~하게 보이다'라는 의미로, 이 문장에서는 형용사 similar가 쓰여 '비슷하게 보인다'라고 해석한다.

❹ The track for speed skating[, **which** is 400 meters long], is around *four times longer than* that for short-track skating.
→ [ ]는 앞에 온 The track for speed skating을 선행사로 가지는 계속적 용법의 관계대명사절로, 선행사에 대한 부연 설명을 하기 위해 문장 중간에 삽입되었다.
→ 「배수사 + 비교급 + than」은 '~보다 몇 배 더 …한/하게'라는 의미이다. 이 문장에서는 '쇼트트랙 스케이팅의 그것(트랙)보다 네 배 더 긴'이라고 해석한다. = 「배수사 + as + 형용사/부사 + as」 *ex.* **four times as long as** that for short-track skating

1 이 글의 주제를 다음과 같이 나타낼 때, 빈칸에 들어갈 말을 글에서 찾아 쓰시오.

two sports that look ___similar___ but are actually ___different___

비슷하게 보이지만 사실 다른 두 스포츠

2 다음 질문에 대한 답이 되도록 빈칸에 들어갈 말을 우리말로 쓰시오.

> Q. What are significant abilities in short-track skating but not in speed skating? 스피드 스케이팅에서는 아니지만 쇼트트랙 스케이팅에서 중요한 능력들은 무엇인가?

A. 한 번에 최대 ___여덟___ 명까지의 선수들이 경기를 하기 때문에, 쇼트트랙 선수들은 ___경쟁자들을 추월하는___ 기술과 그들 주위에서 빠르게 길을 찾는 기술을 갖춰야 한다.

3 이 글의 빈칸 (A)와 (B)에 들어갈 말로 가장 적절한 것은?

	(A)	(B)
①	Furthermore	therefore 게다가 … 따라서
②	Therefore	however 따라서 … 하지만
③	Therefore	on the other hand 따라서 … 반면에
④	However	therefore 하지만 … 따라서
⑤✓	However	on the other hand 하지만 … 반면에

4 이 글의 내용으로 보아, 괄호 안에서 알맞은 말을 골라 표시하시오.

Length of Track 트랙의 길이	Short-track skating has a (1) ([shorter] / longer) track than speed skating. 쇼트트랙 스케이팅은 스피드 스케이팅보다 (1) 더 짧은 트랙을 가진다.
Number of Skaters 스케이트 선수의 수	Speed skating has (2) ([fewer] / more) skaters in one race than short-track skating. 스피드 스케이팅은 한 경기에서 쇼트트랙 스케이팅보다 (2) 더 적은 스케이트 선수들을 가진다.
Design of the Skates 스케이트의 디자인	Speed skating has (3) (shorter / [longer]) skate blades than short-track skating. 스피드 스케이팅은 쇼트트랙 스케이팅보다 (3) 더 긴 스케이트 날을 가진다.

[정답] **1** similar, different   **2** 여덟, 경쟁자들을 추월하는   **3** ⑤   **4** (1) shorter (2) fewer (3) longer

---

1 쇼트트랙 스케이팅과 스피드 스케이팅은 비슷하게 보이지만, 트랙 길이, 규칙, 스케이트 날 등에서 차이가 있다고 설명하는 글이므로, 주제로 '비슷하게 보이지만 사실 다른 두 스포츠'가 가장 적절하다.

2 문장 ❻-❼에서 쇼트트랙 스케이팅에서는 네 명에서 여덟 명의 선수들이 한 번에 겨루기 때문에 경쟁자들을 추월하고 그들 주위에서 빠르게 길을 찾는 것이 중요한 기술들이라고 했다.

3 (A) 빈칸 앞에서 쇼트트랙 스케이팅과 스피드 스케이팅이 비슷하게 보일 수 있다고 했으나, 빈칸이 있는 문장에서 이 둘은 완전히 다른 스포츠라며 대조되는 내용을 언급했다. 따라서 빈칸 (A)에는 '하지만'이 가장 적절하다. (B) 빈칸 앞에서 스피드 스케이트의 날은 길어서 더 빠른 속도를 낸다고 했으나, 빈칸이 있는 문장에서 쇼트트랙 스케이트의 날은 방향을 더 쉽게 틀 수 있도록 더 짧다며 대조되는 내용을 언급했다. 따라서 빈칸 (B)에는 '반면에'가 가장 적절하다.

4 문제 해석 참고

---

❽ But in speed skating, only two skaters are on the ice, [**each skating** in his or her own lane].
→ [ ]는 '그리고 각자 자기 자신의 레인에서 스케이트를 탄다'라는 의미로, [연속동작]을 나타내는 분사구문이다. 여기서는 주절의 주어(two skaters)와 부사절의 주어(each)가 달라 생략되지 않았다.
= 「접속사 + 주어 + 동사」 *ex.* two skaters are on the ice, **and each skates** in his or her own lane

❾ 「as + 부사/형용사 + as possible」은 '가능한 한 ~하게/한'이라는 의미이다. 이 문장에서는 부사 fast가 쓰여 '가능한 한 빠르게'라고 해석한다.
= 「as + 부사/형용사 + as + 주어 + can」 *ex.* Skaters only focus on going **as fast as they can**.

❿ to provide more speed는 '그래서 더 빠른 속도를 제공한다'라는 의미로, [결과]를 나타내는 to부정사의 부사적 용법으로 쓰였다. [결과]의 to부정사는 주로 grow up, live 등과 함께 쓰인다.   *ex.* She grew up **to become a doctor**. (그녀는 자라서 의사가 되었다.)

⓫ so that은 부사절을 이끄는 접속사로, '~하도록'이라는 의미이다. 이 문장에서는 '스케이트 선수들이 방향을 더 쉽게 틀 수 있도록'이라고 해석한다.

본문 해석

❶ 사람들은 플라스틱병으로 새로운 온라인 챌린지를 시작했다. ❷ 그것은 뚜껑을 느슨하게 닫는 것으로 시작한다. ❸ 그러고 나서 그들은 그것을 열기 위해 그들의 발끝으로 뚜껑을 찬다. ❹ 그들은 이것을 녹화하고 그 영상을 그들의 소셜 미디어 계정에 업로드한다. ❺ 그 후에, 이 챌린지는 완료된다!

❻ 사실, 무술가들이 발차기의 정확성을 높이기 위해서 이것을 하곤 했다. ❼ 그것은 몇몇 유명인들이 소셜 미디어에서 하기 시작하고 나서 병뚜껑 챌린지라고 불렀을 때 인기를 얻게 되었다.

❽ 이와 같은 온라인 챌린지는 단지 재미를 위한 것이다. ❾ 하지만 많은 챌린지가 공익을 위해 실시되기도 한다. ⓫ 가장 유명한 것은 아이스버킷 챌린지인데, 여기서 사람들은 자기 자신에게 얼음물을 부었다. ⓬ 그것은 루게릭병에 대한 인식을 높이기 위해 시작되었고, 전 세계의 수천만 명의 사람들이 참여했다. ❿ 결과적으로, 많은 사람들이 그 병에 대해 알게 되었다.

❶ People have started a new online challenge / with a plastic bottle. /
사람들은 새로운 온라인 챌린지를 시작했다　　　　　　플라스틱병으로

❷ It starts with closing the cap loosely. / ❸ Then / they kick the cap with
그것은 그 뚜껑을 느슨하게 닫는 것으로 시작한다　　그러고 나서　그들은 그들의 발끝으로

the tips of their toes / to open it. / ❹ They record this / and upload the
그 뚜껑을 찬다　　　　　　그것을 열기 위해　그들은 이것을 녹화한다　그리고 그 영상을

video / to their social media accounts. / ❺ After that, / the challenge is
업로드한다　그들의 소셜 미디어 계정에　　　　그 후에　　　이 챌린지는 완료된다

complete! /

❻ Actually, / martial artists used to do this / to increase the accuracy of
사실　　　　무술가들이 이것을 하곤 했다　　　　　그들의 발차기의 정확성을 높이기

their kicks. / ❼ It became popular / when some celebrities started doing
위해서　　　　그것은 인기를 얻게 되었다　몇몇 유명인들이 그것을 하기 시작했을 때

it / on social media, / calling it the Bottle Cap Challenge. /
소셜 미디어에서　　그러고 나서 그것을 Bottle Cap Challenge(병뚜껑 챌린지)라고 불렀을 때

❽ Online challenges like this / are just for fun. / ❾ But many challenges
이와 같은 온라인 챌린지는　　　　단지 재미를 위한 것이다　하지만 많은 챌린지가

are also carried out / in the public interest. / (B) ⓫ The most famous
실시되기도 한다　　　　　공익을 위해　　　　　　　　가장 유명한 것은

one / is the Ice Bucket Challenge, / where people poured ice water over
아이스버킷 챌린지이다　　　　　그런데 여기서 사람들은 자기 자신에게 얼음물을

themselves. / (C) ⓬ It was started / to raise awareness of Lou Gehrig's
부었다　　　　　　　그것은 시작되었다　　루게릭병에 대한 인식을 높이기 위해

disease, / and tens of millions of people around the world / participated. /
그리고 전 세계의 수천만 명의 사람들이　　　　　　　참여했다

(A) ❿ As a result, / lots of people learned about the disease. /
결과적으로　　　많은 사람들이 그 병에 대해 알게 되었다

구문 해설

❶ have started는 현재완료 시제(have p.p.)로, 이 문장에서는 과거에 시작된 일이 현재에 끝난 [완료]를 나타낸다.

❷ closing the cap loosely는 전치사 with(~으로)의 목적어 역할을 하는 동명사구이다.

❸ to open it은 '그것을 열기 위해'라는 의미로, [목적]을 나타내는 to부정사의 부사적 용법으로 쓰였다.

❻ Actually, martial artists **used to** do this *to increase the accuracy of their kicks.*
  → used to는 '~하곤 했다' 또는 '전에는 ~이었다'라는 의미로 과거의 습관이나 상태를 나타낸다.
    ex. You **used to** be a little kid 10 years ago. (너는 10년 전에는 어린 꼬마였다.)
  cf. 조동사 would: ~하곤 했다 *ex.* Celebrities **would** wear the necklace. (유명인들이 그 목걸이를 착용하곤 했다.)
  → to increase the accuracy of their kicks는 '그들의 발차기의 정확성을 높이기 위해서'라는 의미로, [목적]을 나타내는 to부정사의 부사적 용법으로 쓰였다.

1 What is the best title for the passage? 이 글의 제목으로 가장 적절한 것은?

① How to Start Online Challenges 온라인 챌린지를 시작하는 방법
② Challenges for Fun and Public Good 재미와 공익을 위한 챌린지
③ Why People Like to Test Their Limits 왜 사람들은 그들의 한계를 시험하길 좋아하는가
④ Martial Arts That Became Challenges 챌린지가 된 무술
⑤ Challenges: A New Way to Raise Funds 챌린지: 자금을 모을 새로운 방법

2 Write T if the statement about the Bottle Cap Challenge is true or F if it is false.
병뚜껑 챌린지에 관한 이 글의 내용과 일치하면 T, 그렇지 않으면 F를 쓰시오.

(1) It was started to increase awareness of martial arts. _____ F
그것은 무술에 대한 인식을 높이기 위해 시작되었다.

(2) Celebrities started it on social media and named it. _____ T
유명인들이 그것을 소셜 미디어에서 시작했고 그것에 이름을 붙였다.

3 What is the best order for sentences (A)~(C)? 문장 (A)~(C)의 순서로 가장 적절한 것은?

① (A) – (B) – (C)   ② (B) – (A) – (C)   ③ (B) – (C) – (A)
④ (C) – (A) – (B)   ⑤ (C) – (B) – (A)

4 Choose the correct one based on the passage. 이 글을 바탕으로 알맞은 말을 고르시오.

Ⓐ: People originally did it to improve their (kicks / videos).
사람들은 원래 그들의 발차기를 향상시키기 위해 그것을 했다.

Ⓑ: It was intended to let people (understand / overcome) the disease.
그것은 사람들이 질병을 알게 하려고 의도되었다.

Ⓒ: Both became famous online and attracted a lot of (patients / participants).
둘 다 온라인에서 유명해졌고 많은 참여자들의 마음을 끌었다.

정답 1 ②   2 (1) F (2) T   3 ③   4 Ⓐ kicks Ⓑ understand Ⓒ participants

---

문제 해설

1 재미를 위한 병뚜껑 챌린지와 루게릭병에 대한 인식을 높이기 위한 아이스버킷 챌린지를 예로 들어 온라인 챌린지를 소개하는 글이므로, 제목으로 ② '재미와 공익을 위한 챌린지'가 가장 적절하다.

2 (1) 문장 ❻에서 무술가들이 발차기의 정확성을 높이기 위해 그것을 하곤 했다고 했다.
(2) 문장 ❼에 언급되어 있다.

3 공익을 위해 실시되는 챌린지도 있다고 언급한 이후에, 그중 가장 유명한 챌린지가 아이스버킷 챌린지라고 소개하는 (B), 이 챌린지가 루게릭병을 알리기 위해 시작됐으며, 많은 사람들이 참여했다는 내용의 (C), 그 결과 많은 사람들이 루게릭병에 대해 알게 되었다는 내용의 (A)의 흐름이 가장 적절하다.

4 문제 해석 참고

---

❼ It **became popular** when some celebrities started doing it on social media, [*calling* it the Bottle Cap Challenge].
→ 「become + 형용사」는 '~하게 되다'라는 의미이다.
→ [ ]는 '그러고 나서 그것을 병뚜껑 챌린지라고 불렀다'라는 의미로, [연속동작]을 나타내는 분사구문이다.
= 「접속사 + 주어 + 동사」 *ex.* some celebrities started doing it on social media, **and they called** it the Bottle Cap Challenge
→ 「call A B」는 'A를 B라고 부르다'라는 의미이다.

⓫ The most famous one is the Ice Bucket Challenge[, **where** people poured ice water over *themselves*].
→ [ ]는 앞에 온 the Ice Bucket Challenge를 선행사로 가지는 계속적 용법의 관계부사절이다. 관계부사 where과 when은 계속적 용법으로 쓰일 수 있다. 여기서는 '그런데 여기서(아이스버킷 챌린지에서) ~하다'라고 해석한다.
= The most famous one is the Ice Bucket Challenge, **and there** people poured ice water over themselves.
→ 전치사 over의 목적어가 주어(people)와 같은 대상이므로 재귀대명사 themselves가 쓰였다.

본문 해석

❶ 당신은 슈팅스타 아이스크림을 먹어본 적이 있는가? ❷ 그것을 먹을 때, 당신은 입안에서 작은 폭발들을 느낄 수 있다. ❸ 이것은 파핑 캔디라고 불리는 사탕에 의해 일어난다. ❹ 그것들은 입안에서 녹을 때 터짐으로써 독특한 느낌을 제공한다. ❺ 그렇다면 무엇이 파핑 캔디가 터지게 만들까?

❻ 비결은 사탕 내부에 갇혀있는 이산화탄소이다. ❼ 파핑 캔디를 만들기 위해서, 이산화탄소 가스는 설탕물에 부어진다. ❽ 그리고 나서 그 혼합물은 냉동되고 여러 조각들로 부서진다. ❾ 당신이 그것들을 먹을 때, 바깥의 설탕 층이 녹고 이산화탄소 가스가 공기 중으로 빠져나온다. ❿ 이것은 터지는 느낌과 함께 따라오는 탁하고 깨지는 소리뿐만 아니라 당신의 입안에 터지는 느낌을 일으킨다.

⓫ 이산화탄소는 많은 탄산음료에도 들어 있다. ⓬ 그것이 많은 탄산음료를 마실 때 입안에서 방울들이 터지고 있는 것처럼 느껴지는 이유이다!

❶ Have you ever tried Shooting Star ice cream? / ❷ When you eat it, /
당신은 슈팅스타 아이스크림을 먹어본 적이 있는가   당신이 그것을 먹을 때

you can feel tiny explosions / in your mouth. / ❸ This is caused by
당신은 작은 폭발들을 느낄 수 있다   당신의 입안에서   이것은 사탕들에 의해

candies / called Pop Rocks. / ❹ They provide a unique sensation / by
일어난다   Pop Rocks(파핑 캔디)라고 불리는   그것들은 독특한 느낌을 제공한다

popping / as ⓐ they melt in your mouth. / ❺ So what makes Pop Rocks
터짐으로써   그것들이 당신의 입안에서 녹을 때   그렇다면 무엇이 파핑 캔디가 터지게

pop? /
만들까?

❻ The key is carbon dioxide / trapped inside the candy. / ❼ To make
비결은 이산화탄소이다   사탕 내부에 갇혀있는   파핑 캔디를

Pop Rocks, / carbon dioxide gas is poured into sugar water. / ❽ Then /
만들기 위해서   이산화탄소 가스는 설탕물에 부어진다   그리고 나서

the mixture is frozen / and broken into pieces. / ❾ When you eat
그 혼합물은 냉동된다   그리고 여러 조각들로 부서진다   당신이 그것들을 먹을 때

them, / the outer layer of sugar melts / and the carbon dioxide gas
바깥의 설탕 층이 녹는다   그리고 이산화탄소 가스가 빠져나온다

escapes / into the air. / ❿ This causes the popping sensation / in your
공기 중으로   이것은 터지는 느낌을 일으킨다   당신의

mouth, / as well as the cracking sound / that comes with ⓑ it. /
입안에   탁하고 깨지는 소리뿐만 아니라   그것(터지는 느낌)과 함께 따라오는

⓫ Carbon dioxide is also contained / in many soft drinks. / ⓬ That's
이산화탄소는 또한 들어 있다   많은 탄산음료에   그것이 ~한 이유이다

why / it feels like / bubbles are popping in your mouth / when you drink
~처럼 느껴지는   당신의 입안에서 방울들이 터지고 있는 것   당신이 그것들(많은 탄산음료)을

ⓒ them! /
마실 때

구문 해설

❶ 「Have/Has + 주어 + p.p. ~?」의 현재완료 시제가 쓰인 의문문으로, 과거의 [경험]을 물을 때 쓴다.

❸ This is caused by candies [(which/that are) **called** Pop Rocks].
→ [ ]는 앞에 온 candies를 수식하는 과거분사구이다. 이때 called는 '~이라고 불리는'이라고 해석한다. 과거분사 앞에 「주격 관계대명사 + be동사」가 생략되어 있다.

❹ They provide a unique sensation **by popping** *as* they melt in your mouth.
→ 「by + v-ing」는 '~함으로써, ~해서'라는 의미로 수단이나 방법을 나타낸다. 이 문장에서는 '터짐으로써'라고 해석한다.
→ as는 '~할 때'라는 의미로, 부사절을 이끄는 접속사로 쓰여 뒤에 「주어 + 동사」의 절이 왔다.
    cf. 「전치사 as + 명사」: ① ~으로(써) ② ~처럼   *ex.* We can use this bottle **as a vase**. (우리는 이 병을 꽃병으로 사용할 수 있다.)

❺ So what **makes Pop Rocks pop**?
→ 「make + 목적어 + 동사원형」은 '~가 …하도록 만들다'라는 의미이다.

1 이 글의 주제로 가장 적절한 것은?

① the role of sugar in food 음식에서의 설탕의 역할
② how to make frozen carbon dioxide 냉동된 이산화탄소를 만드는 방법
③ the dangers of carbon dioxide in food 음식 속 이산화탄소의 위험성
④ how Pop Rocks cause an unusual sensation 파핑 캔디가 어떻게 독특한 느낌을 일으키는지
⑤ different kinds of food containing Pop Rocks 파핑 캔디가 들어 있는 다양한 종류의 음식

2 이 글의 밑줄 친 the mixture를 구성하는 것을 우리말로 쓰시오.

이산화탄소 가스와 설탕물

3 이 글의 밑줄 친 ⓐ, ⓑ, ⓒ가 가리키는 것을 글에서 찾아 쓰시오.

ⓐ: _____Pop Rocks_____ 파핑 캔디
ⓑ: _____the popping sensation_____ 터지는 느낌
ⓒ: _____many soft drinks_____ 많은 탄산음료

4 이 글의 내용으로 보아, 다음 빈칸에 들어갈 말을 글에서 찾아 쓰시오.

> When you eat Pop Rocks, the frozen sugar layer ____melts____ in your mouth. Then, the inner carbon dioxide gas ____escapes____ and gives you a popping sensation.

당신이 파핑 캔디를 먹을 때, 냉동된 설탕 층이 당신의 입안에서 녹는다. 그러면, 안쪽의 이산화탄소 가스가 빠져나와서 당신에게 터지는 느낌을 준다.

정답 1 ④ 2 이산화탄소 가스와 설탕물 3 ⓐ Pop Rocks ⓑ the popping sensation
ⓒ many soft drinks 4 melts, escapes

문제 해설

1 파핑 캔디에 들어 있는 이산화탄소가 입안에서 방울들이 터지는 느낌을 주는 원리에 대해 설명하는 글이므로, 주제로 ④ '파핑 캔디가 어떻게 독특한 느낌을 일으키는지'가 가장 적절하다.

2 the mixture는 문장 ❼에 언급된 이산화탄소 가스가 설탕물에 부어진 혼합물을 가리킨다.

3 ⓐ는 문장 ❸의 Pop Rocks(파핑 캔디)를, ⓑ는 문장 ❿의 the popping sensation(터지는 느낌)을, ⓒ는 문장 ⓫의 many soft drinks(많은 탄산음료)를 가리킨다.

4 문제 해석 참고

❻ The key is carbon dioxide [**trapped** inside the candy].
→ [ ]는 앞에 온 carbon dioxide를 수식하는 과거분사구이다. 이때 trapped는 '갇혀있는'이라고 해석한다.

❼ To make Pop Rocks는 '파핑 캔디를 만들기 위해서'라는 의미로, [목적]을 나타내는 to부정사의 부사적 용법으로 쓰였다.

❿ This causes the popping sensation in your mouth, **as well as** the cracking sound [that comes with it].
→ 「B as well as A」는 'A뿐만 아니라 B도'라는 의미이다. 이 문장에서는 the cracking sound that comes with it이 A에, the popping sensation in your mouth가 B에 해당한다.
= 「not only A but also B」 *ex.* This causes **not only** the cracking sound ~ **but also** the popping sensation in your mouth.
→ [ ]는 앞에 온 선행사 the cracking sound를 수식하는 주격 관계대명사절이다.

⓬ That is why는 '그것이 ~한 이유이다'라는 의미로, why 뒤에 오는 내용이 앞 문장에 대한 결과가 된다.

2

본문 해석

❶ 사람들은 종종 제품이나 서비스를 위해 미리 예약을 한다. ❷ 하지만, 일부 고객들은 아예 나타나지 않고 사전에 취소를 하지 않는다. ❸ 이러한 고객들은 노쇼라고 불린다.

❹ 노쇼는 다른 고객들에게 문제를 일으킨다. ❺ 예를 들어, 몇몇 사람들은 노쇼에 의해 구매된 사용되지 않은 표 때문에 기차나 비행기에 탑승하지 못할 수도 있다. ❻ 요식업에서, 노쇼는 훨씬 더 심각하다. ❼ 그들은 사업체 자체에 피해를 입힐 수 있다. ❽ 고객들은 가끔 미리 예약을 하거나 음식을 주문한다. (❾ 식당에서의 좋은 서비스는 음식만큼이나 고객들에게 중요하다.) ❿ 만약 그 사람들이 오지 않는다면, 식당은 일에 대한 돈을 받지 못하고 음식은 낭비된다. ⓫ 게다가, 식당은 노쇼를 기다리는 동안 다른 고객들을 받을 기회를 잃는다. ⓬ 노쇼가 규모가 큰 단체일 때 손해는 훨씬 더 크다.

⓭ 요즘에, 많은 사업체들은 미리 요금을 청구하거나 블랙리스트를 만듦으로써 노쇼를 막기 위해 노력한다. ⓮ 하지만 노쇼는 여전히 사업체들에게 문젯거리로 남아있다.

❶ People often make reservations / in advance / for products or
사람들은 종종 예약을 한다　　　　　　미리　　　　제품이나 서비스를 위해

services. / ❷ However, / some customers never show up / and don't
하지만　　　일부 고객들은 아예 나타나지 않는다　　그리고 사전에

cancel beforehand. / ❸ These customers are called no-shows. /
취소를 하지 않는다　　　이러한 고객들은 노쇼라고 불린다

❹ No-shows cause problems / for other customers. / ❺ For example, /
노쇼는 문제를 일으킨다　　다른 고객들에게　　　예를 들어

some people may not be able to board a train or plane / because of
몇몇 사람들은 기차나 비행기에 탑승하지 못할 수도 있다

unused tickets / bought by no-shows. / ❻ In the restaurant business, /
사용되지 않은 표 때문에　노쇼에 의해 구매된　　　요식업에서

no-shows are even worse. / ❼ They can damage the business itself. /
노쇼는 훨씬 더 심각하다　　　그들은 사업체 자체에 피해를 입힐 수 있다

❽ Customers sometimes make reservations / or order food / in advance. /
고객들은 가끔 예약을 한다　　　　　　또는 음식을 주문한다　미리

(b) (❾ Good service at the restaurant / is as important to customers as
식당에서의 좋은 서비스는　　　　　음식만큼이나 고객들에게 중요하다

the food. /) ❿ If the people don't come, / the restaurant doesn't get paid
만약 그 사람들이 오지 않는다면　그 식당은 일에 대한 돈을 받지 못한다

for the work / and the food goes to waste. / ⓫ In addition, / the restaurant
그리고 음식은 낭비된다　　　게다가　　그 식당은

loses an opportunity / to accept other customers / while waiting for the
기회를 잃는다　　　　다른 고객들을 받을　　　노쇼를 기다리는 동안

no-show. / ⓬ The loss is even bigger / when the no-show is a large group. /
손해는 훨씬 더 크다　　　노쇼가 규모가 큰 단체일 때

⓭ Nowadays, / many businesses try to prevent no-shows / by charging
요즘에　　　많은 사업체들은 노쇼를 막기 위해 노력한다　　　미리 요금을

ahead of time / or making a blacklist. / ⓮ But no-shows still remain a
청구함으로써　　또는 블랙리스트를 만듦으로써　하지만 노쇼는 여전히 문젯거리로 남아있다

problem / for businesses. /
사업체들에게

구문 해설

❸ 「A be called B」는 'A는 B라고 불리다'라는 의미로, 「call A B(A를 B라고 부르다)」의 수동태 표현이다.

❺ may not be able to는 '~하지 못할 수도 있다, ~ 못할지도 모른다'라는 의미로, 약한 추측의 가능성을 나타낸다. 조동사는 한 번에 하나만 쓰므로, 조동사 뒤에서는 can 대신 be able to를, must 대신 have to를 쓴다.
ex. Jessica **may have to** go to the hospital. (Jessica는 병원에 가야 할지도 모른다.)

❻ 부사 even은 '훨씬'이라는 의미로 비교급을 강조할 수 있다. 이 문장에서는 형용사 bad의 비교급 worse를 강조하고 있다.
cf. 비교급 강조 부사: even, much, still, far, a lot　*ex.* Jason arrived **a lot** earlier than you. (Jason은 너보다 훨씬 일찍 도착했다.)

❼ 문장의 목적어(the business)를 강조하기 위해 재귀대명사 itself가 쓰였다. 이때의 재귀대명사는 '그 자체'라고 해석하며, 생략할 수 있다.

❾ 「as + 형용사/부사 + as」는 '~만큼 …한/하게'라는 의미이다. 이 문장에서는 '음식만큼이나 고객들에게 중요한'이라고 해석한다.

1 이 글의 제목으로 가장 적절한 것은?

① Why Do No-shows Happen A Lot? 노쇼는 왜 많이 발생하는가?

② An Effective Way to Prevent No-shows 노쇼를 막는 효과적인 방법

③ The Future of the Restaurant Businesses 요식업의 미래

✔④ Customers Who Can Damage Businesses 사업체에 피해를 입힐 수 있는 고객들

⑤ Efforts of Businesses to Satisfy Customers 고객을 만족시키려는 사업체의 노력

2 이 글의 빈칸에 들어갈 말로 가장 적절한 것은?

① buy lots of products at once 한꺼번에 많은 제품을 산다

② usually don't make reservations 보통 예약을 하지 않는다

③ want to reschedule their appointments 그들의 예약 일정을 변경하고 싶어 한다

④ ask for more services from businesses 사업체에 더 많은 서비스를 요청한다

✔⑤ cause problems for other customers 다른 고객들에게 문제를 일으킨다

3 이 글의 (a)~(e) 중, 전체 흐름과 관계없는 문장은?

① (a)　　✔② (b)　　③ (c)　　④ (d)　　⑤ (e)

4 사업체들이 no-shows를 막기 위해 하는 일 두 가지를 우리말로 쓰시오.

(1) ＿＿＿＿＿＿＿＿ 미리 요금을 청구한다. ＿＿＿＿＿＿＿＿

(2) ＿＿＿＿＿＿＿＿ 블랙리스트를 만든다. ＿＿＿＿＿＿＿＿

문제 해설

1 노쇼가 다른 고객뿐만 아니라 요식업체와 같은 사업체 자체에도 피해를 입힐 수 있다고 설명하는 글이므로, 제목으로 ④ '사업체에 피해를 입힐 수 있는 고객들'이 가장 적절하다.

2 빈칸 뒤에서 노쇼가 구매한 표 때문에 기차나 비행기에 탑승하지 못하는 사람들이 생기는 문제를 예로 들었으므로, 빈칸에는 ⑤ '다른 고객들에게 문제를 일으킨다'가 가장 적절하다.

3 노쇼가 요식업체에 어떤 피해를 입힐 수 있는지 설명하는 내용 중에, '식당에서의 좋은 서비스는 음식만큼이나 고객들에게 중요하다'라는 내용의 (b)는 전체 흐름과 관계없다.

4 문장 ⑬에서 사업체들이 미리 요금을 청구하거나 블랙리스트를 만듦으로써 노쇼를 막기 위해 노력한다고 했다.

⓫ In addition, the restaurant loses an opportunity **to accept other customers** [*while waiting for* the no-show].

→ to accept other customers는 '다른 고객들을 받을'이라는 의미로, to부정사의 형용사적 용법으로 쓰여 an opportunity를 수식하고 있다.

→ [ ]는 '노쇼를 기다리는 동안'이라는 의미로, [동시동작]을 나타내는 분사구문이다. 분사구문의 의미를 분명하게 하기 위해 접속사 while이 생략되지 않았다.

= 「접속사 + 주어 + 동사」 *ex.* the restaurant loses an opportunity ~ **while it waits for** the no-show

⓭ Nowadays, many businesses **try to prevent** no-shows *by charging* ahead of time or *making* a blacklist.

→ 「try + to-v」는 '~하려고 노력하다'라는 의미이다.

cf. 「try + v-ing」: (시험 삼아) ~해보다 *ex.* Steven **tried writing** a mystery novel. (Steven은 추리 소설을 시험 삼아 써봤다.)

→ 「by + v-ing」는 '~함으로써, ~해서'라는 의미로 수단이나 방법을 나타낸다. 이 문장에서는 동명사 charging과 making이 접속사 or로 연결되어 쓰였다.

본문 해석

❶ 남자친구 또는 여자친구를 위해 선물을 마련하는 것은 어려울 수 있다. ❷ 이것은 그 또는 그녀가 다른 나라 출신일 때 특히 그렇다. ❸ 여기 선물을 줄 때 문화를 이해하는 것이 왜 중요한지에 대한 몇 가지 예시가 있다.

❹ 베트남에서, 컵과 손수건은 매우 안 좋은 선물이다. ❺ 베트남 사람들에게, 컵은 자주 금이 가거나 깨지기 때문에 관계의 끝을 상징한다. ❻ 비슷하게, 손수건은 사람의 눈물을 닦기 위해 쓰이기 때문에 적절하지 않다. ❼ 다시 말해서, 그것은 이별 후의 슬픔을 나타낸다.

❽ 한편, 러시아에서, 꽃은 가장 인기 있는 선물이지만, 그것을 줄 때 조심해야 한다. ❾ 노란 꽃은 불운으로 여겨지므로 절대 주지 말아라. ❿ 또한, 항상 홀수의 꽃으로 된 꽃다발을 줘라. ⓫ 짝수의 꽃은 장례식에서만 주어진다.

❶ Getting a gift for a boyfriend or girlfriend / can be (A) difficult. /
남자친구 또는 여자친구를 위해 선물을 마련하는 것은　　　　　어려울 수 있다

❷ This is especially true / when he or she is from another country. /
이것은 특히 그렇다　　　　　그 또는 그녀가 다른 나라 출신일 때

❸ Here are a few examples / of why it's important to understand a
여기 몇 가지 예시가 있다　　　　　문화를 이해하는 것이 왜 중요한지에 대한

culture / when you give gifts. /
　　　　당신이 선물을 줄 때

❹ In Vietnam, / cups and handkerchiefs are very (B) bad gifts. / ❺ For
베트남에서　　　컵과 손수건은 매우 안 좋은 선물이다

Vietnamese people, / cups symbolize the end of a relationship / since they
베트남 사람들에게　　　컵은 관계의 끝을 상징한다　　　　　그것들이

often crack or break. / ❻ Similarly, / handkerchiefs are not appropriate /
자주 금이 가거나 깨지기 때문에　　비슷하게　　　손수건은 적절하지 않다

because they are used / to dry a person's tears. / ❼ In other words, / they
그것들이 쓰이기 때문에　　　사람의 눈물을 닦기 위해　　　다시 말해서　　　그것들은

represent sadness after a breakup. /
이별 후의 슬픔을 나타낸다

❽ Meanwhile, / in Russia, / flowers are a favorite gift, / but you must
한편　　　　　러시아에서　　　꽃은 가장 인기 있는 선물이다　　　하지만 당신은

be careful / when giving them. / ❾ Never give yellow flowers / as they are
조심해야 한다　그것들을 줄 때　　　　절대 노란 꽃을 주지 말아라　　　그것들은

thought to be bad luck. / ❿ In addition, / always give bouquets / with an
불운으로 여겨지므로　　　　　또한　　　　　항상 꽃다발을 줘라

(C) odd number of flowers. / ⓫ Even numbers of flowers / are only given
홀수의 꽃으로 된　　　　　　짝수의 꽃은　　　　　장례식에서만 주어진다

at funerals. /

구문 해설

❸ Here are a few examples of [why it's important **to understand a culture** when you give gifts].
→ [ ]는「의문사 + 주어 + 동사」의 간접의문문으로, of의 목적어 역할을 하고 있다.
→ it은 가주어이고, to understand a culture가 진주어이다. to부정사, that절 등이 와서 주어가 긴 경우 이를 문장의 뒤로 옮기고 원래 주어 자리에는 가주어 it을 쓴다. 이때 가주어 it은 따로 해석하지 않는다.

❺ since는 '~ 때문에'라는 의미로, 부사절을 이끄는 접속사로 쓰여 뒤에「주어 + 동사」의 절이 왔다.
cf. 접속사 since의 두 가지 의미: ① ~ 때문에 ② ~ 이후로
cf.「전치사 since + 명사」: ~ 이후로　*ex.* I have lived in Boston **since 2020**. (나는 2020년 이후로 Boston에서 살아왔다.)

❻ to dry a person's tears는 '사람의 눈물을 닦기 위해'라는 의미로, [목적]을 나타내는 to부정사의 부사적 용법으로 쓰였다.

1 (A), (B), (C)의 각 네모 안에서 문맥에 알맞은 말로 가장 적절한 것은?

(A)	(B)	(C)
① easy ……	bad ……	even 쉬운 … 안 좋은 … 짝수의
② easy ……	good ……	even 쉬운 … 좋은 … 짝수의
③ difficult ……	bad ……	even 어려운 … 안 좋은 … 짝수의
④ difficult ……	good ……	odd 어려운 … 좋은 … 홀수의
⑤ difficult ……	bad ……	odd 어려운 … 안 좋은 … 홀수의

2 이 글의 빈칸에 들어갈 말로 가장 적절한 것은?

① Instead 대신에 ② Similarly 비슷하게 ③ Otherwise 그렇지 않으면
④ On the other hand 반면에 ⑤ For example 예를 들어

3 이 글의 내용과 일치하도록 다음 빈칸에 들어갈 말을 글에서 찾아 쓰시오.

In Vietnam 베트남에서	Cups are symbols of the (1) ___end___ of ___a___ ___relationship___. 컵은 (1) 관계의 끝의 상징이다.
In Russia 러시아에서	Yellow flowers are considered (2) ___bad___ ___luck___. 노란 꽃은 (2) 불운으로 여겨진다.

4 이 글의 밑줄 친 부분의 이유를 유추하여 우리말로 쓰시오.

문화[나라]에 따라 어떤 선물은 부정적인 의미를 가지기 때문에
_____

정답 **1** ⑤ **2** ② **3** (1) end of a relationship (2) bad luck
4 문화[나라]에 따라 어떤 선물은 부정적인 의미를 가지기 때문에

---

1 (A) 네모 뒤에서 선물을 줄 때 문화를 이해하는 것이 왜 중요한지에 대한 예시가 있다고 한 뒤, 문화에 따라 부정적인 의미를 가진 선물들을 소개하고 있다. 따라서 네모 (A)에는 '어려운'이 문맥상 적절하다.
(B) 네모 뒤에서 컵은 관계의 끝을 상징하고, 손수건은 이별 후의 슬픔을 나타낸다고 했다. 따라서 네모 (B)에는 '안 좋은'이 문맥상 적절하다.
(C) 네모 뒤에서 짝수의 꽃은 장례식에서만 주어진다고 했다. 따라서 네모 (C)에는 '홀수의'가 문맥상 적절하다.

2 빈칸 앞에서 컵은 금이 가거나 깨지기 때문에 관계의 끝을 상징한다고 했고, 빈칸이 있는 문장에서 컵과 같은 안 좋은 선물로 손수건을 설명하면서 그것이 눈물을 닦기 위해 쓰이므로 적절하지 않다고 했다. 따라서 빈칸에는 ② '비슷하게'가 가장 적절하다.

3 문장 ❺에서 베트남 사람들에게 컵은 관계의 끝을 상징한다고 했고, 문장 ❽-❾에서 러시아에서 노란 꽃은 불운으로 여겨진다고 했다.

4 베트남과 러시아의 사례를 통해 선물을 줄 때 문화를 이해하는 것이 중요한 이유는 문화[나라]에 따라 어떤 선물은 부정적인 의미를 가지기 때문임을 유추할 수 있다.

---

❽ Meanwhile, in Russia, flowers are a favorite gift, but you **must** be careful *when giving them*.
→ 조동사 must는 '(반드시) ~해야 한다'라는 의미로 강한 의무를 나타낸다.
→ when giving them은 '그것들(=flowers)을 줄 때'라는 의미로, [시간]을 나타내는 분사구문이다. 분사구문의 의미를 분명하게 하기 위해 접속사 when이 생략되지 않았다.
= 「접속사 + 주어 + 동사」 *ex.* you must be careful **when you give** them

❾ **Never give** yellow flowers *as* they are thought to be bad luck.
→ 「Never + 동사원형」은 '절대 ~하지 말아라'라는 의미로, 강한 금지를 나타내는 부정 명령문이다.
cf. 「Don't + 동사원형」: ~하지 말아라 *ex.* **Don't be** late again. (다시는 늦지 말아라.)
→ as는 '~하므로, ~ 때문에'라는 의미로, 부사절을 이끄는 접속사로 쓰여 뒤에 「주어 + 동사」의 절이 왔다.
cf. 접속사 as의 다양한 의미: ① ~하므로, ~ 때문에 ② ~하면서, ~하고 있을 때 ③ ~과 같이, ~처럼 ④ ~할수록, ~함에 따라
→ 「A be thought to be B」는 'A가 B로 여겨지다'라는 의미로, 「think A to be B(A를 B라고 여기다, 생각하다)」의 수동태 표현이다.

본문 해석

❶ 당신은 집을 짓는 데 얼마나 오래 걸린다고 생각하는가?

❷ 놀랍게도, 3D 프린터로 만든 집 한 채는 짓는 데 겨우 약 하루가 걸린다. ❹ 3D 프린터는 태블릿의 특별한 소프트웨어로 제어되기 때문에 그것을 건설하는 데 많은 작업자들을 필요로 하지도 않는다. ❸ 이 프로그램으로, 그것은 네 명에서 여섯 명으로 된 작은 무리에 의해 하루 안에 지어질 수 있다. ❺ 작업자들은 프린터가 기초적인 구조물을 짓고 있는 것을 지켜보고 몇 가지를 조정하기만 하면 된다. ❻ 이 구조물은 매우 튼튼해서 그 집은 극심한 날씨를 견딜 수 있다. ❼ 그것은 심지어 폭풍과 지진 속에서도 서 있을 수 있다. ❽ 무엇보다도, 완전히 새로운 집을 짓는 데 겨우 약 10,000달러가 든다!

❾ 기술이 개선될수록, 3D 프린터로 만든 집은 더 저렴하고 빠르게 지을 수 있을 것이고, 그것의 품질은 높아질 것이다. ❿ 미래에, 우리는 버튼 한 번 누르는 것으로 도시 전체를 만들 수 있을지도 모른다.

❶ How long / do you think / it takes / to build a house? /
얼마나 오래　당신은 생각하는가　걸린다고　집을 짓는 데

(A) ❷ Surprisingly, / a single 3D-printed house / takes only about a day /
놀랍게도　　3D 프린터로 만든 집 한 채는　　겨우 약 하루가 걸린다

to build. / (C) ❹ It doesn't even require a lot of workers / to construct
짓는 데　　　　심지어 많은 작업자들을 필요로 하지 않는다　　　그것을 건설하는 것은

it / because the 3D printer is controlled / by special software on a tablet. /
　　　3D 프린터는 제어되기 때문에　　　태블릿의 특별한 소프트웨어로

(B) ❸ With this program, / it can be built / by a small crew of four to six
이 프로그램으로　　　그것은 지어질 수 있다　네 명에서 여섯 명으로 된 작은 무리에

people / in a day. / ❺ The workers just have to watch / the printer building
의해　하루 안에　　작업자들은 지켜보기만 하면 된다　그 프린터가 기초적인

the basic structure / and make a few adjustments. / ❻ This structure is so
구조물을 짓고 있는 것을　그리고 몇 가지를 조정하기만 하면 된다　이 구조물은 매우

strong / that the house can withstand extreme weather. / ❼ It can even
튼튼해서　그 집은 극심한 날씨를 견딜 수 있다　　　그것은 심지어

remain standing / through hurricanes and earthquakes. / ❽ Best of all, / it
서 있을 수 있다　폭풍과 지진 속에서　　　무엇보다도

costs only about $10,000 / to build a brand-new home! /
겨우 약 10,000달러가 든다　완전히 새로운 집을 짓는 데

❾ As technology improves, / 3D-printed houses will become cheaper
기술이 개선될수록　　　3D 프린터로 만든 집은 더 저렴하고 빨라질 것이다

and faster / to build, / and their quality will increase. / ❿ In the future, /
짓기에　그리고 그것들의 품질은 높아질 것이다　미래에

we may be able to make entire cities / with the push of a button. /
우리는 도시 전체를 만들 수 있을지도 모른다　버튼 한 번 누르는 것으로

구문 해설

❶ **How long** [do you *think*] **it takes to build a house**?
→ How long it takes to build a house는 「how + 부사 + 주어 + 동사」의 간접의문문으로, 이때 how는 '얼마나'라고 해석한다.
→ 간접의문문(how long it takes ~)이 포함된 의문문에 생각이나 추측을 나타내는 think, believe, guess 등의 동사가 쓰인 경우 간접의문문의 의문사를 문장 맨 앞에 쓴다. = Do you think? + How long does it take to build a house?
→ 「it takes + (사람) + 시간 + to-v」는 '(사람이) ~하는 데 …의 시간이 걸리다'라는 의미이다.

❹ It은 가주어이고, to construct it이 진주어이다. 이때 가주어 it은 따로 해석하지 않는다.

❸ can be built는 '지어질 수 있다'라는 의미이다. 조동사 뒤에는 동사원형이 오므로, 조동사가 있는 수동태는 「조동사 + be p.p.」가 된다.

❺ The workers just **have to** *watch the printer building* the basic structure and make a few adjustments.
→ have to는 '~해야 한다'라는 의미이다. have/had to는 뒤에 동사원형을 쓴다. 이 문장에서는 동사원형 watch와 make가 접속사 and로 연결되어 쓰였다.

1 What is the best order for sentences (A)~(C)? 문장 (A)~(C)의 순서로 가장 적절한 것은?

① (A) – (B) – (C)   ② (A) – (C) – (B)   ③ (B) – (A) – (C)
④ (B) – (C) – (A)   ⑤ (C) – (A) – (B)

2 Which is the best choice to complete the sentence? 문장을 완성하기에 가장 적절한 것은?

> A 3D-printed house doesn't need many workers to build it because _____ .
> 3D 프린터로 만든 집은 짓는 데 많은 작업자들을 필요로 하지 않는데 왜냐하면

① the 3D printer works at high speed
   3D 프린터가 빠른 속도로 작동하기 때문이다
② the workers only construct the basic structure
   작업자들이 기초적인 구조물만 건설하기 때문이다
③ the 3D printer doesn't require any adjustments
   3D 프린터가 어떠한 조정도 필요로 하지 않기 때문이다
④ the workers only have to oversee the printer's work
   작업자들이 프린터의 작업을 감독하기만 하면 되기 때문이다
⑤ only a few skilled workers can control the 3D printer
   몇 명의 숙련된 작업자들만이 3D 프린터를 제어할 수 있기 때문이다

3 Which is the best choice for the blank? 빈칸에 들어갈 말로 가장 적절한 것은?

① small 작은   ② strong 튼튼한   ③ clean 깨끗한
④ economical 경제적인   ⑤ comfortable 편안한

4 Complete the table about 3D-printed houses. Write the answers in Korean.
3D 프린터로 만든 집에 관한 표를 완성하시오. 우리말로 쓰시오.

Construction Period 건설 기간	약 (1) _____ 하루[1일] _____
Strength 장점	폭풍과 (2) _____ 지진 _____ 까지 견딜 수 있다.
Cost 가격	약 (3) _____ 10,000달러 _____
Expectations 기대되는 점	더 저렴하고 빠르게 지을 수 있을 것이고, (4) _____ 품질이 높아질 _____ 것이다.

정답   1 ②   2 ④   3 ②   4 (1) 하루[1일] (2) 지진 (3) 10,000달러 (4) 품질이 높아질

문제 해설

1 집 한 채를 짓는 데 얼마나 걸릴지 물어본 이후에, 3D 프린터로 만든 집은 겨우 하루가 걸린다는 내용의 (A), 특별한 소프트웨어 덕분에 심지어 작업자도 많이 필요 없다는 내용의 (C), 구체적으로 네 명에서 여섯 명이면 하루만에 집을 지을 수 있다는 내용의 (B)의 흐름이 가장 적절하다.

2 문장 ❺에서 작업자들은 프린터가 기초적인 구조물을 짓고 있는 것을 지켜보고 몇 가지를 조정하기만 하면 된다고 했다. 따라서 빈칸에는 ④ '작업자들이 프린터의 작업을 감독하기만 하면 되기 때문이다'가 가장 적절하다.

3 빈칸이 있는 문장에서 3D 프린터로 만든 집은 극심한 날씨를 견딜 수 있다고 했고, 빈칸 뒤에서 그것은 폭풍과 지진 속에서도 서있을 수 있다고 했다. 따라서 빈칸에는 ② '튼튼한'이 가장 적절하다.

4 문제 해석 참고

→ 「watch + 목적어 + 현재분사」는 '~가 …하고 있는 것을 지켜보다'라는 의미이다. 진행의 의미를 강조하기 위해 동사원형 대신 현재분사가 쓰였다.

❻ This structure is **so strong that** the house can withstand extreme weather.
   → 「so + 형용사/부사 + that절」은 '매우/너무 ~해서 …하다'라는 의미이다. 이 문장에서는 '매우 튼튼해서 그 집은 극심한 날씨를 견딜 수 있다'라고 해석한다.

❽ 「It costs + (사람) + 비용 + to-v」는 '(사람이) ~하는 데 …의 비용이 들다'라는 의미이다. 이 문장에서는 '완전히 새로운 집을 짓는 데 겨우 약 10,000달러가 든다'라고 해석한다.

❾ **As** technology improves, 3D-printed houses will become cheaper and faster *to build*, and their quality will increase.
   → As는 부사절을 이끄는 접속사로, '~할수록, ~함에 따라'라는 의미이다.
   → to build는 '짓기에'라는 의미로, to부정사의 부사적 용법으로 쓰여 형용사의 비교급 cheaper와 faster를 수식하고 있다.

본문 해석

❶ 당신은 이 특별한 달력으로 24개의 크리스마스 선물을 받을 수 있다! ❷ 이것은 강림절 달력이라고 불린다. ❸ 이것에는 24개의 작은 '문'이 있고, 각각의 문 뒤에는 다른 선물이 있다. ❹ 12월 1일부터, 당신은 하루에 하나의 문을 연다. ❺ 당신은 크리스마스까지 매일 깜짝 선물을 받는다.

❻ 보통, 강림절 달력에는 초콜릿, 사탕, 또는 크리스마스 장식이 들어 있다. ❼ 가끔은, 더 특별한 물건들이 그것 안에서 발견된다. ❽ 화장품 샘플이나 인기 있는 캐릭터 인형들이 문 뒤에 있을 수 있다! ❾ 당신은 또한 당신 자신의 강림절 달력을 만들 수 있다. ❿ 당신은 그것을 편지나 사진으로 채워 가족이나 친구들에게 줄 수 있다. ⓫ 받는 사람이 좋아하는 무엇이든지 넣을 수 있어서, 수제 달력은 더 개인적이다.

⓬ 강림절 달력은 당신이 크리스마스를 기다리며 보내는 매일을 즐기게 해준다. ⓭ 당신은 그 달력으로부터 어떤 선물을 받고 싶은가?

---

❶ You can get 24 Christmas gifts / with this special calendar! / ❷ It's
당신은 24개의 크리스마스 선물을 받을 수 있다   이 특별한 달력으로   이것은

called an Advent calendar. / ❸ It has 24 little "doors," / and there is a
Advent calendar(강림절 달력)라고 불린다   이것에는 24개의 작은 '문'이 있다   그리고 다른

different gift / behind each one. / ❹ From December 1, / you open one
선물이 있다   각각의 것(문) 뒤에는   12월 1일부터   당신은 하나의 문을

door / a day. / ❺ You receive a surprise every day / until Christmas. /
연다   하루에   당신은 매일 깜짝 선물을 받는다   크리스마스까지

❻ Usually, / Advent calendars contain chocolates, sweets, or Christmas
보통   강림절 달력에는 초콜릿, 사탕, 또는 크리스마스 장식들이 들어 있다

decorations. / ❼ Sometimes, / more special items are found inside them. /
가끔은   더 특별한 물건들이 그것들 안에서 발견된다

❽ Beauty product samples or popular character figures / can be behind
화장품 샘플이나 인기 있는 캐릭터 인형들이   문 뒤에 있을 수 있다

the doors! / (③ ❾ You can also make your own Advent calendar. /)
당신은 또한 당신 자신의 강림절 달력을 만들 수 있다

❿ You can fill it with letters or photos / and give it to your family or
당신은 그것을 편지나 사진으로 채울 수 있다   그리고 그것을 당신의 가족이나 친구들에게

friends. / ⓫ You can include / whatever the receiver likes, / so the
줄 수 있다   당신은 넣을 수 있다   받는 사람이 좋아하는 무엇이든지   그래서

handmade calendars are more personal. /
수제 달력은 더 개인적이다

⓬ Advent calendars let you enjoy every day / you spend / waiting for
강림절 달력은 당신이 매일을 즐기게 해준다   당신이 보내는   크리스마스를

Christmas. / ⓭ What sort of presents / would you like to get / from the
기다리는 데   어떤 종류의 선물을   당신은 받고 싶은가   그 달력으로부터

calendar? /

구문 해설

❷ 「A be called B」는 'A가 B라고 불리다'라는 의미이다.

❻ 세 가지 이상의 단어를 나열할 때는 콤마와 함께 마지막 단어 앞에 or[and]를 써서 「A, B, or[and] C」로 나타낸다.

❿ 「give + 직접목적어 + to + 간접목적어」는 '~에게 …을 주다'라는 의미이다. 일반적으로 「give + 간접목적어 + 직접목적어」로 바꿔 쓸 수 있으나, 여기서처럼 it이나 them이 직접목적어로 쓰이면 바꿔 쓸 수 없다.

⓫ You can include [**whatever** the receiver likes], so the handmade calendars are more personal.
  → [ ]는 can include의 목적어 역할을 하는 복합관계대명사절이다. 복합관계대명사 whatever는 '무엇이든지'라는 의미로, 이 문장에서는 '받는 사람이 좋아하는 무엇이든지'라고 해석한다. 이때 whatever는 anything that으로 바꿔 쓸 수 있다.
  = You can include **anything that** the receiver likes, so the handmade calendars are more personal.

1 이 글의 빈칸에 들어갈 말로 가장 적절한 것은?

① write a card 카드를 쓴다
② make a wish 소원을 빈다
③ decorate a house 집을 꾸민다
④ mark on a calendar 달력에 표시를 한다
✓⑤ receive a surprise 깜짝 선물을 받는다

2 이 글의 흐름으로 보아, 다음 문장이 들어가기에 가장 적절한 곳은?

> You can also make your own Advent calendar.
> 당신은 또한 당신 자신의 강림절 달력을 만들 수 있다.

①　　　　②　　　　✓③　　　　④　　　　⑤

3 이 글의 밑줄 친 more special items에 해당하는 것을 우리말로 쓰시오.

화장품 샘플이나 인기 있는 캐릭터 인형들

4 이 글에서 강림절 달력에 관해 언급되지 <u>않은</u> 것은?

① 달력에 넣는 선물의 개수
② 달력을 사용하는 시기
✓③ 달력을 구매하는 방법
④ 달력에 넣는 선물의 종류
⑤ 수제 달력의 특징

---

1 빈칸 앞에서 강림절 달력에 있는 각각의 문 뒤에는 선물이 하나씩 있으며, 12월 1일부터 하루에 문 하나씩을 연다고 했다. 따라서 빈칸에는 ⑤ '깜짝 선물을 받는다'가 가장 적절하다.

2 주어진 문장에서 언급한 당신 자신의 강림절 달력은 문장 ❿에서 it이 가리키는 대상으로, 그 달력을 편지나 사진으로 채워 가족이나 친구들에게 줄 수 있다고 했다. 따라서 주어진 문장은 문장 ❿ 앞에 오는 것이 자연스러우므로, ③이 가장 적절하다.

3 more special items는 문장 ❽에 언급된 화장품 샘플이나 인기 있는 캐릭터 인형들을 가리킨다.

4 ③: 강림절 달력을 구매하는 방법에 대한 언급은 없다.
①: 문장 ❸에서 강림절 달력에 있는 24개의 문 뒤에 각각 선물이 하나씩 있다고 했으므로, 총 24개의 선물이 있음을 알 수 있다.
②: 문장 ❹에 언급되어 있다.
④: 두 번째 단락에서 강림절 달력에는 초콜릿, 사탕, 크리스마스 장식 또는 더 특별하거나 개인적인 물건 등이 들어 있다고 했다.
⑤: 문장 ⓫에 언급되어 있다.

정답 1 ⑤　2 ③　3 화장품 샘플이나 인기 있는 캐릭터 인형들　4 ③

---

❿ Advent calendars **let you enjoy** *every day* [(that) you *spend waiting for* Christmas.]
→ 「let + 목적어 + 동사원형」은 '~가 …하도록 해주다, 두다'라는 의미이다.
→ [ ]는 앞에 온 선행사 every day를 수식하는 목적격 관계대명사절로, 목적격 관계대명사 that이 생략되어 있다.
→ 「spend + 시간/돈 + v-ing」는 '~하는 데 …의 시간/돈을 보내다[쓰다]'라는 의미이다. 이 문장에서는 [ ]의 선행사 every day가 시간/돈에 해당하며 '크리스마스를 기다리는 데 매일을 보내다'라고 해석한다.
　cf. 「spend + 시간/돈 + on + 명사」 *ex.* James spends a lot of money **on clothes**. (James는 옷에 많은 돈을 쓴다.)
→ 「wait for + (동)명사」는 '~을 기다리다'라는 의미이다.
　cf. 「can't wait + to-v」: ~할 것을 기다릴 수 없다, 정말 ~하고 싶다
　ex. I **can't wait to see** the music concert tonight. (나는 오늘 밤 음악 콘서트를 정말 보고 싶다.)

⓭ What sort of presents **would** you **like to get** from the calendar?
→ 「would like + to-v」는 '~하고 싶다'라는 의미이다. would like는 목적어로 to부정사를 쓴다.

본문 해석

❶ 많은 종류의 세균이 당신의 입안에 산다. ❷ 그것들 중에는, 충치를 유발하는 해로운 세균이 있다. ❸ 예를 들어, 뮤탄스균은 실제로 충치의 주된 원인이다. ❹ 이러한 종류의 세균은 보통 당신이 먹는 음식에 있는 설탕으로부터 에너지를 얻는다. ❺ 하지만, 뮤탄스균이 소화하지 못하는 무언가 달콤한 것이 있다. ❻ 그것은 자일리톨이라고 불리는 천연 감미료이다. ❼ 그것은 설탕과 비슷한 화학적 성질을 가진다. ❽ 이러한 이유 때문에, 당신이 자일리톨을 먹을 때, 뮤탄스균은 그것을 설탕으로 착각하고 먹는다. ❾ 하지만 그것들은 자일리톨을 소화하지 못해서, 자일리톨로부터 에너지를 얻지 못한다. ❿ 자일리톨을 먹으려는 몇 차례 시도 후에, 그 세균은 마침내 에너지를 다 써버리고, 죽어서, 당신의 입에서 떨어져 나온다. ⓫ 다시 말해서, 자일리톨은 그것들이 굶어 죽도록 만든다!

❶ Many types of bacteria / live in your mouth. / ❷ Among them, /
많은 종류의 세균이 　　　　　당신의 입안에 산다 　　　　그것들 중에는

there are harmful bacteria / that cause tooth decay. / ❸ S. mutans, / for
해로운 세균이 있다 　　　　　충치를 유발하는 　　　　　　　뮤탄스균은

example, / is actually the main cause of tooth decay. / ❹ This type of
예를 들어 　　실제로 충치의 주된 원인이다 　　　　　　　　　　이러한 종류의

bacteria / usually gets energy / from ⓐ the sugar / in the food you eat. /
세균은 　　　보통 에너지를 얻는다 　　설탕으로부터 　　　당신이 먹는 음식에 있는

❺ However, / there is ⓑ something sweet / that S. mutans can't digest. /
하지만 　　　무언가 달콤한 것이 있다 　　　　뮤탄스균이 소화하지 못하는

❻ It's a natural sweetener / called xylitol. / ❼ ⓒ It has chemical qualities /
그것은 천연 감미료이다 　　　자일리톨이라고 불리는 　그것은 화학적 성질을 가진다

similar to those of sugar. / ❽ For this reason, / when you eat xylitol, /
설탕의 그것(화학적 성질)과 비슷한 　이러한 이유 때문에 　　당신이 자일리톨을 먹을 때

the S. mutans bacteria mistake ⓓ it for sugar / and consume it. / ❾ But
뮤탄스균은 그것을 설탕으로 착각한다 　　　　　　그리고 그것을 먹는다 　　하지만

they cannot digest xylitol, / so they get no energy from ⓔ it. / ❿ After a
그것들은 자일리톨을 소화하지 못한다 　그래서 그것들은 그것(자일리톨)으로부터 에너지를 얻지 못한다

few attempts / to eat xylitol, / the bacteria finally run out of energy, / die, /
몇 차례 시도 후에 　자일리톨을 먹으려는 　그 세균은 마침내 에너지를 다 써버린다 　죽는다

and fall out of your mouth. / ⓫ In other words, / xylitol causes / them to
그리고 당신의 입에서 떨어져 나온다 　　　다시 말해서 　　　자일리톨은 만든다 　그것들이

starve to death! /
굶어 죽도록

구문 해설

❷ **Among** them, there are harmful bacteria [that cause tooth decay].
→ 전치사 among은 '~ 중에서, 사이에서'라는 의미이다. 주로 셋 이상의 사이를 가리킬 때 among을, 둘 사이를 가리킬 때는 between을 쓴다.
cf. 「between A and B」: A와 B 사이의 　*ex.* a secret **between Jack and Susan** (Jack과 Susan 사이의 비밀)
→ [ ]는 앞에 온 선행사 harmful bacteria를 수식하는 주격 관계대명사절이다.

❹ This type of bacteria usually gets energy from the sugar in the food [(which/that) you eat].
→ [ ]는 앞에 온 선행사 the food를 수식하는 목적격 관계대명사절로, 목적격 관계대명사 which/that이 생략되어 있다.

❺ However, there is **something sweet** [that S. mutans can't digest].
→ something과 같이 -thing으로 끝나는 대명사는 형용사가 뒤에서 수식한다. 이 문장에서는 형용사 sweet가 대명사 something을 뒤에서 수식하여, '무언가 달콤한 것'이라고 해석한다.
→ [ ]는 앞에 온 선행사 something sweet를 수식하는 목적격 관계대명사절이다. 선행사에 -thing, -body -one으로 끝나는 대명사가 쓰였을 때는 주로 that을 쓴다.

1 이 글의 제목으로 가장 적절한 것은?

① Harmful Bacteria in Some Food 일부 음식 속 해로운 세균
② The Effect of Xylitol on Bacteria 세균에 대한 자일리톨의 효과
③ Surprising Causes of Tooth Decay 충치의 놀라운 원인들
④ How Xylitol Provides Our Body with Energy 자일리톨은 어떻게 우리 몸에 에너지를 제공하는가
⑤ You Should Avoid Sugar to Protect Your Teeth 치아를 보호하기 위해서는 설탕을 피해야 한다

2 이 글의 밑줄 친 @~ⓔ 중, 가리키는 대상이 나머지 넷과 다른 것은?

① @   ② ⓑ   ③ ⓒ   ④ ⓓ   ⑤ ⓔ

3 이 글의 내용과 일치하지 않는 것은?

① 입안에는 다양한 종류의 세균이 있다.
② 뮤탄스균은 충치의 주원인이다.
③ 자일리톨은 설탕과 비슷한 화학적 성질을 가지고 있다.
④ 입안의 세균은 자일리톨을 피해 도망간다.
⑤ 자일리톨은 뮤탄스균을 죽게 만든다.

4 이 글의 내용으로 보아, 다음 빈칸에 들어갈 말을 글에서 찾아 쓰시오.

S. Mutans is one type of _____harmful_____ bacteria in your mouth. It confuses xylitol with _____sugar_____ and eats xylitol. However, it starves to death because it can't _____digest_____ xylitol.

뮤탄스균은 입안의 해로운 세균 중 한 종류이다. 그것은 자일리톨과 설탕을 혼동하여 자일리톨을 먹는다.
하지만, 그것은 자일리톨을 소화할 수 없기 때문에 굶어 죽는다.

1 충치의 주된 원인인 뮤탄스균을 굶어 죽게 만드는 자일리톨의 효과에 대해 설명하는 글이므로, 제목으로 ② '세균에 대한 자일리톨의 효과'가 가장 적절하다.

2 @는 설탕을 가리키고, 나머지는 모두 자일리톨을 가리킨다.

3 ④: 입안의 세균이 자일리톨을 피해 도망간다는 것에 대한 언급은 없으며, 오히려 문장 ❽에서 뮤탄스균이 그것을 설탕으로 착각하고 먹는다고 했다. ①은 문장 ❶에, ②는 문장 ❸에, ③은 문장 ❼에, ⑤는 문장 ⓫에 언급되어 있다.

4 문제 해석 참고

정답 1 ②   2 ①   3 ④   4 harmful, sugar, digest

❼ It has chemical qualities [(which/that are) similar to **those** of sugar].
→ [ ]는 앞에 온 선행사 chemical qualities를 수식하는 주격 관계대명사절이다. 형용사 similar 앞에 「주격 관계대명사 + be동사」가 생략되어 있다.
→ those는 앞에서 언급한 명사의 반복을 피하기 위해 사용된 대명사로, 여기서는 앞에 나온 chemical qualities를 대신해서 쓰였다.

❿ After **a few** attempts *to eat xylitol*, the bacteria finally run out of energy, die, and fall out of your mouth.
→ a few는 '몇 차례의, 약간의, 조금 있는'이라는 의미로, 뒤에 오는 셀 수 있는 명사의 복수형(attempts)을 수식한다.
cf. 「few + 셀 수 있는 명사의 복수형」: 거의 없는 ~ *ex.* There are **few pens** on the desk. (책상 위에 펜이 거의 없다.)
→ to eat xylitol은 '자일리톨을 먹으려는'이라는 의미로, to부정사의 형용사적 용법으로 쓰여 a few attempts를 수식하고 있다.
→ 현재 시제 복수동사(구) run out of, die, fall out of가 접속사 and로 연결되어 쓰였다. 이때 세 가지 이상의 단어가 나열되었으므로 「A, B, and[or] C」로 나타냈다.

⓫ 「cause + 목적어 + to-v」는 '~가 …하도록 만들다, 야기하다'라는 의미이다.

본문 해석

❶ 식료품점에서 복숭아 바구니를 살펴보고 있는 한 여성을 상상해 보아라. ❷ 과일들 중 한 개를 고른 후, 그녀는 지불하기 위해 계산대로 가지 않는다. ❸ 대신에, 그녀가 휴대폰으로 QR 코드를 스캔하면, 결제가 이루어진다!

❹ 중국에서, 이것은 물건을 사는 흔한 방식이다. ❺ AliPay와 WeChat Pay 같은 앱들은 사용자들의 은행 계좌에 연결되어 있고, 그들의 결제 금액은 그들이 QR 코드를 스캔할 때 자동으로 옮겨진다. ❻ 이것은 현금이나 신용카드를 가지고 다니는 것을 불필요하게 만들 뿐만 아니라 결제를 처리하는 것을 훨씬 더 빠르고 간편하게 만들기도 한다.

❼ 현재, 그 기술은 매우 인기 있어서 전국 곳곳에서 보일 수 있다. ❽ 심지어 거리 공연가들과 음악가들도 이 방식으로 팁을 받는다. ❾ 많은 이들은 그것이 곧 세계의 다른 지역들에서도 주된 결제 형태가 될 것이라고 믿는다.

---

❶ Imagine a woman / looking through a basket of peaches / at a grocery
한 여성을 상상해 보아라   복숭아 바구니를 살펴보고 있는   식료품점에서

store. / ❷ After selecting one of the fruits, / she doesn't go to a checkout
       과일들 중 한 개를 고른 후   그녀는 계산대로 가지 않는다

counter / to pay. / ❸ Instead, / she scans a QR code with her phone, / and
지불하기 위해   대신에   그녀는 그녀의 휴대폰으로 QR 코드를 스캔한다   그러면

the payment is made! /
결제가 이루어진다

❹ In China, / this is a common method / for buying things. / ❺ Apps
중국에서   이것은 흔한 방식이다   물건들을 사는 데

such as AliPay and WeChat Pay / are connected to users' bank accounts, /
AliPay와 WeChat Pay 같은 앱들은   사용자들의 은행 계좌에 연결되어 있다

and their payments are automatically transferred / when they scan the
그리고 그들의 결제 금액은 자동으로 옮겨진다   그들이 QR 코드를 스캔할 때

QR codes. / ❻ This not only makes it unnecessary / to carry around cash
             이것은 불필요하게 만들 뿐만 아니라   현금이나 신용카드를 가지고

or credit cards / but also makes / processing payments / much faster and
다니는 것을   만들기도 한다   결제를 처리하는 것을   훨씬 더 빠르고

simpler. /
간편하게

❼ Now, / the technology is so popular / that it can be seen all across
현재   그 기술은 매우 인기 있어서   그것은 전국 곳곳에서 보일 수 있다

the country. / ❽ Even street performers and musicians / accept tips /
               심지어 거리 공연가들과 음악가들도   팁을 받는다

this way. / ❾ Many believe / it will soon become the main form of
이 방식으로   많은 이들은 믿는다   그것이 곧 주된 결제 형태가 될 것이라고

payment / in other parts of the world, too. /
          세계의 다른 지역들에서도

구문 해설

❶ Imagine a woman [**looking through** a basket of peaches at a grocery store].
→ [ ]는 앞에 온 a woman을 수식하는 현재분사구이다. 이때 looking through는 '~을 살펴보고 있는'이라고 해석한다.

❷ [**After selecting** one of the fruits], she doesn't go to a checkout counter *to pay*.
→ [ ]는 '과일들 중 한 개를 고른 후'라는 의미로, [시간]을 나타내는 분사구문이다. 분사구문의 의미를 분명하게 하기 위해 접속사 after가 생략되지 않았다. = 「접속사 + 주어 + 동사」 *ex.* **After she selects** one of the fruits, she doesn't go to a checkout counter ~.
→ to pay는 '지불하기 위해'라는 의미로, [목적]을 나타내는 to부정사의 부사적 용법으로 쓰였다.

❺ 「A be connected to B」는 'A가 B에 연결되어 있다'라는 의미로, 「connect A to B(A를 B에 연결하다)」의 수동태 표현이다.

❻ This **not only** *makes it unnecessary* to carry around cash or credit cards **but also** *makes processing payments ~ simpler*.
→ 「not only A but also B」는 'A뿐만 아니라 B도'라는 의미로, 여기서는 '현금이나 신용카드를 가지고 다니는 것을 불필요하게 만들 뿐만 아니라, 결제를 처리하는 것을 훨씬 더 빠르고 간편하게 만든다'라고 해석한다.

1 이 글의 제목으로 가장 적절한 것은?

① How Do Phones Read QR Codes? 휴대폰은 어떻게 QR 코드를 읽는가?
②✓ QR Codes: A Convenient Way to Pay QR 코드: 편리한 지불 방식
③ What is the Best Banking App in China? 중국에서 최고의 은행 앱은 무엇인가?
④ Useful Information Stored in QR Codes QR 코드에 저장된 유용한 정보
⑤ New Technology Can Help Save Money 새로운 기술은 돈을 절약하도록 도울 수 있다

2 QR 코드를 이용한 결제 방식의 장점 두 가지를 우리말로 쓰시오.

(1) _____현금이나 신용카드를 가지고 다닐 필요가 없다._____
(2) _____결제를 처리하는 것이 훨씬 더 빠르고 간편하다._____

3 이 글의 내용과 일치하면 T, 그렇지 않으면 F를 쓰시오.

(1) By using AliPay or WeChat Pay, people don't have to pay at the checkout counter.　　　T
AliPay 또는 WeChat Pay를 사용함으로써, 사람들은 계산대에서 지불하지 않아도 된다.

(2) Giving a tip to street performers via QR codes is not permitted in China yet.　　　F
중국에서 거리 공연가에게 QR 코드를 통해 팁을 주는 것은 아직 허용되지 않는다.

4 이 글의 내용으로 보아, 다음 빈칸에 들어갈 말을 보기 에서 골라 쓰시오.

보기	automatically	accept	pay	unnecessarily
	자동으로	받아들이다	지불하다	불필요하게

In China, people can scan a QR code to ___pay___ for things. Because money is ___automatically___ sent to the store, this convenient technology is now used nationwide.

중국에서, 사람들은 물건값을 지불하기 위해 QR 코드를 스캔할 수 있다. 돈이 자동으로 가게에 보내지기 때문에, 이 편리한 기술은 이제 전국적으로 사용된다.

정답 **1** ② **2** (1) 현금이나 신용카드를 가지고 다닐 필요가 없다. (2) 결제를 처리하는 것이 훨씬 더 빠르고 간편하다. **3** (1) T (2) F **4** pay, automatically

1 중국에서 흔하게 사용되는 QR 코드를 이용한 결제 방식을 소개하는 글이므로, 제목으로 ② 'QR 코드: 편리한 지불 방식'이 가장 적절하다.

2 문장 ❻에서 QR 코드를 이용하여 결제하면 현금이나 신용카드를 가지고 다닐 필요가 없고 결제를 처리하는 것이 훨씬 더 빠르고 간편해진다고 했다.

3 (1) 문장 ❷-❸에서 계산대로 가지 않고 QR 코드를 스캔하여 지불하는 모습이 묘사되었고, 문장 ❺에서 이 결제 방식을 이용하는 앱으로 AliPay와 WeChat Pay를 언급하였다. 따라서 이러한 앱들을 사용하면 계산대에서 지불하지 않아도 된다는 것을 알 수 있다.
(2) 문장 ❽에서 거리 공연가들도 QR 코드를 통해 팁을 받는다고 했다.

4 문제 해석 참고

→ 「make + 목적어 + 형용사」는 '~을 …하게 만들다'라는 의미이다.
→ it은 가목적어이고, to carry around cash or credit cards가 진목적어이다. to부정사, that절 등이 와서 목적어가 긴 경우 이를 문장의 뒤로 옮기고 원래 목적어 자리에는 가목적어 it을 쓴다. 이때 가목적어 it은 따로 해석하지 않는다.

❼ 「so + 형용사/부사 + that절」은 '매우/너무 ~해서 …하다'라는 의미이다. 여기서는 '매우 인기 있어서 전국 곳곳에서 보일 수 있다'라고 해석한다.

❾ Many believe [(that) it will soon become the main form of payment in other parts of the world, **too**].
→ [ ]는 believe의 목적어 역할을 하는 명사절로, 명사절 접속사 that이 생략되어 있다.
→ 문장 끝에 쓰인 부사 too는 '~도, 또한'이라는 의미이다.
cf. 「부정문, either」: ~도, 또한
ex. I don't like milk. My sister doesn't like it, **either**. (나는 우유를 좋아하지 않는다. 내 언니도 그것을 좋아하지 않는다.)

본문 해석

❶ 당신은 야구공의 실밥을 알아차린 적이 있는가? ❷ 대부분의 야구공은 표면에 정확히 108개의 두 줄로 된 붉은 실밥을 가지고 있다. ❸ 흥미롭게도, 이 실밥은 단지 보여주기 위한 것이 아니다. ❹ 그것들이 없다면, 야구 경기는 지금과 같지 않을 것이다.

❺ 일반적으로, 매끄러운 표면은 더 적은 공기 저항을 가진다. ❻ 하지만, 빠르게 날아가는 공은 다르다. ❼ 실밥이 없는 공이 공중에서 이동할 때, 반대 방향의 기류가 공의 표면을 따라서 움직인다. ❽ 이것은 공을 뒤로 잡아당기고 더 느리게 날아가게 만든다. ❾ 그러나 실밥은 그 기류를 방해하는데, 이는 공기가 방향을 바꿔 공에서 튕겨 나가도록 만든다. ❿ 그래서, 공기는 공을 뒤로 끌어당길 수 없다.

⓫ 이 디자인은 또한 선수들이 속구, 커브볼, 그리고 다른 것들을 포함하여 다양한 종류의 투구를 던질 수 있도록 한다. ⓬ 따라서, 그 작고 붉은 실밥은 야구에서 꽤 중요하다!

---

❶ Have you ever noticed the stitches on a baseball? / ❷ Most baseballs
당신은 야구공의 실밥을 알아차린 적이 있는가   대부분의 야구공은

have exactly 108 red double stitches / on their surface. / ❸ Interestingly, /
정확히 108개의 두 줄로 된 붉은 실밥을 가지고 있다 그것들의 표면에   흥미롭게도

these stitches aren't just for show. / ❹ Without them, / the game of
이 실밥은 단지 보여주기 위한 것이 아니다   그것들이 없다면   야구 경기는

baseball wouldn't be the same / as it is now. /
같지 않을 것이다   지금과

❺ Generally, / smooth surfaces have less air resistance. / ❻ However, /
일반적으로   매끄러운 표면은 더 적은 공기 저항을 가진다   하지만

fast flying balls are different. / ❼ When a ball without stitches travels /
빠르게 날아가는 공은 다르다   실밥이 없는 공이 이동할 때

in the air, / the opposing airflow moves / along the surface of the ball. /
공중에서   반대(방향)의 기류가 움직인다   공의 표면을 따라서

❽ This pulls the ball backward / and makes it fly slower. / ❾ But the
이것은 공을 뒤로 잡아당긴다   그리고 그것이 더 느리게 날아가게 만든다 그러나

stitches interrupt the airflow, / which causes the air to change directions /
실밥은 그 기류를 방해한다   그런데 이것은 공기가 방향을 바꾸도록 만든다

and bounce off the ball. / (⑤ ❿ So, / the air can't drag the ball back. /)
그리고 공에서 튕겨 나가도록 만든다   그래서 공기는 공을 뒤로 끌어당길 수 없다

⓫ This design also allows players to throw / various types of pitches, /
이 디자인은 또한 선수들이 던질 수 있도록 한다   다양한 종류의 투구를

including fast balls, curve balls, and others. / ⓬ Therefore, / the little red
속구, 커브볼, 그리고 다른 것들을 포함하여   따라서   그 작고 붉은

stitches / are quite important in baseball! /
실밥은   야구에서 꽤 중요하다

구문 해설

❶ 「Have/Has + 주어 + p.p. ~?」의 현재완료 시제가 쓰인 의문문으로, 과거의 [경험]을 물을 때 쓴다.

❹ **Without** them, the game of baseball **wouldn't be** *the same as* it is now.

→ 「Without + 명사, 주어 + would/could/should/might + 동사원형 …」은 가정법 과거로, '~가 없다면 …할 텐데'라는 의미이다. 가정법 과거는 현재 사실과 반대되거나 실제로 일어날 가능성이 적은 상황을 가정할 때 쓰인다. 이 문장에서는 야구공에 그것들(=stitches)이 있는 현재 사실의 반대를 가정하고 있다.

= 「But for + 명사, ~」 = 「If it were not for + 명사, ~」

ex. **But[If it were not] for** them, the game of baseball **wouldn't be** the same as it is now.

→ the same as는 '~과 같다'라는 의미로, 뒤에 「주어 + 동사」의 절 또는 명사가 온다.

ex. His opinion is **the same as** yours. (그의 의견은 당신의 것과 같습니다.)

1 What is the best title for the passage? 이 글의 제목으로 가장 적절한 것은?

① Smaller Ball, Faster Speed 더 작은 공, 더 빠른 속도
② Important Roles of Baseball Stitches 야구공 실밥의 중요한 역할
③ How to Throw a Baseball More Accurately 야구공을 더 정확하게 던지는 방법
④ The Long History of Professional Baseball 프로 야구의 긴 역사
⑤ Red Stitches: A Great Design from a Small Mistake
붉은 실밥: 작은 실수에서 나온 훌륭한 디자인

2 Where is the best place for the sentence? 다음 문장이 들어가기에 가장 적절한 곳은?

So, the air can't drag the ball back. 그래서, 공기는 공을 뒤로 끌어당길 수 없다.

①   ②   ③   ④   ⑤

3 Complete the table with words from the passage. 이 글에서 알맞은 말을 찾아 표를 완성하시오.

The Movement of the Air When a Baseball Flies Fast
야구공이 빠르게 날아갈 때 공기의 움직임

Baseballs (1) ___without___ Stitches 실밥이 (1) 없는 야구공	Baseballs with Stitches 실밥이 있는 야구공
The air will pull the ball back and make it move (2) ___slower___. 공기가 공을 뒤로 잡아당기고 그것이 (2) 더 느리게 움직이도록 만들 것이다.	The air will (3) ___bounce___ off the ball, so the ball will have less (4) ___air___ ___resistance___. 공기가 공에서 (3) 튕겨 나가서, 그 공은 더 적은 (4) 공기 저항을 가질 것이다.

4 Which CANNOT be answered based on the passage? 이 글을 바탕으로 답할 수 없는 질문은?

① How many stitches are on a baseball? 야구공에는 몇 개의 실밥이 있는가?
② What does airflow do to flying balls? 기류는 날아가는 공에 무엇을 하는가?
③ How fast can a baseball fly through the air? 야구공은 공중에서 얼마나 빠르게 날아갈 수 있는가?
④ How do the stitches on a baseball affect airflow? 야구공의 실밥은 어떻게 기류에 영향을 주는가?
⑤ What lets players throw different pitches? 무엇이 선수들이 다른 투구를 던지게 해주는가?

정답 1 ② 2 ⑤ 3 (1) without (2) slower (3) bounce (4) air resistance 4 ③

문제 해설

1 야구공의 실밥이 공기 저항을 줄여주는 역할을 한다고 설명하는 글이므로, 제목으로 ② '야구공 실밥의 중요한 역할'이 가장 적절하다.

2 주어진 문장은 야구공의 실밥이 기류를 방해해서 공기가 공에서 튕겨 나간다는 내용의 문장 ❾의 결론에 해당한다. 따라서 문장 ❾ 뒤에 오는 것이 자연스러우므로, ⑤가 가장 적절하다.

3 (1), (2): 문장 ❼-❽에 언급되어 있다. (3), (4): 문장 ❺-❻에서 매끄러운 표면은 더 적은 공기 저항을 가지지만 빠르게 날아가는 공은 다르다고 했고, 문장 ❾에서 실밥이 공기가 공에서 튕겨 나가도록 만든다고 했다. 따라서 실밥이 있는 공은 더 적은 공기 저항을 가진다는 것을 알 수 있다.

4 ③: 야구공이 날아가는 속도에 대한 언급은 없다.
① : 문장 ❷에서 야구공은 108개의 실밥을 가지고 있다고 했다.
② : 문장 ❽에서 기류가 공을 뒤로 잡아당겨 느려지게 만든다고 했다.
④ : 문장 ❾에서 실밥이 기류를 방해해서 공기가 방향을 바꿔 공에서 튕겨 나가도록 만든다고 했다.
⑤ : 문장 ⓫에서 야구공의 실밥이 선수들이 다양한 투구를 던질 수 있게 한다고 했다.

---

❽ 「make + 목적어 + 동사원형」은 '~가 …하게 만들다'라는 의미이다.

❾ But the stitches interrupt the airflow[**, which** *causes the air to change* directions and *bounce* off the ball].
→ [ ]는 앞 문장 전체를 선행사로 가지는 계속적 용법의 관계대명사절로, '그런데 이것(실밥이 그 기류를 방해하는 것)은 ~하다'라고 해석한다.
→ 「cause + 목적어 + to-v」는 '~가 …하도록 만들다, 야기하다'라는 의미이다. 이 문장에서는 to change와 (to) bounce가 접속사 and로 연결되어 쓰였다.

⓫ This design also **allows players to throw** various types of pitches, *including* fast balls, curve balls, and others.
→ 「allow + 목적어 + to-v」는 '~이 …하도록 (허락)하다'라는 의미이다.
→ including은 '~을 포함하여'라는 의미의 전치사이다.
→ 세 가지 이상의 단어를 나열할 때는 콤마와 함께 마지막 단어 앞에 and[or]를 써서 「A, B, and[or] C」로 나타낸다.

본문 해석

❶ 체코 사람들은 그들의 마리오네트를 정말 사랑한다. ❷ 이것들은 실 또는 줄을 움직임으로써 조종되는 일종의 인형이다. ❸ 마리오네트극은 체코의 축제 기간 동안, 특히 나라의 독립을 축하하는 축제들에서 흔하다. ❹ 그런데 이 인형극들이 독립과 무슨 관련이 있을까?

❺ 17세기에, 체코의 영토는 합스부르크 왕가의 통치하에 있었다. ❻ 그 시기 동안, 사람들은 침략자의 언어인 독일어를 쓰도록 강요받았다. ❼ 대화, 문서, 그리고 심지어 연극까지 독일어로 되어야만 했다. ❽ 하지만, 주택과 골목에서 열렸던 소규모의 인형극들은 여전히 체코어로 공연될 수 있었다. ❾ 이것은 사람들이 그들의 모어를 보존하도록 도왔다. ❿ 그들은 또한 이 인형극들을 통해 독립에 대한 희망과 꿈을 키웠다. ⓫ 나라가 자유를 얻은 이후로, 마리오네트는 그 문화의 중요한 부분이 되어왔다.

❶ Czech people really love their marionettes. /
체코 사람들은 그들의 마리오네트를 정말 사랑한다
❷ These are a kind of
이것들은 일종의 인형이다
puppet / controlled by moving wires or strings. /
실 또는 줄을 움직임으로써 조종되는
❸ Marionette shows
마리오네트극은
are common / during Czech festivals, / especially ones that celebrate the
흔하다   체코의 축제 기간 동안   특히 나라의 독립을 축하하는 것들(축제들)에서
nation's independence. /
❹ But what do these puppet shows have to do /
그런데 이 인형극들이 무슨 관련이 있을까
with independence? /
독립과

❺ In the 17th century, / Czech lands were under Habsburg rule. /
17세기에   체코의 영토는 합스부르크 왕가의 통치하에 있었다
❻ During that time, / people were forced to use German, / the language
그 시기 동안   사람들은 독일어를 쓰도록 강요받았다   그들의 침략자들의
of their invaders. /
❼ Conversations, documents, and even plays / had
언어인   대화, 문서, 그리고 심지어 연극까지
to be in German. /
❽ (A) However, / the small puppet shows / that were
독일어로 되어야만 했다   하지만   소규모의 인형들은
held in homes and alleys / could still be performed in Czech. /
❾ This
주택과 골목에서 열렸던   여전히 체코어로 공연될 수 있었다   이것은
helped people / preserve their native language. /
사람들을 도왔다   그들의 모어를 보존하도록
❿ They also built up /
그들은 또한 키웠다
hopes and dreams for independence / through these puppet shows. /
독립에 대한 희망과 꿈을   이 인형극들을 통해
⓫ Since the country gained its (B) freedom, / the marionettes have
그 나라가 그것의 자유를 얻은 이후로   마리오네트는
become a significant part of the culture. /
그 문화의 중요한 부분이 되어왔다

구문 해설

❷ These are a kind of puppet [**controlled** by *moving* wires or strings].
→ [ ]는 앞에 온 a kind of puppet을 수식하는 과거분사구이다. 이때 controlled는 '조종되는'이라고 해석한다.
→ 「by + v-ing」는 '~함으로써, ~해서'라는 의미로 수단이나 방법을 나타낸다.

❸ Marionette shows are common during Czech festivals, especially **ones** [that celebrate the nation's independence].
→ 부정대명사 one(s)는 앞에서 언급한 명사와 같은 종류의 불특정한 대상을 가리킨다. 이 문장에서는 앞에 나온 Czech festivals와 같은 종류의 불특정한 대상(festivals)을 가리킨다. *cf.* it, they/them: 앞에서 언급한 특정한 대상
→ [ ]는 앞에 온 선행사 ones를 수식하는 주격 관계대명사절이다.

❻ During that time, people **were forced to use** *German, the language of their invaders.*
→ 「be forced + to-v」는 '~하도록 강요받다, 어쩔 수 없이 ~하다'라는 의미로, 「force + 목적어 + to-v(~가 …하도록 강요하다)」의 수동태 표현이다.
→ German과 the language of their invaders는 콤마로 연결된 동격 관계이다.

문제 해설 (right column)

1 이 글의 주제로 가장 적절한 것은?
① the world's oldest marionette 세계에서 가장 오래된 마리오네트
② the best way to enjoy Czech festivals 체코의 축제를 즐기는 최고의 방법
③ how to make puppets for marionette shows 마리오네트극을 위한 인형을 만드는 방법
④ why marionettes are important in Czech culture ✓ 체코 문화에서 마리오네트가 왜 중요한지
⑤ the difference between Czech and German plays 체코와 독일 연극 간의 차이점

2 이 글의 빈칸 (A)에 들어갈 말로 가장 적절한 것은?
① For instance 예를 들어   ② Besides 게다가   ③ However ✓ 하지만
④ In other words 다시 말해서   ⑤ Otherwise 그렇지 않으면

3 이 글의 빈칸 (B)에 들어갈 말로 가장 적절한 것은?
① name 이름   ② wealth 부   ③ support 지원
④ freedom ✓ 자유   ⑤ popularity 인기

4 이 글의 내용으로 보아, 다음 빈칸에 공통으로 들어갈 말을 글에서 찾아 쓰시오.

> In the 17th century, Czech people had to use their invaders' _____language_____,
> but they held marionette shows in their own _____language_____.

17세기에, 체코 사람들은 그들의 침략자의 언어를 사용해야 했지만, 그들 자신의 언어로 마리오네트극을 열었다.

문제 해설

1 체코에서 마리오네트극은 체코어를 보존하고 독립에 대한 희망과 꿈을 키울 수 있게 한 역사적 중요성을 가졌다고 설명하는 글이므로, 주제로 ④ '체코 문화에서 마리오네트가 왜 중요한지'가 가장 적절하다.

2 빈칸 앞에서 합스부르크 왕가의 통치 기간 동안에는 대화, 문서, 연극까지 독일어로 되어야만 했다고 언급한 뒤, 빈칸이 있는 문장에서는 소규모의 인형극은 체코어로 공연될 수 있었다며 대조되는 내용을 언급했다. 따라서 빈칸 (A)에는 ③ '하지만'이 가장 적절하다.

3 빈칸 앞에서 체코인들은 마리오네트극을 통해 나라의 독립에 대한 희망과 꿈을 키웠다고 했다. 따라서 빈칸 (B)에는 체코의 독립과 연결되는 ④ '자유'가 가장 적절하다.

4 문제 해석 참고

---

❽ However, the small puppet shows [**that were** held in homes and alleys] *could* still *be performed* in Czech.
→ [ ]는 앞에 온 선행사 the small puppet shows를 수식하는 주격 관계대명사절이다. 이때 「주격 관계대명사 + be동사」는 생략할 수 있다.
→ 조동사 뒤에는 동사원형이 오므로, 조동사가 있는 수동태는 「조동사 + be p.p.」가 된다.

❾ 「help + 목적어 + 동사원형」은 '~가 …하도록 돕다'라는 의미이다. = 「help + 목적어 + to-v」

⓫ **Since** the country gained its freedom, the marionettes *have become* a significant part of the culture.
→ Since는 '~ 이후로'라는 의미로, 부사절을 이끄는 접속사로 쓰여 뒤에 「주어 + 동사」의 절이 왔다.
  cf. 「전치사 since + 명사」: ~ 이후로   *ex.* I have studied Spanish **since April**. (나는 4월 이후로 스페인어를 공부해왔다.)
→ have become은 현재완료 시제(have p.p.)로, 이 문장에서는 과거에 시작된 일이 현재까지 이어지는 [계속]을 나타낸다. 나라가 자유를 얻은 이후로 지금까지 계속해서 마리오네트가 그 문화의 중요한 부분이 되어왔다는 의미이다.

UNIT 04
2

본문 해석

❶ 인간이 우주에서 식물을 기를 수 있을까? ❷ 그것은 불가능하게 보이는데 왜냐하면 우주에서는 식물에 물, 빛, 그리고 중력을 제공하기가 힘들기 때문이다. ❸ 그렇지만, 우주 비행사들은 이 문제를 해결할 방법을 찾아냈다!

❹ 채소 생산 시스템으로도 알려져 있는 Veggie는 국제 우주 정거장의 우주 정원이다. ❺ 지구에서는 식물을 기르기 위해, 흙 안에 씨앗이나 뿌리를 놓고 주기적으로 물을 제공하기만 하면 된다. ❻ 하지만, 이것은 우주에서는 잘되지 않는다. ❼ 중력 없이, 흙은 식물을 둘러싼 화분 안에 고정되지 않는다. ❽ 그래서 Veggie의 식물은 물이 담긴 용기 안에서 길러진다. ❾ 그것들의 뿌리는 식물이 한 곳에서 자라도록 도와주는 특수한 고무로 고정된다. ❿ 게다가, 식물 위에 설치된 LED 조명은 줄기가 위로 자라도록 유도한다. ⓫ 이러한 방식으로, 우주에서 원예가 가능하게 되었다. ⓬ 곧, 우리는 다양한 식물이 있는 우주 농장을 볼 수 있을지도 모른다!

❶ Can humans grow plants / in space? / ❷ It seems impossible / because
　인간이 식물을 기를 수 있을까　　우주에서　　　그것은 불가능하게 보인다　　왜냐하면

it's hard / to provide plants with water, light, and gravity / in space. /
힘들기 때문에　식물에 물, 빛, 그리고 중력을 제공하기가　　　　　우주에서는

❸ Yet, / astronauts have found ways / to solve this problem! /
그렇지만　우주 비행사들은 방법들을 찾아냈다　　이 문제를 해결할

❹ Veggie / —also known as the Vegetable Production System— / is a
Veggie는　　채소 생산 시스템으로도 알려져 있는

space garden / on the International Space Station. / ❺ To grow plants on
우주 정원이다　　국제 우주 정거장의　　　　　　　　지구에서는 식물을

the Earth, / we only need to place a seed or roots in dirt / and regularly
기르기 위해　우리는 흙 안에 씨앗이나 뿌리를 놓기만 하면 된다　　그리고 주기적으로

provide water. / (① ❻ However, / this doesn't work in space. /) ❼ Without
물을 제공하기만 하면 된다　하지만　　이것은 우주에서는 잘되지 않는다　　중력 없이

gravity, / the soil does not settle in pots / around the plants. / ❽ So /
흙은 화분 안에 고정되지 않는다　　　식물을 둘러싼　　　　그래서

Veggie's plants are grown / in a container of water. / ❾ Their roots are
Veggie의 식물들은 길러진다　　물이 담긴 용기 안에서　　　그것들의 뿌리는

fixed / with a special gum / that helps the plants grow in one place. /
고정된다　특수한 고무로　　그 식물들이 한 곳에서 자라도록 도와주는

❿ Furthermore, / LED lights installed above the plants / guide the stems
게다가　　　　식물들 위에 설치된 LED 조명은　　　　　줄기들이 위로

to grow upward. / ⓫ In this way, / gardening has become possible in
자라도록 유도한다　　이러한 방식으로　우주에서 원예가 가능하게 되었다

space. / ⓬ Soon, / we might be able to see a space farm / with various
곧　　　우리는 우주 농장을 볼 수 있을지도 모른다　　다양한 식물들이

plants! /
있는

구문 해설

❷ It **seems impossible** because *it's hard to provide plants with water, light, and gravity in space.*
→ 「seem + 형용사」는 '~하게 보이다'라는 의미로, 이 문장에서는 형용사 impossible이 쓰여 '불가능하게 보인다'라고 해석한다.
→ it은 가주어이고, to provide 이하가 진주어이다. 이때 가주어 it은 따로 해석하지 않는다.

❸ Yet, astronauts **have found** ways *to solve this problem*!
→ have found는 현재완료 시제(have p.p.)로, 이 문장에서는 과거에 시작된 일이 현재에 끝난 [완료]를 나타낸다.
→ to solve this problem은 '이 문제를 해결할'이라는 의미로, to부정사의 형용사적 용법으로 쓰여 **ways**를 수식하고 있다.

❹ Veggie—[also **known as** the Vegetable Production System]—is a space garden ~.
→ [ ]는 앞에 온 Veggie를 수식하는 과거분사구이다. 이때 known as는 '~으로[이라고] 알려져 있는'이라고 해석한다.
　cf. be known for: ~으로 유명하다　*ex.* The director **is known for** his fantasy movies. (그 감독은 판타지 영화들로 유명하다.)
　　be known to: ~에게 알려지다　*ex.* The movie **is known to** many people. (그 영화는 많은 사람들에게 알려져 있다.)

1 이 글의 제목을 다음과 같이 나타낼 때, 빈칸에 들어갈 말을 글에서 찾아 쓰시오.
(단, 주어진 철자로 시작하여 쓰시오.)

> Growing ___Plants___ in a ___Space___ Garden Called Veggie
> Veggie라고 불리는 우주 정원에서 식물 기르기

2 이 글의 밑줄 친 this problem이 의미하는 내용을 우리말로 쓰시오.

우주에서 식물에 물, 빛, 중력을 제공하기 힘든 것

3 이 글의 흐름으로 보아, 다음 문장이 들어가기에 가장 적절한 곳은?

> However, this doesn't work in space.
> 하지만, 이것은 우주에서는 잘되지 않는다.

✓① ② ③ ④ ⑤

4 Veggie의 구성 요소와 각각의 역할을 알맞게 연결하시오.

(A) a water container • • (1) to prevent the roots from moving
물이 담긴 용기 뿌리가 움직이는 것을 막기 위해

(B) a special gum • • (2) to replace the soil in zero gravity
특수한 고무 무중력 상태에서 흙을 대체하기 위해

(C) LED lights • • (3) to help the stems grow upward
LED 조명 줄기가 위로 자라도록 돕기 위해

5 이 글의 내용으로 보아, 다음 빈칸에 들어갈 말을 보기 에서 골라 쓰시오.

> 보기   gardening   natural   landing   farm   artificial
>   원예   자연의   착륙   농장   인공의
>
> Recently, astronauts have invented a new ___gardening___ method
> that uses water, gum, and ___artificial___ lights to grow plants in the
> conditions of space. One day, we may even run a space ___farm___.

최근에, 우주 비행사들은 우주 환경 속에서 식물을 기르기 위해 물, 고무, 그리고 인공 조명을 사용하는 새로운 원예 방식을 개발했다. 언젠가, 우리는 심지어 우주 농장을 운영할지도 모른다.

정답 **1** Plants, Space **2** 우주에서 식물에 물, 빛, 중력을 제공하기 힘든 것 **3** ①
4 (A)-(2), (B)-(1), (C)-(3) **5** gardening, artificial, farm

---

1 우주에서 식물을 기를 수 있는 우주 정원인 Veggie를 소개하는 글이므로, 제목으로 'Veggie라고 불리는 우주 정원에서 식물 기르기'가 가장 적절하다.

2 문장 ❷에 언급된 내용을 의미한다. 우주에서는 식물에 물, 빛, 중력을 제공하기 힘든 것(= this problem)이 문제인데, 우주 비행사들이 이 문제를 해결할 방법을 찾아냈다는 의미이다.

3 주어진 문장에서 this는 문장 ❺에서 언급한 지구에서 식물을 기르기 위해 씨앗이나 뿌리를 흙 안에 놓고 물을 제공하기만 하면 되는 것을 가리키고, 문장 ❼에서 설명한 흙이 고정되지 않는 문제는 주어진 문장의 이유에 해당한다. 따라서 주어진 문장은 문장 ❺와 ❼ 사이에 오는 것이 자연스러우므로, ①이 가장 적절하다.

4 (A)-(2): 문장 ❼-❽에서 중력 없이 흙이 고정되지 않아서 흙 대신 물이 담긴 용기 안에서 길러진다고 했다.
(B)-(1): 문장 ❾에서 식물의 뿌리가 특수한 고무로 고정된다고 했다.
(C)-(3): 문장 ❿에서 LED 조명은 식물의 줄기가 위로 자라도록 유도한다고 했다.

5 문제 해석 참고

---

❺ **To grow plants on the Earth**, we only *need to place* a seed or roots in dirt and regularly *provide* water.
→ To grow 이하는 '지구에서는 식물을 기르기 위해'라는 의미로, [목적]을 나타내는 to부정사의 부사적 용법으로 쓰였다.
→ 「need + to-v」는 '~해야 한다'라는 의미이다. need는 목적어로 to부정사를 쓴다. 여기서는 to place와 (to) provide가 접속사 and로 연결되어 쓰였다.

❾ Their roots are fixed with a special gum [that helps the plants grow in one place].
→ [ ]는 앞에 온 선행사 a special gum을 수식하는 주격 관계대명사절이다.

⓫ In this way, gardening **has become** possible in space.
→ has become은 현재완료 시제(have p.p.)로, 이 문장에서는 과거에 시작된 일이 현재까지 영향을 미쳐 발생한 [결과]를 나타낸다. 앞에서 설명한 방식으로 우주에서 원예가 가능해졌다는 의미이다.
→ 「become + 형용사」는 '~하게 되다'라는 의미이다.

본문 해석

❶ 인간의 눈은 놀라운 기관이다. ❷ 각각의 눈은 무려 160만 개의 신경 섬유들을 가지고 있다. ❸ 이 섬유들은 당신의 뇌에 신호를 보내는데, 그것은 당신이 보는 것을 처리한다. ❹ 하지만, 각각의 눈에는 조금의 신경도 가지고 있지 않은 작은 지점이 있다. ❺ 이것은 맹점이라고 불린다. ❻ 당신은 이 영역에 들어오는 것은 아무것도 볼 수 없다. ❼ 하지만 당신은 보통 그것을 알아차리지 못한다. ❽ 왜일까? ❾ 당신의 뇌는 다른 한쪽 눈에서 모인 정보를 이용해서 즉각적으로 그 이미지를 채워 넣는다. ❿ 따라서, 당신은 완전한 시야를 갖고 있다고 생각하지만, 시야의 일부는 사실 당신의 뇌에 의해 만들어진다.

⓫ 당신은 이 실험으로 맹점을 확인할 수 있다. ⓬ 오른쪽 눈을 가리고 초록색 하트를 응시해라. ⓭ 천천히 얼굴을 더 가깝게 움직이되, 초록색 하트에 계속 초점을 맞춰라. ⓮ 어느 시점에, 당신은 갑자기 빨간색 하트가 사라진 것을 알아차릴 것이다. ⓯ 이것은 빨간색 하트가 당신의 맹점 안에 있을 때 발생한다.

---

❶ The human eye is an incredible organ. / ❷ Each one contains / as
인간의 눈은 놀라운 기관이다   각각의 것(눈)은 가지고 있다

many as 1.6 million nerve fibers. / ❸ These fibers send signals to your
무려 160만 개의 신경 섬유들을   이 섬유들은 당신의 뇌에 신호를 보낸다

brain, / which processes / what you see. / ❹ However, / there is a tiny spot
        그런데 그것은 처리한다 당신이 보는 것을   하지만 각각의 눈에는 작은 지점이 있다

in each eye / that does not have any nerves. / ❺ This is called the blind
조금의 신경도 가지고 있지 않은   이것은 맹점이라고 불린다

spot. / ❻ You cannot see anything / that comes in this area. / ❼ But you
      당신은 아무것도 볼 수 없다   이 영역에 들어오는   하지만 당신은

normally do not realize it. / ❽ Why? / ❾ Your brain immediately fills
보통 그것을 알아차리지 못한다   왜일까?   당신의 뇌는 즉각적으로 그 이미지를 채워

in the image / using information / gathered from the other eye. /
넣는다   정보를 이용해서   다른 한쪽 눈에서 모인

❿ Therefore, / you think / you have full vision, / but part of it is actually
  따라서   당신은 생각한다 당신이 완전한 시야를 갖고 있다고 하지만 그것의 일부는 사실

created / by your brain. /
만들어진다 당신의 뇌에 의해

⓫ You can check your blind spot / with this test. / ⓬ Cover your right
  당신은 당신의 맹점을 확인할 수 있다   이 실험으로   당신의 오른쪽 눈을 가려라

eye / and stare at the green heart. / ⓭ Slowly move your face closer, / but
    그리고 초록색 하트를 응시해라   천천히 당신의 얼굴을 더 가깝게 움직여라 하지만

keep focusing on it. / ⓮ At some point, / you may suddenly notice / that
그것(초록색 하트)에 계속 초점을 맞춰라 어느 시점에   당신은 갑자기 알아차릴 것이다

the red heart has disappeared. / ⓯ This happens / when the red heart is
빨간색 하트가 사라진 것을   이것은 발생한다   빨간색 하트가

in your blind spot. /
당신의 맹점 안에 있을 때

구문 해설

❷ as many as는 '무려 ~개의, 무려 ~이나 되는'이라는 의미의 비교 표현이다. *cf.* as good as: ~이나 다름없는.

❸ These fibers **send signals to your brain**[, *which* processes {who you see}].
→ 「send + 직접목적어 + to + 간접목적어」는 '~에(게) …을 보내다'라는 의미이다.
= 「send + 간접목적어 + 직접목적어」 *ex.* These fibers **send your brain signals**
→ [ ]는 앞에 온 your brain을 선행사로 가지는 계속적 용법의 관계대명사절이다. 여기서는 '그런데 이것(당신의 뇌)은 ~하다'라고 해석한다.
→ { }는 processes의 목적어 역할을 하는 관계대명사절이다. 관계대명사 what은 선행사를 포함하고 있으며, '~하는 것'이라는 의미이다. 이때 what은 the thing(s) which[that]로 바꿔 쓸 수도 있다. *ex.* processes **the thing which** you see

❹ However, there is a tiny spot in each eye [that does not have **any** nerves].
→ [ ]는 앞에 온 선행사 a tiny spot을 수식하는 주격 관계대명사절이다.
→ 부정문/의문문에서 any가 사용될 경우 '조금의, 약간의'라고 해석한다. *cf.* 긍정문에서의 any: 어떠한 ~이라도, 어떠한 ~이든

1 첫 번째 단락의 내용을 다음과 같이 나타낼 때, 빈칸에 들어갈 말을 글에서 찾아 쓰시오.

> You see something with your eyes.
> 당신은 어떤 것을 당신의 눈으로 본다.

⬇

> Nerve fibers send (1) _____signals_____ to the (2) _____brain_____.
> 신경 섬유들이 (2) 뇌에 (1) 신호를 보낸다.

⬇

> The brain fills in the image with (3) _____information_____ from the other eye.
> 뇌가 다른 한쪽 눈으로부터 얻은 (3) 정보로 이미지를 채워 넣는다.

⬇

> You perceive what the brain processes and creates.
> 당신은 뇌가 처리하고 만들어낸 것을 인식한다.

2 이 글의 내용과 일치하면 T, 그렇지 않으면 F를 쓰시오.

(1) 양쪽 눈에는 약 320만 개의 신경 섬유가 있다. _____T_____

(2) 맹점 안에 들어오는 사물은 볼 수 없으나, 우리는 보통 이를 인식하지
못한다. _____T_____

3 이 글의 빈칸에 들어갈 말을 글에서 찾아 쓰시오.

_____blind_____ _____spot_____
맹점

4 이 글의 밑줄 친 this test의 과정과 일치하도록 괄호 안에서 알맞은 말을 골라 표시하시오.

(1) (왼쪽 / 오른쪽) 눈을 가리고, 초록색 하트를 응시한다.
(2) 초록색 하트에 초점을 둔 채 천천히 얼굴을 (가까이 / 멀리) 한다.
(3) 어느 시점에, (빨간색 / 초록색) 하트가 사라진다.

정답 **1** (1) signals (2) brain (3) information　**2** (1) T (2) T　**3** blind spot
　　4 (1) 오른쪽 (2) 가까이 (3) 빨간색

문제 해설

1 (1), (2) 문장 ❸에서 신경 섬유들이 뇌에 신호를 보낸다고 했다.
(3) 문장 ❾에서 뇌가 다른 한쪽 눈에서 모인 정보로 맹점의 이미지를 채워 넣는다고 했다.

2 (1) 문장 ❷에서 각각의 눈에는 160만 개의 신경 섬유가 있다고 했으므로, 양쪽 눈에는 320만 개의 신경 섬유가 있음을 알 수 있다.
(2) 문장 ❻-❼에 언급되어 있다.

3 문장 ❺-❻에서 맹점 안에 들어오는 것은 아무것도 볼 수 없다고 했고, 빈칸 앞에서 빨간색 하트가 사라진다고 했으므로, 빈칸에는 문장 ❺의 'blind spot(맹점)'이 가장 적절하다.

4 (1) 문장 ⓬에서 오른쪽 눈을 가리라고 했다.
(2) 문장 ⓭에서 얼굴을 더 가깝게 움직이라고 했다.
(3) 문장 ⓮에서 어느 시점에 빨간색 하트가 사라진다고 했다.

---

❺ 「A be called B」는 'A가 B라고 불리다'라는 의미이다.

❾ Your brain immediately fills in the image [**using** information {*gathered* from the other eye}].
→ [ ]는 '다른 한쪽 눈에서 모인 정보를 이용해서'라는 의미로, [동시동작]을 나타내는 분사구문이다.
= 「접속사 + 주어 + 동사」　*ex.* Your brain immediately fills in the image **while/as it**(=your brain) **uses** information ~.
→ { }는 앞에 온 information을 수식하는 과거분사구이다. 이때 gathered는 '모인'이라고 해석한다.

⓭ 「keep + v-ing」는 '계속해서 ~하다'라는 의미이다. keep은 목적어로 동명사를 쓴다.

⓮ At some point, you may suddenly notice [that the red heart **has disappeared**].
→ [ ]는 may notice의 목적어 역할을 하는 명사절이다. 이때 명사절 접속사 that은 생략할 수 있다.
→ has disappeared는 현재완료 시제(have p.p.)로, 이 문장에서는 과거에 시작된 일이 현재에 끝난 [완료]를 나타낸다.

UNIT 04

4

본문 해석

❶ "사느냐, 죽느냐, 그것이 문제로다." ❷ 이것은 연극 <햄릿>의 가장 유명한 대사이다. ❹ 그 연극에서, 주인공인 햄릿은 결정을 내리기 위해 애쓰는 상황에 직면한다. ❺ 그처럼, 당신은 어떤 경우 결정을 내리는 데 힘든 시간을 겪을 수도 있다. ❸ 그 결과, 당신은 결정을 하는 것을 미루거나 다른 사람들이 당신을 위해 결정하게 둘지도 모른다.

❻ 하지만 만약 이런 일이 자주 발생한다면, 당신은 햄릿 증후군이라고 알려져 있는 문제를 가지고 있을 수 있다. ❼ 이 증후군을 가진 사람들은 그들이 잘못된 선택을 할 것을 두려워한다. ❽ 심지어 무엇을 마실지 선택하는 것과 같은 일상적인 결정도 스트레스를 일으킬 수 있다. ❾ 이러한 사람들에게, 많은 선택지를 가지는 것은 그들이 더 스트레스를 받는다는 것을 의미한다!

❿ 흥미롭게도, 일부 식당들은 이러한 현상을 더 많은 손님들을 끌어들일 기회로 여긴다. ⓫ 그들은 선택을 하지 못하는 사람들을 위해 매일 하나의 품목으로 된 특별 메뉴를 제공한다. ⓬ 그들은 심지어 흔히 햄릿이라 불리는 이들을 위한 '아무거나'라는 메뉴 품목을 가지고 있다.

---

❶ "To be, / or not to be, / that is the question." / ❷ This is the most
　　사느냐　　　죽느냐　　　　　　그것이 문제로다　　　　　　이것은 가장 유명한

famous line / from the play *Hamlet*. / (B) ❹ In the play, / Hamlet, the main
대사이다　　　연극 <햄릿>의　　　　　　그 연극에서　　주인공인 햄릿은

character, / faces a situation / where he struggles to make a decision. /
　　　　상황에 직면한다　　　그가 결정을 내리기 위해 애쓰는

(C) ❺ Like him, / you may have a hard time / making decisions / in some
　　그처럼　　당신은 힘든 시간을 겪을 수도 있다　결정을 내리는 데　　어떤 경우에

cases. / (A) ❸ As a result, / you might delay making choices / or let others
　　　　　　그 결과　　당신은 결정을 하는 것을 미룰지도 모른다　또는 다른 사람들이

decide for you. /
당신을 위해 결정하게 둘지도 모른다

❻ But / if this happens frequently, / you could have a condition /
하지만　만약 이런 일이 자주 발생한다면　　당신은 문제를 가지고 있을 수 있다

known as Hamlet Syndrome. / ❼ People with this syndrome are afraid /
햄릿 증후군이라고 알려져 있는　　　이 증후군을 가진 사람들은 두려워한다

they will make the wrong choice. / ❽ Even an everyday decision / like
그들이 잘못된 선택을 할 것을　　　심지어 일상적인 결정도

choosing what to drink / can be stressful. / ❾ To these people, / having
무엇을 마실지 선택하는 것과 같은　스트레스를 일으킬 수 있다　이러한 사람들에게　　많은

many options means / that they get more stressed! /
선택지를 가지는 것은 의미한다　그들이 더 스트레스를 받는다는 것을

❿ Interestingly, / some restaurants see this phenomenon as an
흥미롭게도　　　일부 식당들은 이러한 현상을 기회로 여긴다

opportunity / to attract more customers. / ⓫ They provide a special menu
　　　　더 많은 손님들을 끌어들일　　　그들은 매일 특별 메뉴를 제공한다

each day / with a single item / for people who can't make a choice. /
　　　　하나의 품목으로 된　　　선택을 하지 못하는 사람들을 위해

⓬ They even have a menu item / for so-called Hamlets: *Whatever.* /
그들은 심지어 메뉴 품목을 가지고 있다　흔히 햄릿이라 불리는 이들을 위한 '아무거나'라는

구문 해설

❶ to부정사의 부정형은 to 앞에 not이나 never를 붙여서 나타낸다. *ex.* I decided **not to exercise** today. (나는 오늘 운동하지 않기로 했다.)

❹ In the play, **Hamlet, the main character**, faces a situation [*where* he struggles to make a decision].
→ Hamlet과 the main character는 콤마로 연결된 동격 관계이다.
→ [ ]는 앞에 온 선행사 a situation을 수식하는 관계부사절이다. 관계부사는 「전치사 + 관계대명사」로 바꿔 쓸 수 있다.
= In the play, Hamlet ~ faces a situation **in which** he struggles to make a decision.
→ 「struggle + to-v」는 '~하려고 애쓰다'라는 의미이다. struggle은 목적어로 to부정사를 쓴다.

❺ 「have a hard time/trouble/difficulty + (in) + v-ing」는 '~하는 데 힘든 시간/문제/어려움을 겪다'라는 의미이다.

❸ As a result, you might **delay making** choices or *let others decide* for you.
→ 「delay + v-ing」는 '~하는 것을 미루다'라는 의미이다. delay는 목적어로 동명사를 쓴다.
→ 「let + 목적어 + 동사원형」은 '~가 …하게 두다'라는 의미이다.

문제 해설 — 왼쪽 영역

1 What is the best title for the passage? 이 글의 제목으로 가장 적절한 것은?

① Having Trouble Making a Decision 결정을 내리는 데 문제를 겪는 것
② How to Deal with Difficult Choices 어려운 결정을 처리하는 방법
③ Some Ways to Make Smart Decisions 똑똑한 결정을 내리기 위한 몇몇 방법들
④ Your Choice Can Affect Other People 당신의 선택은 다른 사람들에게 영향을 끼칠 수 있다
⑤ Wrong Choices Are Better than Nothing 잘못된 선택이 아무것도 안 하는 것보다 낫다

2 What is the best order for sentences (A)~(C)? 문장 (A)~(C)의 순서로 가장 적절한 것은?

① (A) – (B) – (C)
② (A) – (C) – (B)
③ (B) – (A) – (C)
④ (B) – (C) – (A)
⑤ (C) – (A) – (B)

3 Which is the best choice for the blank? 빈칸에 들어갈 말로 가장 적절한 것은?

① they get more stressed 그들이 더 스트레스를 받는다
② they have enough information 그들이 충분한 정보를 가지고 있다
③ they make fewer bad choices 그들이 나쁜 선택을 덜 한다
④ they have to cancel their decisions 그들이 그들의 결정을 취소해야 한다
⑤ they can't get help from others 그들이 다른 사람들로부터 도움을 받지 못한다

4 Which is the best choice to complete the sentence? 문장을 완성하기에 가장 적절한 것은?

The best restaurant for people who have Hamlet Syndrome ＿＿＿＿＿＿＿＿＿.
햄릿 증후군을 가진 사람들을 위한 최고의 식당은

① has many regular customers 많은 단골손님들을 가지고 있다
② sells food for a low price 음식을 낮은 가격에 판매한다
③ has a pleasant atmosphere 즐거운 분위기를 가지고 있다
④ serves only one dish 오직 하나의 요리만 제공한다
⑤ cooks food very quickly 음식을 매우 빠르게 조리한다

정답 1 ①   2 ④   3 ①   4 ④

문제 해설 — 오른쪽 영역

1 결정을 내리는 데 자주 문제를 겪는 햄릿 증후군을 소개하는 글이므로, 제목으로 ① '결정을 내리는 데 문제를 겪는 것'이 가장 적절하다.

2 연극 <햄릿>의 명대사를 소개한 이후에, 주인공 햄릿은 결정을 내리기 위해 애쓰는 상황에 직면한다는 내용의 (B), 햄릿처럼 결정을 내리는 데 힘든 시간을 겪는 경우가 있다는 내용의 (C), 그 결과 결정을 하는 것을 미루거나 다른 사람에게 결정을 맡길지도 모른다는 내용의 (A)의 흐름이 가장 적절하다.

3 빈칸 앞에서 햄릿 증후군을 가진 사람들에게는 일상적인 결정을 하는 것도 스트레스를 일으킬 수 있다고 했다. 따라서 빈칸에는 ① '그들이 더 스트레스를 받는다'가 가장 적절하다.

4 문장 ⑪에서 일부 식당은 선택을 하지 못하는 사람들을 위해 하나의 품목으로 된 특별 메뉴를 제공한다고 했다. 따라서 빈칸에는 ④ '오직 하나의 요리만 제공한다'가 가장 적절하다.

하단 영역

❽ Even an everyday decision like **choosing *what to drink*** can be stressful.
→ choosing what to drink는 전치사 like(~과 같은)의 목적어 역할을 하는 동명사구이다.
→ 「what + to-v」는 '무엇을 ~할지'라는 의미로, 이 문장에서는 choosing의 목적어 역할을 하고 있다. 「의문사 + to-v」는 문장의 주어, 보어 또는 목적어 역할을 한다.
＝ 「what + 주어 + should + 동사원형」 *ex.* choosing **what they should drink** can be stressful

❾ having many options는 문장의 주어 역할을 하는 동명사구이다. 동명사구는 단수 취급하므로 뒤에 단수동사 means가 쓰였다.

❿ Interestingly, some restaurants **see this phenomenon as an opportunity** *to attract more customers.*
→ 「see A as B」는 'A를 B로 여기다'라는 의미이다.
＝ think of A as B ＝ look upon A as B ＝ regard A as B ＝ consider A (as) B
→ to attract 이하는 '더 많은 손님들을 끌어들일'이라는 의미로, to부정사의 형용사적 용법으로 쓰여 an opportunity를 수식하고 있다.

본문 해석

❶ 당신은 변기가 미술품으로 전시된 것을 본 적이 있는가? ❷ 1917년에, 마르셀 뒤샹은 <샘>이라고 불리는 작품을 만들었다. ❸ 그 작품은 그냥 흔한 소변기였지만, 그는 그것을 샘처럼 보이게 만들기 위해 거꾸로 뒤집었다. ❹ 이것은 예술이 무엇일 수 있는지에 관한 많은 사람들의 관념에 이의를 제기했다. ❺ 그리고 그것은 일반적인 사물이 창의적인 방식으로 바뀌기만 하면 예술이 될 수 있다는 것을 보여줬다.

❻ 한 세기 후, 마우리치오 카텔란이라는 이름의 또 다른 예술가 역시 변기의 형태를 한 조각상을 만들었다. ❼ 그것은 박물관 화장실에 놓였고, 사람들은 그것을 실제로 사용할 수 있었다. ❽ 더욱 놀랍게도, 그 조각상은 전부 금으로 만들어졌다! ❾ 카텔란은 그것에 <아메리카>라고 이름을 붙였다. ❿ <아메리카>를 통해, 그는 불필요한 물건에 돈을 낭비하는 사람들을 비판하려 노력했다. ⓫ 그는 또한 사람들이 금으로 된 변기와 같이, 지나치게 사치스러운 것들을 정말로 원했던 것인지 자신에게 묻도록 만들었다.

❶ Have you ever seen a toilet exhibited / as art? / ❷ In 1917, / Marcel
당신은 변기가 전시된 것을 본 적이 있는가　　미술품으로　1917년에　Marcel

Duchamp created a work / called *Fountain*. / ❸ The piece was just a
Duchamp(마르셀 뒤샹)은 작품을 만들었다　<샘>이라고 불리는　그 작품은 그냥 흔한 소변기였다

common urinal, / but he turned it upside down / to make it look like
하지만 그는 그것을 거꾸로 뒤집었다　그것이 샘처럼 보이게 만들기 위해

a fountain. / ❹ This challenged many people's idea / of what art could
이것은 많은 사람들의 관념에 이의를 제기했다　예술이 무엇일 수 있는지에

be. / ❺ And it showed / that ordinary objects could be art / as long as
관한　그리고 그것은 보여줬다　일반적인 사물들이 예술이 될 수 있다는 것을

they were modified / in a creative way. /
그것들이 바뀌기만 하면　창의적인 방식으로

❻ A century later, / another artist / named Maurizio Cattelan / created
한 세기 후　또 다른 예술가는　Maurizio Cattelan(마우리치오 카텔란)이라는 이름의

a sculpture / in the form of a toilet, too. / ❼ It was placed in a museum
조각상을 만들었다　변기의 형태를 한　역시　그것은 박물관 화장실에 놓였다

bathroom, / and people could actually use it. / ❽ More surprisingly, / the
그리고 사람들은 실제로 그것을 사용할 수 있었다　더욱 놀랍게도

sculpture was made entirely of gold! / ❾ Cattelan named it *America*. /
그 조각상은 전부 금으로 만들어졌다　카텔란은 그것을 <아메리카>라고 이름을 붙였다

❿ Through *America*, / he tried to criticize / those who waste money on
<아메리카>를 통해　그는 비판하려 노력했다　불필요한 물건들에 돈을 낭비하는

unnecessary objects. / ⓫ He also made people ask themselves / whether
사람들을　그는 또한 사람들이 그들 자신에게 묻도록 만들었다　그들이

they really desired overly luxurious things, / like the golden toilet. /
지나치게 사치스러운 것들을 정말로 원했던 것인지　금으로 된 변기와 같이

구문 해설

❶ **Have you** ever *seen* a toilet exhibited as art?
→ 「Have/Has + 주어 + p.p. ~?」의 현재완료 시제가 쓰인 의문문으로, 과거의 [경험]을 물을 때 쓴다.
→ 「see + 목적어 + p.p.」는 '~이 …된 것을 보다'라는 의미이다. 목적어와의 수동 관계를 나타내기 위해, 동사원형 대신 과거분사가 쓰였다.
　　cf. 「see + 목적어 + 동사원형」: ~이 …하는 것을 보다 [능동] *ex.* I **saw the house shake**. (나는 집이 흔들리는 것을 봤다.)

❸ 「turn + 목적어 + upside down」은 '~을 거꾸로 뒤집다'라는 의미이다. 목적어가 대명사인 경우 turn과 upside down 사이에 와야 하지만, 대명사가 아닌 경우 turn upside down 뒤에도 올 수 있다.

❹ what art could be는 「의문사 + 주어 + 동사」의 간접의문문으로, of의 목적어 역할을 하고 있다.

❺ as long as는 부사절을 이끄는 접속사로, '~하기만 하면, ~하는 한'이라는 의미이다.

❽ be made of는 '~으로 만들어지다'라는 의미의 수동태 표현이다. be made of는 재료의 성질이 변하지 않을 때 사용한다.
　　cf. be made from: ~으로 만들어지다 (재료의 성질이 변함) *ex.* Cheese **is made from** milk. (치즈는 우유로 만들어진다.)

1 이 글의 목적으로 가장 적절한 것은?

① 예술 작품을 관람하는 올바른 태도를 안내하기 위해
② 유명한 예술 작품에 대한 새로운 해석을 제시하기 위해
③ 현대 예술에 영향을 미친 과거의 예술가들을 알리기 위해
④ 과거의 예술가들이 작품을 창작했던 과정을 설명하기 위해
⑤ 고정관념에서 벗어난 예술 작품과 그 의미를 소개하기 위해 ✓

2 이 글의 빈칸에 들어갈 말로 가장 적절한 것은?

① beautiful 아름다운 　② ordinary ✓ 일반적인 　③ historical 역사적인
④ religious 종교적인 　⑤ heavy 무거운

3 이 글을 읽고 답할 수 없는 질문은?

① When was *Fountain* created? <샘>은 언제 만들어졌는가?
② What was *Fountain* made of? <샘>은 무엇으로 만들어졌는가?
③ Where was *America* displayed? <아메리카>는 어디에 전시되었는가?
④ What does the name of *America* mean? ✓ <아메리카>라는 이름은 무엇을 의미하는가?
⑤ Why did the artist make *America*? 예술가는 왜 <아메리카>를 만들었는가?

4 이 글의 내용으로 보아, 다음 빈칸에 들어갈 말을 보기에서 골라 쓰시오.

보기	challenged	desired	criticized	luxurious	significant
	이의를 제기했다	원했다	비판했다	사치스러운	중요한

While *Fountain* ___challenged___ people's old idea of art, *America* ___criticized___ the unnecessary spending of money on ___luxurious___ items.

<샘>이 예술에 대한 사람들의 오래된 관념에 이의를 제기한 반면, <아메리카>는 사치스러운 물건에 대한 불필요한 금전 소비를 비판했다.

문제 해설

1 일반적인 사물인 변기를 창의적인 방식으로 바꾸어 예술 작품으로 만든 <샘>과 <아메리카>를 소개하는 글이므로, 목적으로 ⑤가 가장 적절하다.

2 빈칸 앞에서 <샘>이라는 작품은 그냥 흔한 소변기였다고 했으므로, 빈칸에는 ② '일반적인'이 가장 적절하다.

3 ④: <아메리카>라는 이름의 의미에 대한 언급은 없다.
①: 문장 ❷에서 <샘>은 1917년에 만들어졌다고 했다.
②: 문장 ❸을 통해 <샘>이 흔한 소변기를 거꾸로 뒤집어 만들어졌음을 알 수 있다.
③: 문장 ❼에서 <아메리카>는 박물관 화장실에 놓였다고 했다.
⑤: 문장 ❿-⓫에서 <아메리카>를 통해 카텔란은 불필요한 물건에 돈을 낭비하는 사람들을 비판하고, 그들이 자신에게 지나치게 사치스러운 것들을 정말로 원하는지를 묻게 하려고 했다고 했다.

4 문제 해석 참고

---

❾ 「name A B」는 'A를 B라고 이름 짓다'라는 의미이다.

❿ Through America, he **tried to criticize** *those* [*who* waste money on unnecessary objects].
→ 「try + to-v」는 '~하려고 노력하다'라는 의미이다. *cf.* 「try + v-ing」: (시험 삼아) ~해보다
→ [ ]는 앞에 온 선행사 those를 수식하는 주격 관계대명사절이다. 이때 those who는 '~하는 사람들'이라고 해석한다.

⓫ He also **made people** *ask* *themselves* [whether they really desired overly luxurious things, like the golden toilet].
→ 「make + 목적어 + 동사원형」은 '~가 …하게 만들다'라는 의미이다.
→ 「ask + 간접목적어 + 직접목적어」는 '~에게 …을 묻다'라는 의미이다. 이 문장에서는 명사절 [ ]가 직접목적어 역할을 하고 있다.
→ 동사 ask의 간접목적어가 그 행위의 주체(people)와 같은 대상이므로 재귀대명사 themselves가 쓰였다.
→ [ ]는 ask의 직접목적어 역할을 하는 명사절로, 이때 명사절 접속사 whether는 '~인지 (아닌지)'라고 해석한다.

본문 해석

❶ 오늘날, 많은 아이들이 영상을 만들어 온라인에 올리고 있다. ❷ 그들의 영상 중 많은 것이 인기를 얻고, 일부는 심지어 수백만의 조회 수를 얻는다. ❸ 안타깝게도, 사람들은 가끔 이러한 영상에 악의적인 댓글을 올린다. ❹ 그것이 몇몇 웹사이트가 어린이들에 의해 올려진 모든 영상에 댓글을 남기는 것을 금지한 이유이다. ❺ 당신은 이것에 대해 어떻게 생각하는가?

[Andrew] ❻ 이러한 댓글이 단지 농담일 수도 있지만, 어린아이들은 그것들로 인해 성인보다 훨씬 더 쉽게 상처받을 수 있어. ❼ 그 결과, 그들은 좌절하게 되거나 더 낮은 자존감을 가질 수 있어. ❽ 극단적인 경우에, 그들은 심지어 우울증을 겪을 수도 있어.

[Emma] ❾ 모든 사람이 악의적인 댓글을 올리는 것은 아니야. ❿ 대부분의 댓글은 해롭지 않고 많은 것은 힘을 북돋아 주기까지 해. ⓫ 모든 댓글을 금지하는 것은 우리가 긍정적인 피드백을 주는 것을 막아. ⓬ 아이들에게, 이것은 그들의 콘텐츠를 개선할 기회를 잃는 것을 의미해. ⓭ 그들이 사람들이 무엇을 좋아하는지 또는 그들의 영상을 어떻게 더 좋게 만들지 아는 것은 어려워.

❶ Nowadays, / many kids are creating videos / and posting ⓐ them
오늘날　　　　많은 아이들이 영상들을 만들고 있다　그리고 그것들을 온라인에 올리고 있다

online. / ❷ Many of ⓑ their videos become popular, / and some even
　　　　그들의 영상들 중 많은 것이 인기를 얻는다　　　　그리고 일부는 심지어

get millions of hits. / ❸ Unfortunately, / people sometimes post hateful
수백만의 조회 수를 얻는다　　안타깝게도　　　사람들은 가끔 악의적인 댓글을 올린다

comments / about these videos. / ❹ That's why / a few websites have
　　　　이러한 영상들에 대해　　　그것이 ~한 이유이다 몇몇 웹사이트가

banned leaving comments / for all videos / posted by children. / ❺ What
댓글들을 남기는 것을 금지한　　　모든 영상들에 대해　어린이들에 의해 올려진　　　당신은

do you think / about this? /
어떻게 생각하는가　이것에 대해

　　[Andrew] ❻ Although these comments could be just jokes, / young
　　　　　　　이러한 댓글들이 단지 농담일 수도 있지만　　　　　　　어린

kids can be hurt by ⓒ them / much more easily than adults. / ❼ As a
아이들은 그것들로 인해 상처받을 수 있어　성인들보다 훨씬 더 쉽게　　　　　　그 결과

result, / they can become discouraged / and have lower self-esteem. /
　　　그들은 좌절하게 될 수 있어　　　　　그리고 더 낮은 자존감을 가질 수 있어

❽ In extreme cases, / ⓓ they may even experience depression. /
극단적인 경우에　　그들은 심지어 우울증을 겪을 수도 있어

　　[Emma] ❾ Not everyone posts hateful comments. / ❿ Most of
　　　　　　모든 사람이 악의적인 댓글들을 올리는 것은 아니야　　　대부분의

the comments are not harmful, / and many are even encouraging. /
댓글들은 해롭지 않아　　　　　　그리고 많은 것은 힘을 북돋아 주기까지 해

⓫ Banning all comments / stops us from giving positive feedback. / ⓬ For
모든 댓글들을 금지하는 것은　　우리가 긍정적인 피드백을 주는 것을 막아　　아이들에게

kids, / this means / they lose the opportunity / to improve their content. /
　　　이것은 의미해　그들이 기회를 잃는 것을　　　　그들의 콘텐츠를 개선할

⓭ It is difficult / for ⓔ them to know / what people like / or how to make
어려워　　　　그들이 아는 것이　　　사람들이 무엇을 좋아하는지　또는 그들의

their videos better. /
영상들을 어떻게 더 좋게 만들지

구문 해설

❹ That's why a few websites **have banned** *leaving* comments for all videos [posted by children].
　→ have banned는 현재완료 시제(have p.p.)로, 이 문장에서는 과거에 시작된 일이 현재까지 영향을 미쳐 발생한 [결과]를 나타낸다. 몇몇 웹사이트가 댓글을 남기는 것을 금지해버려서 현재 댓글을 남길 수 없다는 의미이다.
　→ 「ban + v-ing」는 '~하는 것을 금지하다'라는 의미이다. ban은 목적어로 동명사를 쓴다.
　→ [ ]는 앞에 온 all videos를 수식하는 과거분사구이다. 이때 posted는 '올려진'이라고 해석한다.

❻ Although는 부사절을 이끄는 접속사로, '단지[비록] ~이지만, ~하더라도'라는 의미이다.

❾ Not everyone은 '모든 사람이 ~하는 것은 아니다'라는 의미로, 전체가 아닌 일부를 부정하는 [부분 부정]을 나타낸다.

⓫ **Banning all comments** *stops us from giving* positive feedback.
　→ Banning all comments는 문장의 주어 역할을 하는 동명사구이다. 동명사구는 단수 취급하므로 뒤에 단수동사 stops가 쓰였다.
　→ 「stop A from v-ing」는 'A가 ~하는 것을 막다'라는 의미이다. 이 문장에서는 '우리가 긍정적인 피드백을 주는 것을 막는다'라고 해석한다.

1 이 글의 토론 주제로 가장 적절한 것은?

① 아이들이 제작하는 영상의 내용을 제한해야 하는가
② 아이들이 볼 수 있는 영상을 법으로 규제해야 하는가
③ 온라인 영상에 대한 댓글을 실명으로 남겨야 하는가
④ 온라인 영상을 제작할 수 있는 나이를 제한해야 하는가
⑤ 아이들이 올린 영상에 댓글을 남기는 것을 금지해야 하는가

2 이 글의 밑줄 친 ⓐ~ⓔ 중, 가리키는 대상이 같은 것끼리 짝지어진 것은?

① ⓐ, ⓑ   ② ⓐ, ⓓ   ③ ⓑ, ⓒ
④ ⓑ, ⓔ   ⑤ ⓒ, ⓔ

3 이 글의 빈칸에 들어갈 말로 가장 적절한 것은?

① to show their creativity 그들의 창의성을 보여줄
② to make more videos 더 많은 영상을 제작할
③ to realize their popularity 그들의 인기를 깨달을
④ to improve their content 그들의 콘텐츠를 개선할
⑤ to access the Internet 인터넷에 접속할

4 다음 중, Emma의 의견에 동의하는 사람을 모두 고른 것은?

Ellen

> Comments can have a long-term negative impact on kids.
>
> 댓글은 아이들에게 장기적으로 부정적인 영향을 줄 수 있어.

> I think banning all comments would prevent people from saying positive things.
>
> 나는 모든 댓글을 금지하는 것은 사람들이 긍정적인 점을 말하는 것을 막을 것이라고 생각해.

Sam

Tina

> Comments provide video creators with useful feedback.
>
> 댓글은 영상 제작자들에게 유용한 피드백을 제공해 줘.

> The Internet needs to be a productive place, so we should ban mean comments.
>
> 인터넷은 생산적인 곳이어야 하니, 우리는 못된 댓글을 금지해야 해.

Lucas

① Ellen, Sam   ② Ellen, Lucas   ③ Sam, Tina
④ Sam, Lucas   ⑤ Tina, Lucas

정답 1 ⑤   2 ④   3 ④   4 ③

문제 해설

1 아이들이 올린 영상에 댓글을 올리는 것을 규제해야 할지에 관해 Andrew와 Emma가 각자의 의견을 주장하는 글이다. 따라서 토론 주제로 ⑤가 가장 적절하다.

2 ⓑ, ⓓ, ⓔ는 아이들을 가리키고, ⓐ는 아이들이 만든 영상들을, ⓒ는 악의적인 댓글들을 가리킨다.

3 빈칸 앞에서 모든 댓글을 금지하는 것은 아이들에게 긍정적인 피드백을 주는 것을 막는다고 했고, 빈칸 뒤에서 아이들이 그들의 영상을 더 좋게 만들 방법을 알기 어렵다고 했다. 따라서 빈칸에는 ④ '그들의 콘텐츠를 개선할'이 가장 적절하다.

4 Sam, Tina: 댓글을 금지하면 긍정적인 점을 말할 수 없다는 Sam과, 댓글을 통해 유용한 피드백을 제공할 수 있다는 Tina는 댓글 금지를 반대하는 Emma의 의견에 동의할 것이다.
Ellen, Lucas: 댓글이 아이들에게 장기적으로 부정적인 영향을 줄 수 있다는 Ellen과, 인터넷이 생산적인 곳이 되도록 못된 댓글을 금지해야 한다는 Lucas는 댓글 금지를 찬성하는 Andrew의 의견에 동의할 것이다.

⓬ to improve their content는 '그들의 콘텐츠를 개선할'이라는 의미로, to부정사의 형용사적 용법으로 쓰여 the opportunity를 수식하고 있다.

⓭ **It is difficult** *for them* **to know** [what people like] or {how to make their videos better}.
→ It은 가주어이고, to know 이하가 진주어이다. 이때 가주어 it은 따로 해석하지 않는다.
→ 「for + 목적격」은 to부정사의 의미상 주어로, to부정사(to know)가 나타내는 동작의 주체이다.
  cf. 「of + 목적격」: 사람의 성격/태도를 나타내는 형용사가 있을 때
  ex. It is kind **of you** to help me. (나를 도와주다니 당신은 친절하군요.)
→ [ ]는 「의문사 + 주어 + 동사」의 간접의문문으로, to know의 목적어 역할을 하고 있다.
→ 「how + to-v」는 '어떻게 ~할지, ~하는 방법'이라는 의미로, to know의 목적어 역할을 하고 있다.
  = 「how + 주어 + should + 동사원형」 *ex.* It is difficult for them to know ~ **how they should make** their videos better.

본문 해석

❶ James Barry 박사는 19세기에 군대에서 복무한 영국의 유명한 외과 의사였다. ❷ 그의 경력 동안 그는 많은 직업적인 공을 세웠다.

⑪ 그것들 중 하나는 병원에서의 공중위생의 중요성을 알린 것이었다. ⑫ 그러나, 그의 직업 생활 내내, 그는 큰 비밀을 간직했다. ⑬ 그의 죽음 이후, James Barry 박사가 남자가 아니라 여자였다는 것이 밝혀졌다!

❻ James Barry는 원래 Margaret Bulkley였다. ❼ 그녀는 의사가 되고 싶었지만, 그 당시에 여자들은 의학을 공부하도록 허락되지 않았다. ❽ 하지만, Bulkley는 꿈을 포기하려 하지 않았다. ❾ 그녀는 죽은 삼촌의 이름을 썼고 남자처럼 옷을 입었다. ⑩ 그 후 그녀는 에든버러 의과 대학에 입학했다.

❸ 그녀는 1812년에 학위를 받았고, 그 다음 해에 의사로 군대에 입대했다. ❹ 그녀는 결국 군대에서 두 번째로 가장 높은 군의관이 되었다. ❺ 그녀의 삶은 여자들도 남자들만큼 유능하다는 것을 보여준다.

---

❶ Dr. James Barry was a famous British surgeon / who served in the
James Barry 박사는 영국의 유명한 외과 의사였다　　군대에서 복무한

army / in the 19th century. / ❷ He made many professional contributions /
19세기에　　　　　그는 많은 직업적인 공을 세웠다

during his career. /
그의 경력 동안

(C) ⑪ One of them was / promoting the importance of sanitation in
그것들 중 하나는 ~이었다　병원에서의 공중위생의 중요성을 알린 것

hospitals. / ⑫ For his entire professional life, / however, / he kept a great
그의 직업 생활 내내　　　　　그러나　　그는 큰 비밀을

secret. / ⑬ After his death, / it was revealed / that Dr. James Barry was not
간직했다　　그의 죽음 이후　　　밝혀졌다　　　James Barry 박사가 남자가 아니라

a man but a woman! /
여자였다는 것이

(B) ❻ James Barry was originally Margaret Bulkley. / ❼ She wanted to
James Barry는 원래 Margaret Bulkley였다　　　　그녀는 의사가 되고

become a doctor, / but women were not allowed / to study medicine / at
싶었다　　　　　하지만 여자들은 허락되지 않았다　　의학을 공부하도록

the time. / ❽ However, / Bulkley would not give up her dream. / ❾ She
그 당시에　　하지만　　Bulkley는 그녀의 꿈을 포기하려 하지 않았다　　그녀는

took her dead uncle's name / and dressed up like a man. / ⑩ Then / she
그녀의 죽은 삼촌의 이름을 썼다　　그리고 남자처럼 옷을 입었다　　그 후　그녀는

entered the University of Edinburgh Medical School. /
Edinburgh(에든버러) 의과 대학에 입학했다

(A) ❸ She got her degree in 1812, / and she joined the army as a
그녀는 1812년에 그녀의 학위를 받았다　　　그리고 그녀는 의사로 군대에 입대했다

doctor / the next year. / ❹ She eventually became the second-highest
그 다음 해에　　　그녀는 결국 두 번째로 가장 높은 군의관이 되었다

medical officer / in the army. / ❺ Her life shows / that women are just as
군대에서　　　　그녀의 삶은 보여준다　여자들도 남자들만큼

capable as men. /
유능하다는 것을

구문 해설

❶ Dr. James Barry was a famous British surgeon [who served in the army in the 19th century].
　→ [ ]는 앞에 온 선행사 a famous British surgeon을 수식하는 주격 관계대명사절이다.

⑪ promoting the importance of sanitation in hospitals는 be동사 was의 보어 역할을 하는 동명사구이다.

⑬ After his death, **it** was revealed [that Dr. James Barry was *not a man but a woman*]!
　→ it은 가주어이고, that절이 진주어이다. 이때 가주어 it은 따로 해석하지 않는다.
　→ 「not A but B」는 'A가 아니라 B'라는 의미이다.

❼ She **wanted to become** a doctor, but women *were* not *allowed to study* medicine at the time.
　→ 「want + to-v」는 '~하고 싶다, ~하기를 원하다'라는 의미이다. want는 목적어로 to부정사를 쓴다.
　→ 「be allowed + to-v」는 '~하도록 허락되다'라는 의미로, 「allow + 목적어 + to-v(~가 …하도록 허락하다)」의 수동태 표현이다.

1 이 글의 단락 (A)~(C)를 순서에 맞게 배열한 것으로 가장 적절한 것은?

① (A) – (C) – (B)　　　　　② (B) – (A) – (C)
③ (B) – (C) – (A)　　　　　④ (C) – (A) – (B)
⑤ (C) – (B) – (A) ✓

2 이 글의 내용과 가장 잘 어울리는 속담은?

① Look before you leap. 뛰기 전에 살펴봐라. (돌다리도 두드려보고 건너라.)
② Practice makes perfect. 연습이 완벽을 만든다.
③ Birds of a feather flock together. 같은 날개의 새들이 함께 모인다. (유유상종)
④ Where there is a will, there is a way. 뜻이 있는 곳에 길이 있다. ✓
⑤ A little knowledge is a dangerous thing. 적은 지식은 위험하다. (선무당이 사람 잡는다.)

3 이 글의 밑줄 친 a great secret이 의미하는 내용을 우리말로 쓰시오.

James Barry 박사가 남자가 아니라 여자라는 것

4 Margaret Bulkley의 생애를 다음과 같이 나타낼 때, 빈칸에 들어갈 말을 글에서 찾아 쓰시오.

> She used her uncle's (1) ___name___ to study (2) ___medicine___.
> 그녀는 (2) 의학을 공부하기 위해 죽은 삼촌의 (1) 이름을 사용했다.

▼

> After she got her degree, she worked in the (3) ___army___.
> 그녀는 학위를 받고 난 후, (3) 군대에서 일했다.

▼

> She made many (4) ___contributions___ during her career as a doctor.
> 그녀는 의사로서의 경력 동안 많은 (4) 공을 세웠다.

정답 1 ⑤　2 ④　3 James Barry 박사가 남자가 아니라 여자라는 것
　　　4 (1) name (2) medicine (3) army (4) contributions

문제 해설

1 James Barry가 의사로서 많은 공을 세웠다고 소개한 이후에, 그중 하나를 예로 든 후 그러나 직업 생활 동안 성별을 숨겼다는 내용의 (C), 당시 여자에게는 허락되지 않던 의학 공부를 하기 위해 남자처럼 행세를 해서 결국 의과 대학에 진학했다는 내용의 (B), 입학 후 학위를 얻고 군의관이 되었다는 내용의 (A)의 흐름이 가장 적절하다.

2 19세기 당시에 여자에게는 허락되지 않았던 의사라는 꿈을 이루기 위해 포기하지 않고 노력하여 결국 군의관으로서 성공한 Margaret Bulkley의 이야기를 소개하는 글이므로, 속담으로 ④ '뜻이 있는 곳에 길이 있다.'가 가장 잘 어울린다.

3 문장 ⑬에 언급된 내용을 의미한다. James Barry 박사가 남자가 아니라 여자라는 것(= a great secret)이 비밀이었는데, 그가 그 비밀을 직업 생활 내내 간직했다는 의미이다.

4 문제 해석 참고

❹ 「the + 서수(first, second, third, …) + 형용사의 최상급」은 '~번째로 가장 …한'이라는 의미이다. 이때 뒤에 오는 명사를 수식할 경우 하이픈으로 서수와 최상급을 연결하여 쓴다. 이 문장에서는 medical officer를 수식하여 second-highest로 쓰였고, '두 번째로 가장 높은'이라고 해석한다.
　　ex. This place is **the fourth-largest** concert hall in Korea. (이 장소는 한국에서 네 번째로 가장 큰 콘서트 홀이다.)

❺ Her life shows [that women are just **as capable as** men].
　　→ [ ]는 shows의 목적어 역할을 하는 명사절이다. 이때 명사절 접속사 that은 생략할 수 있다.
　　→ 「as + 형용사/부사 + as」는 '~만큼 …한/하게'라는 의미이다. 이 문장에서는 '남자들만큼 유능한'이라고 해석한다.

본문 해석

❶ '팬데믹'이라는 보드게임에서, 참가자들은 경쟁하기보다는 협력해야 한다. ❷ 각각의 참가자는 역할을 고르고, 모두가 네 가지 질병이 전 세계로 퍼지는 것을 막기 위해 협업해야 한다.

❸ 실제 팬데믹이 발생하면, 전 세계의 국가들은 같은 방식으로 대응한다. ❹ 팬데믹은 세계의 여러 지역에 퍼져 인구의 많은 비율을 감염시키는 질병이다. ❺ 대부분의 팬데믹은 동물과 인간 모두를 감염시키는 바이러스에서 비롯된다. ❻ 한 가지 예시가 돼지 독감이다. ❼ 그것은 2009년에 세계보건기구(WHO)에 의해 팬데믹으로 선언되었다. ❽ 그 이후, 국가들은 그 바이러스에 대한 정보를 공유하고 백신을 개발하기 위해 협력했다. ❾ 이것은 전 세계의 의사들이 환자를 빠르고 효과적으로 치료하도록 했다. ❿ 최근에, 국가들은 전 세계적인 코로나바이러스 감염증 2019(코로나19)와 싸웠다. ⓫ 마치 그 게임에서처럼, 전 세계가 그 팬데믹과 맞서 싸우기 위해 차이점을 제쳐두었다.

❶ In the board game *Pandemic*, / players must cooperate / rather
'팬데믹'이라는 보드게임에서   참가자들은 협력해야 한다

than compete. / ❷ Each player picks a role, / and everyone has to work
경쟁하기보다는   각각의 참가자는 역할을 고른다   그리고 모두가 협업해야 한다

together / to prevent four diseases from spreading / across the world. /
네 가지 질병이 퍼지는 것을 막기 위해   전 세계로

❸ When real pandemics occur, / countries around the world react /
실제 팬데믹이 발생하면   전 세계의 국가들은 대응한다

in the same way. / ❹ A pandemic is a disease / that spreads across
같은 방식으로   팬데믹은 질병이다   세계의 여러 지역에 퍼지는

different regions of the world / and infects a large proportion of the
그리고 인구의 많은 비율을 감염시키는

population. / (b) ❺ Most pandemics originate from viruses / that infect
대부분의 팬데믹은 바이러스에서 비롯된다   동물과 인간

both animals and humans. / ❻ One example is the swine flu. / ❼ It was
모두를 감염시키는   한 가지 예시가 돼지 독감이다   그것은

declared a pandemic / by the World Health Organization (WHO) /
팬데믹으로 선언되었다   세계보건기구(WHO)에 의해

in 2009. / ❽ After that, / countries cooperated / to share information
2009년에   그 이후   국가들은 협력했다   그 바이러스에 대한 정보를

about the virus / and develop a vaccine. / ❾ This allowed doctors around
공유하기 위해   그리고 백신을 개발하기 위해   이것은 전 세계의 의사들이 ~하도록 했다

the world / to treat patients quickly and effectively. / ❿ Recently, /
환자들을 빠르고 효과적으로 치료하도록   최근에

countries have battled / the worldwide coronavirus disease-2019
국가들은 싸웠다   전 세계적인 코로나바이러스 감염증 2019(코로나19)와

(COVID-19). / ⓫ Just like in the game, / the entire world has put its
마치 그 게임에서처럼   전 세계가 그것의 차이점들을 제쳐두었다

differences aside / to fight the pandemic. /
그 팬데믹과 맞서 싸우기 위해

구문 해설

❶ 조동사 must는 '(반드시) ~해야 한다'라는 의미로 강한 의무를 나타낸다.

❷ **Each player** picks a role, and everyone *has to* work together to <u>prevent four diseases from spreading</u> across the world.
→ each(각각의) 뒤에는 반드시 단수명사(player)가 와야 하며, 「each + 단수명사」는 단수 취급하므로 뒤에 단수동사 picks가 쓰였다.
→ have to는 '~해야 한다'라는 의미이다.
→ 「prevent A from v-ing」는 'A가 ~하는 것을 막다'라는 의미이다. 여기서는 '네 가지 질병이 전 세계로 퍼지는 것을 막다'라고 해석한다.

❹ A pandemic is a disease [that **spreads** across different regions of the world and **infects** a large proportion of the population].
→ [ ]는 앞에 온 선행사 a disease를 수식하는 주격 관계대명사절이다.
→ 현재 시제 단수동사 spreads와 infects가 접속사 and로 연결되어 쓰였다.

❺ 「both A and B」는 'A와 B 모두, 둘 다'라는 의미이다.

1 What is the best title for the passage? 이 글의 제목으로 가장 적절한 것은?

☑ Pandemics: Bringing People Together 팬데믹: 사람들을 한데 모이게 하는 것
② Serious Damage Caused by Pandemics 팬데믹에 의해 야기된 심각한 피해
③ A Worldwide Popularity of a Board Game 보드게임의 전 세계적 인기
④ How Can We Prevent Widespread Diseases? 우리는 어떻게 널리 퍼진 질병을 막을 수 있는가?
⑤ Achievements of the World Health Organization 세계보건기구의 업적들

2 Among (a)~(e), which is the best answer for the question?
(a)~(e) 중, 질문에 대한 답으로 가장 적절한 것은?

> Q. What is the main cause of a pandemic? 팬데믹의 주원인은 무엇인가?

① (a)   ☑ (b)   ③ (c)   ④ (d)   ⑤ (e)

3 How did countries fight the swine flu? Write the answer in Korean.
국가들은 어떻게 돼지 독감에 맞서 싸웠는가? 우리말로 쓰시오.

_____바이러스에 대한 정보를 공유하고 백신을 개발하기 위해 협력했다._____

4 Complete the sentences with the following words. 다음 중 알맞은 말을 골라 문장을 완성하시오.

battling	pandemic	vaccine	spreading
싸우는 것	팬데믹	백신	퍼지는 것

Coronavirus Outbreak
코로나바이러스 발생

On 11 March 2020, the WHO declared coronavirus disease-2019 a ___pandemic___. It infected a lot of people, and many countries tried to keep it from ___spreading___ across the world.

2020년 3월 11일에, WHO(세계보건기구)는 코로나바이러스 감염증 2019를 팬데믹으로 선언했다. 그것은 많은 사람들을 감염시켰으며, 많은 국가들이 그것이 전 세계로 퍼지는 것을 막기 위해 노력했다.

정답 **1** ①   **2** ②   **3** 바이러스에 대한 정보를 공유하고 백신을 개발하기 위해 협력했다.
4 pandemic, spreading

---

1 팬데믹이 발생하면 서로 다른 국가들이 협력하여 팬데믹을 극복하기 위해 힘쓴다는 내용의 글이므로, 제목으로 ① '팬데믹: 사람들을 한데 모이게 하는 것'이 가장 적절하다.

2 문장 ❺에서 대부분의 팬데믹은 동물과 인간 모두를 감염시키는 바이러스에서 비롯된다고 했다.

3 문장 ❼-❽에서 돼지 독감이 팬데믹으로 선언된 후, 국가들은 그 바이러스에 대한 정보를 공유하고 백신을 개발하기 위해 협력했다고 했다.

4 문제 해석 참고

---

❽ to share information about the virus and (to) develop a vaccine은 '그 바이러스에 대한 정보를 공유하고 백신을 개발하기 위해'라는 의미로, [목적]을 나타내는 to부정사의 부사적 용법으로 쓰였다.

❾ 「allow + 목적어 + to-v」는 '~가 …하도록 (허락)하다'라는 의미이다.

⓫ to fight the pandemic은 '팬데믹과 맞서 싸우기 위해'라는 의미로, [목적]을 나타내는 to부정사의 부사적 용법으로 쓰였다.

본문 해석

❶ 독일에서의 홈스테이 기간 동안, 집주인의 사촌인 Karl이 결혼식을 올렸다. ❷ 나는 결혼식 전날 밤 파티를 위해 그의 집에 초대를 받았다. ❸ Karl은 나에게 접시 몇 장을 가져오라고 말했다. ❹ 그것은 조금 이상했지만, 나는 그가 모든 손님들을 위한 여분의 접시가 필요하다고 생각했다.

❺ 하지만, 파티가 시작되자마자, 모두 함께 모여 갑자기 접시를 바닥에 던졌다! ❻ 바닥은 난장판이 되었지만, 모두가 행복하게 미소를 짓고 있었다.

❼ 나는 손님들 중 한 명에게 왜 모두 접시를 부수고 있는지 물었다. ❽ 그는 "부부에게 결혼 생활에 행운을 빌어주기 위해서예요."라고 말했다. ❾ 이 행사는 독일의 결혼식 전통인 'Polterabend'라고 불리는 것이었다. ❿ 독일인들은 '조각들이 행운을 가져온다.'라는 옛말 때문에 이것을 한다.

⓫ "하지만 거울은 부수지 마세요."라고 그 손님이 말했다. ⓬ "그것은 7년의 불행을 의미해요!"

---

❶ During my homestay in Germany, / my host's cousin Karl / had a
독일에서의 나의 홈스테이 동안   내 집주인의 사촌인 Karl이

wedding. / ❷ I was invited to his house / for a party / the night before the
결혼식을 올렸다   나는 그의 집에 초대를 받았다   파티를 위해   결혼식 전날 밤에

wedding. / ❸ Karl told me to bring some plates. / ❹ It was a little odd, /
                    Karl은 나에게 접시 몇 장을 가져오라고 말했다   그것은 조금 이상했다

but I thought / he needed extra plates / for all the guests. /
하지만 나는 생각했다   그가 여분의 접시가 필요하다고   모든 손님들을 위한

❺ However, / once the party started, / everyone gathered together /
하지만   파티가 시작되자마자   모두 함께 모였다

and suddenly threw their dishes on the ground! / ❻ The ground became
그리고 갑자기 그들의 접시를 바닥에 던졌다   바닥은 난장판이 되었다

a mess, / but everyone was smiling happily. /
                하지만 모두가 행복하게 미소를 짓고 있었다

❼ I asked one of the guests / why everyone was breaking the plates. /
나는 손님들 중 한 명에게 물었다   왜 모두 접시를 부수고 있는지

❽ He said, / "To wish the couple good luck / in their marriage." /
그는 말했다   부부에게 행운을 빌어주기 위해서예요   그들의 결혼 생활에

❾ This event is called *Polterabend*, / a wedding tradition in Germany. /
이 행사는 'Polterabend'라고 불린다   독일의 결혼식 전통인

❿ Germans do this / because of the old saying, / "Shards bring luck." /
독일인들은 이것을 한다   옛말 때문에   조각들이 행운을 가져온다

⓫ "But don't break a mirror," / the guest said. / ⓬ "That means seven
하지만 거울은 부수지 마세요   그 손님이 말했다   그것은 7년의 불행을

years of bad luck!" /
의미해요

구문 해설

❸ Karl **told me to bring** some plates.
→ 「tell + 목적어 + to-v」는 '~에게 …하라고 말하다'라는 의미이다.

❹ It was a little odd, but I thought [(that) he needed extra plates for all the guests].
→ [ ]는 thought의 목적어 역할을 하는 명사절로, 명사절 접속사 that이 생략되어 있다.

❺ once는 '~하자마자, 일단 ~하면'이라는 의미로, 부사절을 이끄는 접속사로 쓰여 뒤에 「주어 + 동사」의 절이 왔다.
cf. 부사 once: ① 한 번 ② 이전에, 한때 *ex.* Cargo pants were **once** very fashionable. (카고 바지는 한때 매우 유행했다.)

❼ I **asked** one of the guests [why everyone *was breaking* the plates].
→ 「ask + 간접목적어 + 직접목적어」는 '~에게 …을 묻다'라는 의미이다. 이 문장에서는 one of the guests가 간접목적어에, [ ]가 직접목적어에 해당한다.
→ [ ]는 「의문사 + 주어 + 동사」의 간접의문문으로, asked의 직접목적어 역할을 하고 있다.
→ 「be동사의 과거형 + v-ing」는 과거진행 시제로, '~하고 있었다, ~하는 중이었다'라고 해석한다.

1 이 글의 주제로 가장 적절한 것은?

✓① an unusual wedding tradition 독특한 결혼식 전통
② plates as a popular wedding gift 결혼식 선물로 인기 있는 접시
③ a special place to have a wedding 결혼식을 올릴 특별한 장소
④ how Germans treat guests at parties 독일인들이 어떻게 파티에서 손님을 대접하는지
⑤ traditional table manners in Germany 독일의 전통적인 식사 예절

2 이 글의 밑줄 친 I가 파티 시작 직후에 느꼈을 심경으로 가장 적절한 것은?

① annoyed 짜증이 난　　② bored 지루한　　✓③ confused 혼란스러운
④ pleased 기쁜　　⑤ disappointed 실망한

3 다음 질문에 대한 답이 되도록 빈칸에 들어갈 말을 글에서 찾아 쓰시오.

> Q. What do Germans think about breaking plates and mirrors?
> 독일인들은 접시와 거울을 부수는 것에 대해 어떻게 생각하는가?
>
> A. They think breaking plates brings ___good___ ___luck___,
> while breaking mirrors brings ___bad___ ___luck___.
> 그들은 거울을 부수는 것은 불행을 가져오는 반면, 접시를 부수는 것은 행운을 가져온다고 생각한다.

4 이 글의 내용과 일치하도록 (A)~(D)를 알맞은 순서대로 배열하시오.

> (A) I was told to bring some plates to a party.
> 　　나는 파티에 접시 몇 장을 가져오라는 말을 들었다.
> (B) I learned about a German tradition called *Polterabend*.
> 　　나는 'Polterabend'라고 불리는 독일의 전통에 대해 알게 되었다.
> (C) A party to celebrate the wedding began. 결혼을 축하하는 파티가 시작되었다.
> (D) Everyone made the ground a mess. 모두가 바닥을 난장판으로 만들었다.

___(A)___ ➡ ___(C)___ ➡ ___(D)___ ➡ ___(B)___

문제 해설

1 'Polterabend'라는 독일의 독특한 결혼식 행사를 경험한 일화를 이야기하는 글이므로, 주제로 ① '독특한 결혼식 전통'이 가장 적절하다.

2 문장 ④에서 손님들을 위한 여분의 접시를 가져오라는 것으로 생각했다고 했으므로, 문장 ⑤-⑥에서 파티 시작 직후 손님들이 접시를 부수는 상황이 이해되지 않았을 것임을 유추할 수 있다. 따라서 심경으로 ③ '혼란스러운'이 가장 적절하다.

3 문장 ⑩에서 조각들이 행운을 가져온다는 옛말 때문에 접시를 부순다고 했고, 문장 ⑪-⑫에서 거울을 부수는 것은 7년의 불행을 의미한다고 했다.

4 문장 ❸에서 Karl에게 접시 몇 장을 가져오라는 말을 들었다고 했고, 문장 ❺-❻에서 파티가 시작되자마자 모두 접시를 던져 바닥을 난장판으로 만들었다고 했고, 문장 ❼-❾에서 그 이유를 물은 후 'Polterabend'라는 독일의 결혼식 전통에 대해 알게 되었다고 했으므로, (A) → (C) → (D) → (B)의 순서가 가장 적절하다.

---

❽ He said, "**To *wish the couple good luck*** in their marriage."
→ To wish 이하는 '부부에게 결혼 생활에 행운을 빌어주기 위해서'라는 의미로, [목적]을 나타내는 to부정사의 부사적 용법으로 쓰였다.
→ 「wish + 간접목적어 + 직접목적어」는 '~에게 …을 빌어주다, 기원하다'라는 의미이다.

❾ This event **is called** *Polterabend, a wedding tradition in Germany*.
→ 「A be called B」는 'A가 B라고 불리다'라는 의미이다.
→ Polterabend와 a wedding tradition in Germany는 콤마로 연결된 동격 관계이다.

❿ because of는 '~ 때문에'라는 의미의 전치사로, 뒤에 명사가 온다.
cf. 「접속사 because + 주어 + 동사」　*ex.* Germans do this **because** there is the old saying, "Shards bring luck."

본문 해석

❶ 바이럴 마케팅은 강력한 광고 수단이다. ❷ '바이럴'이라는 용어는 바이러스가 사람들을 감염시키는 방식처럼, 제품 정보가 빠르게 널리 퍼지는 방식을 나타낸다.

❸ 오레오 쿠키가 진행한 Daily Twist 캠페인은 이것의 좋은 예시이다. ❹ 100주년을 기념하여, 그 회사는 새로운 홍보 활동을 시작했다. ❺ 그것은 100일 동안 하루에 한 번 대중문화에서 영감을 얻은 오레오의 재미있는 사진을 공개했다. ❻ 6월 25일부터 10월 2일까지, 사진들이 그것의 소셜 미디어 페이지에 올려졌다. ❼ 예를 들어, <다크 나이트 라이즈> 영화가 나왔을 때 '배트맨 오레오' 사진이 올려졌다. ❽ 또한 그 유명한 말춤을 보여준 '강남 스타일 오레오'도 있었다.

❾ 캠페인은 대성공이었다. ❿ 3일 안에, 사진들은 2,600만 개의 '좋아요'를 얻었다. ⓫ 오레오가 사람들에게 이벤트를 공유해달라고 요청하지 않았는데도, 사진들은 바이러스만큼 빠르게 퍼지면서, 소셜 미디어 곳곳에 있었다!

❶ Viral marketing is a powerful advertising tool. / ❷ The term *viral*
바이럴 마케팅은 강력한 광고 수단이다   '바이럴(바이러스성의)'

refers to the way / product information spreads quickly and widely, /
이라는 용어는 방식을 나타낸다   제품 정보가 빠르게 널리 퍼지는

like the way a virus infects people. /
바이러스가 사람들을 감염시키는 방식처럼

❸ The Daily Twist campaign by Oreo cookies / is a good example of
오레오 쿠키가 진행한 Daily Twist 캠페인은   이것의 좋은 예시이다

this. / ❹ In honor of its 100-year anniversary, / the company started a
그것의 100주년을 기념하여   그 회사는 새로운 홍보 활동을

new promotion. / ❺ It revealed a fun image of an Oreo / inspired by
시작했다   그것은 오레오의 재미있는 사진을 공개했다   대중문화에서

pop culture / once a day for 100 days. / ❻ From June 25 to October 2, /
영감을 얻은   100일 동안 하루에 한 번   6월 25일부터 10월 2일까지

the images were posted / on its social media pages. / ❼ For example, /
사진들이 올려졌다   그것의 소셜 미디어 페이지에   예를 들어

a "Batman Oreo" image was posted / when *The Dark Knight Rises* movie
'배트맨 오레오' 사진이 올려졌다   <다크 나이트 라이즈> 영화가 나왔을 때

came out. / ❽ There was also a "Gangnam Style Oreo" / that showed the
또한 '강남 스타일 오레오'도 있었다   그 유명한 말춤을 보여준

famous horse dance. /

❾ The campaign was a huge success. / ❿ Within three days, / the
그 캠페인은 대성공이었다   3일 안에

images got 26 million "likes." / ⓫ Though Oreo didn't ask people / to
그 사진들은 2,600만 개의 '좋아요'를 얻었다   오레오가 사람들에게 요청하지 않았는데도

share the event, / the images were all over social media, / spreading as
그 이벤트를 공유해달라고   그 사진들은 소셜 미디어 곳곳에 있었다   바이러스만큼

fast as a virus! /
빠르게 퍼지면서

구문 해설

❷ The term viral refers to **the way** [product information spreads quickly and widely], like **the way** {a virus infects people}.
→ [ ]와 { }는 앞에 온 선행사 the way를 수식하는 관계부사절로, 선행사가 방법이면 관계부사 how를 쓴다. 이때 the way와 how는 둘 중 하나만 쓸 수 있으므로, 이 문장에서는 the way만 쓰였다.
= The term viral refers to **how** product information spreads quickly and widely, like **how** a virus infects people.

❺ It revealed a fun image of an Oreo [**inspired** by pop culture] once a day for 100 days.
→ [ ]는 앞에 온 a fun image of an Oreo를 수식하는 과거분사구이다. 이때 inspired는 '영감을 얻은'이라고 해석한다.

❻ 「from A to B」는 'A부터 B까지, A에서 B로'라는 의미이다.

1 이 글의 목적으로 가장 적절한 것은?

① to recommend some useful social media sites
몇몇 유용한 소셜 미디어 사이트를 추천하기 위해

② to explain the effects of social media on people
소셜 미디어가 사람들에게 끼치는 영향을 설명하기 위해

③ to describe how companies develop new products
회사가 어떻게 신제품을 개발하는지 설명하기 위해

④ to compare different types of marketing strategies
서로 다른 유형의 마케팅 전략을 비교하기 위해

✓⑤ to introduce a successful example of viral marketing
바이럴 마케팅의 성공적인 예시를 소개하기 위해

2 이 글에 따르면, 오레오 쿠키가 100주년을 기념하기 위해 한 일은?

① 신제품을 개발하여 광고했다.
② 대형 쿠키 모형을 제작했다.
✓③ 다양한 쿠키 사진을 공개했다.
④ 쿠키 제작 과정의 변천사를 선보였다.
⑤ 소셜 미디어 페이지를 개설했다.

3 이 글의 내용과 일치하면 T, 그렇지 않으면 F를 쓰시오.

(1) Viral marketing allows product information to spread quickly. ____T____
바이럴 마케팅은 제품 정보가 빠르게 퍼지게 한다.

(2) Oreo cookies encouraged people to share ideas for its Daily Twist campaign. ____F____
오레오 쿠키는 사람들이 Daily Twist 캠페인을 위한 아이디어를 공유하도록 장려했다.

(3) The Daily Twist campaign lasted 100 days and ended successfully. ____T____
Daily Twist 캠페인은 100일 동안 지속됐고 성공적으로 끝났다.

4 이 글의 빈칸에 들어갈 말을 글에서 찾아 쓰시오.

____virus____
바이러스

정답 1 ⑤   2 ③   3 (1) T (2) F (3) T   4 virus

문제 해설

1 바이럴 마케팅의 성공적인 사례로 오레오 쿠키의 Daily Twist 캠페인을 소개하고 있으므로, 목적으로 ⑤ '바이럴 마케팅의 성공적인 예시를 소개하기 위해'가 가장 적절하다.

2 문장 ④-⑤에서 오레오 쿠키는 100주년을 기념하여 100일 동안 대중문화에서 영감을 얻은 오레오의 재미있는 사진을 공개했다고 했다.

3 (1) 문장 ②에서 바이럴 마케팅의 '바이럴'은 제품 정보가 빠르게 널리 퍼지는 방식을 나타낸다고 했다.
(2) 문장 ⑪에서 오레오는 사람들에게 Daily Twist 캠페인을 공유해달라고 요청하지 않았다고 했다.
(3) 문장 ⑤에서 Daily Twist 캠페인에서 100일 동안 오레오의 재미있는 사진을 공개했다고 했고, 문장 ⑨에서 캠페인이 대성공이었다고 했다.

4 첫 번째 단락에서 바이럴 마케팅의 '바이럴'이라는 용어는 바이러스가 사람들을 감염시키는 방식처럼 제품 정보가 빠르게 널리 퍼지는 방식을 나타낸다고 했고, 빈칸이 있는 문장에서 캠페인의 사진이 소셜 미디어상에서 이것만큼 빠르게 퍼졌다고 했다. 따라서 빈칸에는 문장 ②의 'virus(바이러스)'가 가장 적절하다.

❽ There was also a "Gangnam Style Oreo" [that showed the famous horse dance].
→ [ ]는 앞에 온 선행사 a "Gangnam Style Oreo"를 수식하는 주격 관계대명사절이다.

⓫ **Though** Oreo didn't *ask people to share* the event, the images were all over social media, [spreading as fast as a virus]!
→ Though는 부사절을 이끄는 접속사로, '(비록) ~하는데도, ~이지만'이라는 의미이다.
→ 「ask + 목적어 + to-v」는 '~에게 …할 것을 요청하다[부탁하다]'라는 의미이다.
→ [ ]는 '바이러스만큼 빠르게 퍼지면서'라는 의미로, [동시동작]을 나타내는 분사구문이다.
= 「접속사 + 주어 + 동사」 *ex.* the images were all over social media **while/as they spread** as fast as a virus

본문 해석

❶ 대부분의 사람은 땀 흘리는 것이 안 좋은 냄새가 나게 하고 끈적거림을 느끼게 만들기 때문에 싫어한다. ❷ 하지만, 땀은 우리의 몸에 대해 많은 것을 알려줄 수 있다. ❸ 그리고 현재, 땀 센서는 그것을 이용하고 있다.

❹ 땀 센서는 작고, 얇고, 탄력 있는 패치이다. ❺ 그것을 당신의 몸에 붙이면, 땀 속의 특정 화학 성분들을 측정한다. ❻ 예를 들어, 그것은 포도당 수치를 보여줄 수 있다. ❼ 이것은 당뇨가 있는 사람들에게 특히 유용하다. ❽ 그것이 없다면, 그들은 단지 포도당 수치를 확인하기 위해 하루 종일 다수의 혈액 검사를 받아야 한다. ❾ 그것은 심지어 땀 속의 칼륨 수치를 확인함으로써 사람들이 심장마비를 예측하도록 도울 수도 있다.

❿ 땀 센서는 특정 건강 상태를 확인하기 위해 필요한 시간과 수고를 줄일 수 있다. ⓫ 그것은 심지어 몸 상태를 실시간으로 확인하는 것을 가능하게 만들 수도 있다. ⓬ 그리고 무엇보다도, 그것은 착용하기에 편하다!

---

❶ Most people hate sweating / because it makes them / smell bad
대부분의 사람은 땀 흘리는 것을 싫어한다   그것이 그들을 만들기 때문에   안 좋은 냄새가

and feel sticky. / ❷ However, / sweat can tell us a lot / about our bodies. /
나고 끈적거림을 느끼게   하지만   땀은 우리에게 많은 것을 알려줄 수 있다   우리의 몸에 대해

❸ And now, / sweat sensors are taking advantage of it. /
그리고 현재   땀 센서는 그것을 이용하고 있다

❹ A sweat sensor is a patch / that is small, thin, and flexible. / ❺ You
땀 센서는 패치이다   작고, 얇고, 그리고 탄력 있는   당신은

stick it / on your body, / and it measures specific chemicals / in your
그것을 붙인다 당신의 몸에   그러면 그것은 특정 화학 성분들을 측정한다   당신의

sweat. / ❻ For example, / it can show glucose levels. / ❼ This is particularly
땀 속의   예를 들어   그것은 포도당 수치를 보여줄 수 있다   이것은 특히 유용하다

useful / to those with diabetes. / ❽ Without it, / they have to get multiple
    당뇨가 있는 사람들에게   그것이 없다면   그들은 다수의 혈액 검사를

blood tests / throughout the day / just to check their glucose levels. / ❾ It
받아야 한다   하루 종일   단지 그들의 포도당 수치를 확인하기 위해   그것은

can even help people predict heart attacks / by checking the potassium
심지어 사람들이 심장마비를 예측하도록 도울 수도 있다   칼륨 수치를 확인함으로써

levels / in their sweat. /
    그들의 땀 속의

❿ Sweat sensors are able to reduce the time and effort / required to
땀 센서는 시간과 수고를 줄일 수 있다

check certain health conditions. / ⓫ They can even make it possible / to
특정 건강 상태를 확인하기 위해 필요한   그것들은 심지어 가능하게 만들 수도 있다

monitor the physical conditions / in real time. / ⓬ And best of all, / they
몸 상태를 확인하는 것을   실시간으로   그리고 무엇보다도   그것들은

are comfortable to wear! /
착용하기에 편하다

구문 해설

❶ hate는 목적어로 동명사와 to부정사 모두 쓸 수 있다.
ex. They **hate working out** because they **hate to sweat**. (그들은 땀 흘리는 것을 싫어하기 때문에 운동하는 것을 싫어한다.)

❷ However, sweat can **tell us a lot** about our bodies.
→ 「tell + 간접목적어 + 직접목적어」는 '~에게 …을 알려주다, 말해주다'라는 의미이다. 이 문장에서는 a lot이 can tell의 직접목적어 역할을 하고 있다.

❹ A sweat sensor is a patch [that is **small, thin, and flexible**].
→ [ ]는 앞에 온 선행사 a patch를 수식하는 주격 관계대명사절이다.
→ 세 가지 이상의 단어를 나열할 때는 콤마와 함께 마지막 단어 앞에 and[or]를 써서 「A, B, and[or] C」로 나타낸다.

❽ Without it, they **have to** get multiple blood tests throughout the day just *to check their glucose levels*.
→ have to는 '~해야 한다'라는 의미이다.
→ to check 이하는 '그들의 포도당 수치를 확인하기 위해'라는 의미로, [목적]을 나타내는 to부정사의 부사적 용법으로 쓰였다.

문제 해설

1 이 글의 제목으로 가장 적절한 것은?

① A Convenient Way to Check Your Health ✓ 당신의 건강을 확인하는 편리한 방법
② The More You Sweat, the Better You Feel 땀을 더 많이 흘릴수록, 기분이 더 좋아진다
③ What Happens in Your Body When You Sweat? 땀을 흘릴 때 몸에서 무슨 일이 일어나는가?
④ Wearable Devices That Help Reduce Sweating
땀 흘리는 것을 줄이는 데 도움이 되는 웨어러블 기기들
⑤ Sweat Sensors: A Tool to Detect Body Movements 땀 센서: 신체 움직임을 감지하는 도구

2 이 글의 밑줄 친 it이 의미하는 내용을 우리말로 쓰시오.

땀이 우리의 몸에 대해 많은 것을 알려줄 수 있다는 것

3 이 글의 빈칸에 들어갈 말로 가장 적절한 것은?

① light 가벼운　　　② useful ✓ 유용한　　　③ familiar 친숙한
④ expensive 비싼　　　⑤ sensitive 민감한

4 땀 센서에 관한 이 글의 내용과 일치하지 <u>않는</u> 것은?

① 얇고 신축성이 있다.
② 땀의 양과 냄새를 분석한다. ✓
③ 포도당 수치를 측정할 수 있다.
④ 심장마비를 예측할 수 있다.
⑤ 실시간으로 몸 상태를 파악할 수 있다.

1 몸에 착용하기만 해도 땀 속의 화학 성분을 측정하여 건강 상태를 확인할 수 있게 해주는 땀 센서를 소개하는 글이므로, 제목으로 ① '당신의 건강을 확인하는 편리한 방법'이 가장 적절하다.

2 문장 ❷에 언급된 내용을 의미한다. 땀이 우리의 몸에 대해 많은 것을 알려줄 수 있다는 것(= it)을 땀 센서가 이용하고 있다는 의미이다.

3 빈칸 앞에서 땀 센서는 포도당 수치를 보여줄 수 있다고 했고, 빈칸 뒤에서 땀 센서가 없다면 당뇨가 있는 사람들은 포도당 수치를 확인하기 위해 하루 종일 다수의 혈액 검사를 받아야 한다고 했다. 따라서 빈칸에는 ② '유용한'이 가장 적절하다.

4 ②: 문장 ❺에서 땀 센서가 땀 속의 화학 성분을 측정한다고는 했지만, 땀의 양과 냄새를 분석한다는 것에 대한 언급은 없다.
①은 문장 ❹에, ③은 문장 ❻에, ④는 문장 ❾에, ⑤는 문장 ⓫에 언급되어 있다.

정답 1 ①　2 땀이 우리의 몸에 대해 많은 것을 알려줄 수 있다는 것　3 ②　4 ②

❾ It can even **help people predict** heart attacks *by checking* the potassium levels in their sweat.
→ 「help + 목적어 + 동사원형」은 '~가 …하는 것을 돕다'라는 의미이다. = 「help + 목적어 + to-v」
→ 「by + v-ing」는 '~함으로써, ~해서'라는 의미로 수단이나 방법을 나타낸다.

❿ Sweat sensors **are able to** reduce the time and effort [*required* to check certain health conditions].
→ be able to는 '~할 수 있다'라는 의미로 가능성을 나타낸다. = 「can + 동사원형」 *ex.* Sweat sensors **can** reduce the time ~.
→ [ ]는 앞에 온 the time and effort를 수식하는 과거분사구이다. 이때 required는 '필요한, 요구되는'이라고 해석한다.
→ to check 이하는 '특정 건강 상태를 확인하기 위해'라는 의미로, [목적]을 나타내는 to부정사의 부사적 용법으로 쓰였다.

⓫ They can even **make *it* possible** *to monitor the physical conditions in real time*.
→ 「make + 목적어 + 형용사」는 '~을 …하게 만들다'라는 의미이다.
→ it은 가목적어이고, to monitor 이하가 진목적어이다. 이때 가목적어 it은 따로 해석하지 않는다.

⓬ to wear는 '착용하기에'라는 의미로, to부정사의 부사적 용법으로 쓰여 형용사 comfortable을 수식하고 있다.

본문 해석

❶ 여기 성격 검사가 있다. ❷ 만약 그 말이 당신에게 해당한다면 칸에 표시를 해라. ❸ 당신은 다른 사람들이 당신을 좋아하고 동경해줄 욕구를 느낀다. ❹ 당신은 가끔 옳은 결정을 했는지 의심한다. ❺ 당신은 종종 자신에 대해 너무 비판적이다. ❻ 가끔 당신은 외향적이지만, 다른 때에는 수줍음이 많다. ❼ 당신은 몇 개의 칸에 표시를 했는가? ❽ 만약 당신이 그것들 네 개 모두에 표시했다면, 당신은 방금 바넘 효과를 경험하였다. ❾ 그것은 성격 묘사가 정확하고 특히 우리에게 해당한다고 믿는 성향을 말한다. ❿ 이러한 심리적인 효과는 그 묘사가 구체적이게 들리기 때문에 발생하지만, 그것은 겉보기에만 그렇다. ⓫ 만약 더 자세히 살펴보면, 우리는 그것들이 너무 모호하고 일반적이어서 누구에게나 해당할 수 있다는 것을 발견한다. ⓬ 실제로, 성격 검사, 점성술, 그리고 포춘 쿠키 모두 바넘 효과를 이용한다. ⓭ 당신의 친구들에게 그것을 시도해보아라. ⓮ 각 친구에게 개별적으로 그 말을 보여줘라. ⓯ 그들은 아마 모두 그 말이 그들을 완벽하게 묘사한다고 말할 것이다!

❶ Here's a personality test. / ❷ Check the box / if the statement applies
여기 성격 검사가 있다　　　　칸에 표시를 해라　　만약 그 말이 당신에게 해당한다면
to you. /

☐ ❸ You have a need / for others / to like and admire you. /
당신은 욕구를 느낀다　　다른 사람들이　　당신을 좋아하고 동경할

☐ ❹ You sometimes doubt / if you have made the right decision. /
당신은 가끔 의심한다　　　　당신이 옳은 결정을 했는지

☐ ❺ You are often too critical of yourself. /
당신은 종종 당신 자신에 대해 너무 비판적이다

☐ ❻ Sometimes you are outgoing, / but other times you are shy. /
가끔 당신은 외향적이다　　　　　　하지만 다른 때에는 당신은 수줍음이 많다

❼ How many boxes did you check? / ❽ If you checked all four of
당신은 얼마나 많은 칸들에 표시를 했는가　　　　만약 당신이 그것들 네 개 모두에
them, / you've just experienced the Barnum Effect. / ❾ It refers to our
표시했다면　　당신은 방금 바넘 효과를 경험하였다　　　　　　　그것은 우리의 믿는
tendency to believe / that personality descriptions are accurate / and
성향을 말한다　　　　　성격 묘사가 정확하다고　　　　　　그리고
apply specifically to us. / ❿ This psychological effect happens / because
특히 우리에게 해당한다고　　　　이러한 심리적인 효과는 발생한다　　　　왜냐하면
the descriptions sound specific, / but only on the surface. / ⓫ If we take a
그 묘사가 구체적이게 들리기 때문에　　　하지만 겉보기에만　　　　만약 우리가 더
closer look, / we discover / they are so vague and general / that they can
자세히 살펴보면　　우리는 발견한다　그것들은 너무 모호하고 일반적이어서　그것들이 누구에게나
apply to everyone. / ⓬ In fact, / personality tests, horoscopes, and fortune
해당할 수 있다는 것을　　실제로　　성격 검사, 점성술, 그리고 포춘 쿠키
cookies / all use the Barnum Effect. /
　　　모두 바넘 효과를 이용한다

⓭ Try it out on your friends. / ⓮ Show the statements to each friend /
당신의 친구들에게 그것을 시도해보아라　　각 친구에게 그 말들을 보여줘라
individually. / ⓯ They will probably all say / the statements describe them /
개별적으로　　　　그들은 아마 모두 말할 것이다　　그 말들이 그들을 묘사한다고
perfectly! /
완벽하게

구문 해설

❸ You have a need **for others** *to like and admire you.*
→ for others는 to부정사의 의미상 주어로, to부정사(to like, admire)가 나타내는 동작의 주체이다.
→ to like and (to) admire you는 '당신을 좋아하고 동경할'이라는 의미로, to부정사의 형용사적 용법으로 쓰여 a need를 수식하고 있다.

❹ You sometimes doubt [if you have made the right decision].
→ [ ]는 doubt의 목적어 역할을 하는 명사절로, 이때 명사절 접속사 if는 '~인지 (아닌지)'라고 해석한다.

❺ 전치사 of의 목적어가 주어(You)와 같은 대상이므로 재귀대명사 yourself가 쓰였다.

❼ 「How many + 복수명사 ~?」는 '얼마나 많은 ~?'이라는 의미로, many 뒤에 셀 수 있는 명사의 복수형(boxes)이 온다.

❽ 've(=have) experienced는 현재완료 시제(have p.p.)로, 이 문장에서는 과거에 시작된 일이 현재에 끝난 [완료]를 나타낸다.

1 Choose ALL that are mentioned about the Barnum Effect in the passage.
이 글에서 바넘 효과에 관해 언급된 것을 모두 고르시오.

① its strengths and weaknesses 그것의 장점과 단점
✓② the reason why it occurs 그것이 발생하는 이유
③ its opposite effect 그것의 역효과
✓④ examples where it appears 그것이 나타나는 사례들
⑤ the person who discovered it 그것을 발견한 사람

2 Complete the conversation with a word from the passage.
이 글에서 알맞은 말을 찾아 대화를 완성하시오.

> A: I finished my painting, but it's not good.
> 나는 내 그림을 끝내긴 했지만, 그것은 좋지 않아.
> B: It's fine. Don't be too ____critical____ of yourself.
> 괜찮아. 너 자신에 대해 너무 비판적이지 마.

3 Which is the best choice for the blank? 빈칸에 들어갈 말로 가장 적절한 것은?

① they've seen the statements before 그들이 그 말들을 이전에 본 적이 있다
② some statements need more details 일부 말들은 세부 정보가 더 필요하다
③ the statements are relevant to their friends 그 말들이 그들의 친구들과 관련 있다
✓④ the statements describe them perfectly 그 말들이 그들을 완벽하게 묘사한다
⑤ they cannot understand the statements 그들은 그 말들을 이해할 수 없다

4 Complete the sentence with words from the passage.
이 글에서 알맞은 말을 찾아 문장을 완성하시오.

> It is easy to believe personality descriptions are ____accurate[specific]____ and
> ____specific[accurate]____ , but in fact, they are ____vague[general]____ and
> ____general[vague]____ .

성격 묘사가 정확하고[구체적이고] 구체적이라고[정확하다고] 믿기 쉽지만, 사실, 그것들은 모호하고[보편적이고] 보편적이다[모호하다].

정답 1 ②, ④   2 critical   3 ④
4 accurate[specific], specific[accurate], vague[general], general[vague]

문제 해설

1 ②: 문장 ⑩에서 바넘 효과는 성격 묘사가 겉보기에는 구체적이게 들리기 때문에 발생한다고 했다.
④: 문장 ⑫에서 성격 검사, 점성술, 포춘 쿠키 모두 바넘 효과를 이용한다고 했다.

2 A가 완성한 그림이 좋지 않다며 스스로에게 비판적인 모습을 보이자 B가 괜찮다며 자신에게 너무 이러지 말라고 한 것으로 보아, 대화의 빈칸에는 문장 ⑤의 'critical(비판적인)'이 가장 적절하다.

3 빈칸 앞의 단락에서 사람들은 성격 검사의 성격 묘사가 정확하며 자신들에게 특히 해당한다고 믿는 성향이 있다고 했다. 따라서 빈칸에는 ④ '그 말들이 그들을 완벽하게 묘사한다'가 가장 적절하다.

4 문제 해석 참고

---

❾ It refers to our tendency **to believe** [that personality descriptions are accurate and apply specifically to us].
→ to believe 이하는 '~을 믿는'이라는 의미로, to부정사의 형용사적 용법으로 쓰여 our tendency를 수식하고 있다.
→ [ ]는 to believe의 목적어 역할을 하는 명사절이다. 이때 명사절 접속사 that은 생략할 수 있다.

⓫ If we take a closer look, we discover [(that) they are **so vague and general that** they can apply to everyone].
→ [ ]는 discover의 목적어 역할을 하는 명사절로, 명사절 접속사 that이 생략되어 있다.
→ 「so + 형용사/부사 + that절」은 '너무/매우 ~해서 …하다'라는 의미이다. 이 문장에서는 형용사 vague와 general이 접속사 and로 연결되어 쓰였다.

⓯ They will probably all say [(that) the statements describe them perfectly]!
→ [ ]는 will say의 목적어 역할을 하는 명사절로, 명사절 접속사 that이 생략되어 있다.

UNIT 07
1

본문 해석

❶ 당신은 나이키 에어 맥스 신발과 같은 한정판 제품을 사기 위해서 줄을 서본 적이 있는가? ❷ 많은 사람들이 몇 시간 동안 줄을 서서 기다리고, 일부는 심지어 상점 앞에 텐트를 치기도 한다. ❸ 흥미롭게도, 이 사람들 중 아무도 불평하지 않는다. ❹ 무엇이 그들이 그렇게 오랜 시간을 기꺼이 기다리는 데 보내도록 만들까?

❺ 당신이 짧은 시간 동안만 또는 한정된 수량으로만 살 수 있는 몇몇 제품들이 있다. ❻ 그것들은 브랜드와 예술가 사이의 공동 제작품이거나 유명인이 착용하곤 했던 물건일 수도 있다. ❼ 이것들은 매우 희귀하고, 모두가 그것들을 살 수 있는 것은 아니다. ❽ 일단 사람들은 그것들을 갖게 되면 더 만족을 느끼기 때문에, 그들은 이러한 물건을 위해 기다리는 것을 꺼리지 않는다.

❾ 게다가, 줄을 서서 기다리는 것은 그렇게 나쁘지 않을 수도 있다. ❿ 당신과 줄에 있는 다른 모든 사람들은 공통의 관심사를 가지고 있어서, 그들과 좋은 대화를 할 수 있다. ⓫ 당신은 심지어 새로운 친구를 만들지도 모른다!

❶ Have you ever stood in line / to buy a limited-edition product, / such
당신은 줄을 서본 적이 있는가   한정판 제품을 사기 위해서

as Nike Air Max shoes? / ❷ Many people wait in line / for hours, / and
나이키 에어 맥스 신발과 같은   많은 사람들이 줄을 서서 기다린다 몇 시간 동안   그리고

some even put up a tent / in front of the store. / ❸ Interestingly, / none of
일부는 심지어 텐트를 치기도 한다   상점 앞에   흥미롭게도   이 사람들

these people (A) complain. / ❹ What makes them / willing to spend such
중 아무도 불평하지 않는다   무엇이 그들을 만들까   그렇게 오랜 시간을 기꺼이

a long time waiting? /
기다리는 데 보내도록

❺ There are some products / you can only buy for a short time / or
몇몇 제품들이 있다   당신이 짧은 시간 동안만 살 수 있는

in limited numbers. / ❻ They might be collaborations / between brands
또는 한정된 수량으로만   그것들은 공동 제작품일 수도 있다   브랜드들과 예술가들

and artists, / or items that celebrities used to wear. / ❼ These are very
사이의   또는 유명인들이 착용하곤 했던 물건들일 수도 있다   이것들은 매우

(B) rare, / and not everyone can buy them. / ❽ Because people feel
희귀하다   그리고 모두가 그것들을 살 수 있는 것은 아니다   사람들은 더 만족을 느끼기

more satisfied / once they get them, / they don't mind waiting / for these
때문에   일단 그들이 그것들을 갖게 되면   그들은 기다리는 것을 꺼리지 않는다   이러한

items. /
물건들을 위해

❾ Besides, / waiting in line / may not be so (C) bad. / ❿ You and
게다가   줄을 서서 기다리는 것은 그렇게 나쁘지 않을 수도 있다   당신과

everyone else in the line / share a common interest, / so you can have a
줄에 있는 다른 모든 사람들은   공통의 관심사를 가진다   그래서 당신은 그들과

nice chat with them. / ⓫ You may even make a new friend! /
좋은 대화를 할 수 있다   당신은 심지어 새로운 친구를 만들지도 모른다

구문 해설

❶ **Have you** ever **stood** in line *to buy a limited-edition product*, such as Nike Air Max shoes?
→ 「Have/Has + 주어 + p.p. ~?」의 현재완료 시제가 쓰인 의문문으로, 과거의 [경험]을 물을 때 쓴다.
→ to buy a limited-edition product는 '한정판 제품을 사기 위해서'라는 의미로, [목적]을 나타내는 to부정사의 부사적 용법으로 쓰였다.

❸ none of는 '~ 중 아무도/아무것도 …하지 않다'라는 의미로, [전체 부정]을 나타낸다.

❹ What **makes them willing to** *spend such a long time waiting*?
→ 「make + 목적어 + 형용사」는 '~을 …하게 만들다'라는 의미이다. 이 문장에서는 주로 be willing to(기꺼이 ~하다)로 쓰이는 형용사구 willing to가 와서 '그들을 기꺼이 보내게 만든다'라고 해석한다.
→ 「spend + 시간/돈 + v-ing」는 '~하는 데 …의 시간/돈을 보내다[쓰다]'라는 의미이다.
→ 「such + a(n) + 형용사 + 명사」는 '그렇게 ~한 …, 매우 ~한 …'이라는 의미이다.

문제 해설

1 이 글의 밑줄 친 <u>Many people</u>의 주장으로 가장 적절한 것은?

① "The value of some products decreases over time."
"일부 제품의 가치는 시간이 지나면서 하락한다."

② "It is important to satisfy diverse customer tastes."
"다양한 소비자의 취향을 만족시키는 것이 중요하다."

③ "The more people buy, the less pleased they are."
"사람들은 더 많이 살수록, 덜 만족한다."

④ "Products that are hard to get can give more joy."
"갖기 힘든 물건은 더 많은 기쁨을 줄 수 있다."

⑤ "People buy more when they have to wait in line."
"사람들은 줄 서서 기다려야 할 때 더 많이 산다."

2 (A), (B), (C)의 각 네모 안에서 문맥에 알맞은 말을 골라 쓰시오.

(A): ___complain___ 불평하다
(B): ___rare___ 희귀한
(C): ___bad___ 나쁜

3 이 글의 밑줄 친 common과 같은 뜻으로 쓰인 것은?

① What is the most <u>common</u> blood type? 가장 흔한 혈액형은 무엇인가?

② A cold is one of the most <u>common</u> diseases. 감기는 가장 흔한 질병 중 하나이다.

③ The mango is a <u>common</u> fruit in the Philippines. 망고는 필리핀에서 흔한 과일이다.

④ Buses and subways are <u>common</u> forms of transportation.
버스와 지하철은 흔한 교통 수단이다.

⑤ Sara and I are very similar and even have <u>common</u> hobbies.
Sara와 나는 매우 비슷하고 심지어 공통의 취미도 가지고 있다.

4 이 글의 내용으로 보아, 다음 빈칸에 들어갈 말을 글에서 찾아 쓰시오.

> Some people are willing to ___wait___ for a long time to get limited-edition items. They are ___satisfied___ with their purchases because not everyone can have these items.

일부 사람들은 한정판 물건을 갖기 위해 기꺼이 오랫동안 기다린다. 그들은 모두가 이러한 물건을 가질 수는 없기 때문에 그들의 구매에 대해 만족한다.

1 한정판 제품은 갖기 힘든 만큼 가졌을 때의 만족감이 더 커서 줄을 서서 기다리는 사람들이 많다고 설명하는 글이므로, 이 많은 사람들의 주장으로 ④ '갖기 힘든 물건은 더 많은 기쁨을 줄 수 있다.'가 가장 적절하다.

2 (A) 네모 뒤에서 사람들이 오랜 시간을 기꺼이 기다리는 데 보낸다고 했으므로, 이들이 불평하지 않는다는 것을 유추할 수 있다. 따라서 네모 (A)에는 '불평하다'가 문맥상 적절하다.
(B) 네모 앞에서 짧은 시간 동안만 또는 한정된 수량으로만 살 수 있는 제품이 있다고 했고, 네모가 있는 문장에서 모두가 그것들을 살 수 있는 것은 아니라고 했다. 따라서 네모 (B)에는 '희귀한'이 문맥상 적절하다.
(C) 네모 뒤에서 다른 사람들과 대화를 하고 친구를 만들지도 모른다고 했으므로, 줄을 서서 기다리는 것이 나쁘지 않다는 것을 알 수 있다. 따라서 네모 (C)에는 '나쁜'이 문맥상 적절하다.

3 문장 ❿의 common (interest)은 '공통의 (관심사)'라고 해석하므로, 같은 뜻으로 쓰인 것은 ⑤ 'Sara와 나는 매우 비슷하고 심지어 공통의 취미도 가지고 있다.'이다.
①~④에서 쓰인 common은 모두 '흔한'이라고 해석한다.

4 문제 해석 참고

❺ There are some products [(that) you can only buy for a short time or in limited numbers].
→ [ ]는 앞에 온 선행사 some products를 수식하는 목적격 관계대명사절로, 목적격 관계대명사 that이 생략되어 있다.

❻ They might be collaborations **between brands and artists**, or items [that celebrities *used to* wear].
→ 「between A and B」는 'A와 B 사이의'라는 의미이다.
→ [ ]는 앞에 온 선행사 items를 수식하는 목적격 관계대명사절이다. 이때 목적격 관계대명사 that은 생략하거나 which로 바꿔 쓸 수 있다.
→ used to는 '~하곤 했다' 또는 '전에는 ~이었다'라는 의미로 과거의 습관이나 상태를 나타낸다.

❼ not everyone은 '모든 사람이 ~한 것은 아니다'라는 의미로, 전체가 아닌 일부를 부정하는 [부분 부정]을 나타낸다.

❽ Because people feel more satisfied **once** they get them, they don't *mind waiting* for these items.
→ once는 부사절을 이끄는 접속사로, '일단 ~하면, ~하자마자'라는 의미이다.
→ 「mind + v-ing」는 '~하는 것을 꺼리다'라는 의미이다. mind는 목적어로 동명사를 쓴다.

본문 해석

❶ William Reed는 그의 66번째 생일에, 가족과 함께 파티를 즐기고 있었다. ❷ 그의 부인은 그에게, "내게 당신을 위한 선물이 있어요. ❸ 그것을 열어봐요!"라고 말했다. ❹ 그 선물은 한 쌍의 평범한 선글라스처럼 보였다. ❺ William은 그것을 썼고, 갑자기 주위의 모든 것이 다르게 보였다! ❻ William은 색맹이었기 때문에 그가 색을 볼 수 있는 것은 처음이었다. ❼ 그 순간까지, 그의 삶은 항상 흑백으로 되어 있었다.

❽ 그의 세상을 바꾼 것은 색맹인 사람들을 위해 만들어진 한 쌍의 특수 안경이었다. ❾ 그 렌즈에는 빛의 특정 파장을 과장하는 물질이 칠해져 있다. ❿ 이것은 색이 훨씬 더 풍부하고 선명하게 보이도록 만든다. ⓫ 그것이 William이 그 안경을 쓰고 난 후 서로 다른 색을 구분할 수 있었던 이유이다.

⓬ 현재로서는, 이 안경이 모든 유형의 색맹에 효과가 있지는 않다. ⓭ 그렇지만, 그것은 많은 색맹인 사람들이 형형색색의 세상을 경험하도록 도와줘 왔다.

❶ On his 66th birthday, / William Reed was enjoying a party / with his
그의 66번째 생일에　　　　William Reed는 파티를 즐기고 있었다　　　　그의 가족과

family. / ❷ His wife told him, / "ⓐ I have a present for you. / ❸ Open it!" /
함께　　　　그의 부인은 그에게 말했다　　　내게 당신을 위한 선물이 있어요　　그것을 열어봐요

❹ The gift looked like a pair of ordinary sunglasses. / ❺ William put them
그 선물은 한 쌍의 평범한 선글라스처럼 보였다　　　　　William은 그것을 썼다

on, / and all of a sudden, / everything around ⓑ him looked different! /
그리고 갑자기　　　　그의 주위의 모든 것이 다르게 보였다

❻ It was the first time / that he was able to see color / because William
처음이었다　　　　그가 색을 볼 수 있는 것은　　　　William이 색맹이었기

was color-blind. / ❼ Until that moment, / ⓒ his life had always been in
때문에　　　　그 순간까지　　　　그의 삶은 항상 흑백으로 되어 있었다

black and white. /

❽ What changed ⓓ his world / was a pair of special glasses / made
그의 세상을 바꾼 것은　　　　한 쌍의 특수 안경이었다　　　색맹인

for color-blind people. / ❾ The lenses are coated with a material / that
사람들을 위해 만들어진　　　　그 렌즈에는 물질이 칠해져 있다

exaggerates certain wavelengths of light. / ❿ This makes colors look /
빛의 특정 파장을 과장하는　　　　　　이것은 색이 보이도록 만든다

much richer and more vivid. / ⓫ That's why / ⓔ William could distinguish
훨씬 더 풍부하고 선명하게　　　그것이 ~한 이유이다　William이 서로 다른 색들을

different colors / after putting on the glasses. /
구분할 수 있었던　　　그 안경을 쓰고 난 후에

⓬ For now, / these glasses don't work / for all types of color blindness. /
현재로서는　　이 안경은 효과가 있지 않다　　　모든 유형의 색맹에

⓭ Yet, / they have helped / many color-blind people / experience a
그렇지만　그것은 도와줘 왔다　　　많은 색맹인 사람들이　　　형형색색의 세상을

colorful world. /
경험하도록

구문 해설

❺ 「put + 목적어 + on」은 '~을 쓰다, 입다, 착용하다'라는 의미이다. 목적어가 대명사인 경우 put과 on 사이에 와야 하지만, 대명사가 아닌 경우 put on 뒤에도 올 수 있다. *ex.* Please **put on the seat belt.** (안전벨트를 착용해 주세요.)

❻ 「It is the first time + that절」은 '~한 것은 처음이다'라는 의미이다.

❼ **Until** that moment, his life *had* always *been* in black and white.
　→ Until은 '~까지'라는 의미의 전치사로, 특정 시점까지 어떤 행동이나 상황이 [계속]되는 것을 나타낸다.
　　cf. 전치사 by: ~까지 [완료] *ex.* Martin has to clean his room **by** tomorrow. (Martin은 내일까지 그의 방을 청소해야 한다.)
　→ had been은 과거완료 시제(had p.p.)로, 이 문장에서는 과거의 특정 시점보다 더 이전에 시작된 일이 그 시점까지 이어지는 [계속]을 나타낸다. 특수 안경을 쓴 과거의 시점까지 계속해서 그의 삶은 항상 흑백으로 되어 있었다는 의미이다.

❽ [What changed his world] was a pair of special glasses {**made** for color-blind people}.
　→ [ ]는 문장의 주어 역할을 하는 관계대명사절이다. 관계대명사 what은 선행사를 포함하고 있으며 '~하는 것'이라는 의미이다.

1 이 글의 주제로 가장 적절한 것은?

① how to improve your vision 시력을 향상시키는 방법
② how color-blind glasses are made 색맹 안경이 만들어지는 방법
③ characteristics of being color-blind 색맹인 것의 특징들
④ special glasses to help a color-blind man 색맹인 사람을 돕는 특수 안경
⑤ why some people see things in black and white 어떤 사람들이 사물을 흑백으로 보는 이유

2 이 글의 밑줄 친 ⓐ~ⓔ 중, 가리키는 대상이 나머지 넷과 <u>다른</u> 것은?

① ⓐ   ② ⓑ   ③ ⓒ   ④ ⓓ   ⑤ ⓔ

3 William이 선물을 착용한 후 어떤 변화가 있었는지 우리말로 쓰시오.

_____ 처음으로 색을 볼 수 있었다. _____

4 특수 안경에 관한 이 글의 내용과 일치하면 T, 그렇지 않으면 F를 쓰시오.

(1) 렌즈에 빛의 특정 파장을 축소시키는 물질이 입혀져 있어 색을 더욱
진하고 선명하게 볼 수 있다.   F

(2) 현재로서는 색맹인 사람들 모두에게 효과가 있는 것은 아니다.   T

5 다음 영영 풀이에 해당하는 단어를 글에서 찾아 쓰시오.

> to tell the difference between two or more things
> 둘 또는 그 이상의 것들 사이의 차이를 구별하다

_____ distinguish _____
구분하다

1 색맹인 사람들을 위한 특수 안경을 쓴 후 색을 볼 수 있게 된 William의 일화와 함께 이 특수 안경에 대해 소개하는 글이므로, 주제로 ④ '색맹인 사람을 돕는 특수 안경'이 가장 적절하다.

2 ⓐ는 William Reed의 부인을 가리키고, 나머지는 모두 William Reed를 가리킨다.

3 문장 ❻에서 William Reed가 처음으로 색을 볼 수 있었다고 했다.

4 (1) 문장 ❾에서 특수 안경의 렌즈에 빛의 특정 파장을 과장하는 물질이 칠해져 있다고 했다.
(2) 문장 ⓬에서 현재로서는 이 안경이 모든 유형의 색맹에 효과가 있지는 않다고 했다.

5 '둘 또는 그 이상의 것들 사이의 차이를 구별하다'라는 뜻에 해당하는 단어는 distinguish(구분하다)이다.

정답 1 ④   2 ①   3 처음으로 색을 볼 수 있었다.   4 (1) F (2) T   5 distinguish

→ { }는 앞에 온 **a pair of special glasses**를 수식하는 과거분사구이다. 이때 **made**는 '만들어진'이라고 해석한다.

❿ This **makes colors look** *much* richer and more vivid.

→ 「make + 목적어 + 동사원형」은 '~가 …하도록 만들다'라는 의미이다.
→ 부사 **much**는 '훨씬'이라는 의미로 비교급을 강조할 수 있다. 이 문장에서는 비교급 **richer**와 **more vivid**를 강조하고 있다.

⓫ **That's why** William could distinguish different colors [*after putting on* the glasses].

→ That is why는 '그것이 ~한 이유이다'라는 의미로, why 뒤에 오는 내용이 앞 문장에 대한 결과가 된다.
→ [ ]는 '그 안경을 쓰고 난 후에'라는 의미로, [시간]을 나타내는 분사구문이다. 분사구문의 의미를 분명하게 하기 위해 접속사 after가 생략되지 않았다. = 「접속사 + 주어 + 동사」 *ex.* William could distinguish different colors **after he put on** the glasses

⓬ Yet, they **have helped** *many color-blind people experience* a colorful world.

→ have helped는 현재완료 시제(have p.p.)로, 이 문장에서는 과거에 시작된 일이 현재까지 이어지는 [계속]을 나타낸다.
→ 「help + 목적어 + 동사원형」은 '~가 …하도록 돕다'라는 의미이다. = 「help + 목적어 + to-v」

본문 해석

❶ 당신의 일상 활동들이 세상과 공유할 만큼 충분히 흥미롭다고 생각하는가? ❸ 최근에, 많은 사람들이 그들의 일상생활을 녹화하고 온라인에 그 영상을 공유하고 있다. ❹ 이것들은 영상 블로그, 또는 브이로그라고 불린다. ❷ GRWM(나와 함께 준비해요)은 학교, 직장, 또는 행사에 가려고 준비하는 사람을 보여주는 인기 있는 브이로그의 한 종류이다.

❺ 시청자들은 가끔 이러한 영상을 통해 일상생활에 대한 정보를 받는다. ❻ 일부는 어디로 데이트하러 갈 건지에 대한 아이디어를 얻기 위해 연인들의 브이로그를 본다. ❼ 다른 사람들은 요리 비법과 조리법을 배우기 위해 요리사들의 브이로그를 본다.

❽ 가장 성공적인 브이로그는 보통 유명인들에 의해 만들어진다. ❾ 그들은 종종 팬들과 직접적으로 소통하기 위해 브이로그를 이용한다. ❿ 그들은 또한 브이로그를 통해서 일상생활 속에서의 그들의 실제 성격을 보여준다. ⓫ 이것은 그 내용이 더 진실되게 들리도록 만들고, 팬들에게 그들과 사적인 관계를 쌓고 있다는 인상을 준다.

❶ Do you think / your daily activities are interesting enough / to share
당신은 생각하는가　당신의 일상 활동들이 충분히 흥미롭다고　세상과

with the world? / (B) ❸ Recently, / many people have been recording
공유할 만큼　최근에　많은 사람들이 그들의 일상생활을 녹화해오고 있다

their day-to-day lives / and sharing the videos online. / (C) ❹ These are
그리고 온라인에 그 영상들을 공유해오고 있다　이것들은

called video blogs, or vlogs. / (A) ❷ GRWM (Get Ready With Me) is a
영상 블로그 또는 브이로그라고 불린다　GRWM(나와 함께 준비해요)은

popular type of vlog / that shows a person / getting ready for school,
인기 있는 브이로그의 한 종류이다　사람을 보여주는　학교, 직장, 또는 행사를 위해 준비하는

work, or an event. /

❺ Viewers sometimes receive tips for everyday life / through these
시청자들은 가끔 일상생활에 대한 정보를 받는다　이러한 영상들을 통해

videos. / ❻ Some watch couples' vlogs / to get ideas / of where to go on
일부는 연인들의 브이로그를 본다　아이디어를 얻기 위해　어디로 데이트하러

a date. / ❼ Others watch vlogs from chefs / to learn cooking tips and
갈 건지에 대한　다른 사람들은 요리사들의 브이로그를 본다　요리 비법과 조리법을 배우기 위해

recipes. /

❽ The most successful vlogs / are usually made by celebrities. / ❾ They
가장 성공적인 브이로그는　보통 유명인들에 의해 만들어진다　그들은

often use vlogs / to directly connect with their fans. / ❿ They also show
종종 브이로그를 이용한다　그들의 팬들과 직접적으로 소통하기 위해　그들은 또한

their real personalities in their daily lives / through vlogs. / ⓫ This makes
일상생활 속에서의 그들의 실제 성격을 보여준다　브이로그를 통해서　이것은

the content sound more sincere / and gives fans the impression / of
그 내용이 더 진실되게 들리도록 만든다　그리고 팬들에게 인상을 준다

having a personal relationship with them. /
그들과 사적인 관계를 쌓고 있다는

구문 해설

❶ Do you think [(that) your daily activities are **interesting enough to share** with the world]?
→ [ ]는 think의 목적어 역할을 하는 명사절로, 명사절 접속사 that이 생략되어 있다.
→ 「형용사/부사 + enough + to-v」는 '~할 만큼 충분히 …한/하게'라는 의미이다. 여기서는 '공유할 만큼 충분히 흥미로운'이라고 해석한다.

❸ Recently, many people **have been recording** their day-to-day lives and **sharing** the videos online.
→ 「have/has been + v-ing」는 현재완료진행 시제로, 과거에 시작된 일이 현재까지도 계속 진행 중임을 강조하여 나타낸다. 이 문장에서는 recording과 sharing이 접속사 and로 연결되어 쓰였다.

❷ GRWM ~ is a popular type of vlog [that shows a person {**getting ready for** school, work, or an event}].
→ [ ]는 앞에 온 선행사 a popular type of vlog를 수식하는 주격 관계대명사절이다.
→ { }는 앞에 온 a person을 수식하는 현재분사구이다. 이때 getting ready for는 '~을 위해 준비하는'이라고 해석한다.

1 이 글의 제목으로 가장 적절한 것은?

① How to Make Your Own Vlog 자신의 브이로그를 만드는 방법
② Sharing One's Daily Life in Videos 자신의 일상을 영상으로 공유하기 ✓
③ How to Enjoy Every Day of Your Life 삶의 매일을 즐기는 방법
④ Differences between Vlogs and Blogs 브이로그와 블로그의 차이점
⑤ You Can Build a Personal Relationship Online 온라인에서 사적인 관계를 쌓을 수 있다

2 이 글의 문장 (A)~(C)를 순서에 맞게 배열한 것으로 가장 적절한 것은?

① (A) – (C) – (B)   ② (B) – (A) – (C)   ③ (B) – (C) – (A) ✓
④ (C) – (A) – (B)   ⑤ (C) – (B) – (A)

3 이 글의 빈칸에 들어갈 말로 가장 적절한 것은?

① share some memories 몇몇 추억들을 나눈다
② communicate with others 다른 사람들과 소통한다
③ see many advertisements 많은 광고들을 본다
④ receive tips for everyday life 일상생활에 대한 정보를 받는다 ✓
⑤ relieve stress from daily life 일상생활에서 오는 스트레스를 푼다

4 이 글에서 브이로그에 관해 언급되지 <u>않은</u> 것은?

① what they are 그것들이 무엇인지
② contents of them 그것들의 내용
③ the benefits they offer 그것들이 제공하는 이점
④ why celebrities make them 유명인들이 왜 그것들을 만드는지
⑤ the equipment to create them 그것들을 만들기 위한 장비 ✓

정답 1 ② 2 ③ 3 ④ 4 ⑤

문제 해설

1 사람들이 일상을 녹화하여 온라인에 공유하는 영상인 브이로그를 소개하는 글이므로, 제목으로 ② '자신의 일상을 영상으로 공유하기'가 가장 적절하다.

2 일상생활이 공유할 만큼 흥미로운지 물은 뒤, 최근 많은 사람들이 일상적인 영상을 온라인에 공유한다는 내용의 (B), 이러한 영상이 영상 블로그나 브이로그라고 불린다는 내용의 (C), 인기 있는 브이로그의 한 종류로 GRWM를 소개하는 (A)의 흐름이 가장 적절하다.

3 빈칸 뒤에서 시청자들이 데이트 장소나 요리법에 대한 정보를 얻기 위해 브이로그를 본다고 했으므로, 빈칸에는 ④ '일상생활에 대한 정보를 받는다'가 가장 적절하다.

4 ⑤: 브이로그를 만들기 위한 장비에 대한 언급은 없다.
① : 문장 ❸-❹에서 일상생활을 녹화한 영상이 브이로그라고 했다.
② : 문장 ❷에서 브이로그의 한 종류인 GRWM은 학교, 직장, 행사에 갈 준비를 하는 사람을 보여준다고 했다.
③ : 문장 ❻-❼에서 브이로그를 통해 데이트 장소나 요리법과 같은 일상생활에 대한 정보를 얻는다고 했다.
④ : 문장 ❾에 언급되어 있다.

---

❻ Some watch couples' vlogs **to get ideas of *where to go* on a date.**
→ to get 이하는 '어디로 데이트하러 갈 건지에 대한 아이디어를 얻기 위해'라는 의미로, [목적]을 나타내는 to부정사의 부사적 용법으로 쓰였다.
→ 「where + to-v」는 '어디로[어디서] ~할지, ~하는 곳'이라는 의미로, of의 목적어 역할을 하고 있다.
= 「where + 주어 + should + 동사원형」 *ex.* to get ideas of **where they should go** on a date

⓫ This **makes the content sound** more sincere and *gives fans the impression* of [having a personal relationship with them].
→ 「make + 목적어 + 동사원형」은 '~가 …하도록 만들다'라는 의미이다.
→ 「give + 간접목적어 + 직접목적어」는 '~에게 …을 주다'라는 의미이다. = 「give + 직접목적어 + to + 간접목적어」
→ the impression과 [ ]는 전치사 of로 연결된 「명사 + of + 동명사구」의 동격 관계이다. 이때 of는 '~하다는, ~이라고 하는, ~인'이라고 해석한다.

본문 해석

❶ 당신은 파인애플을 먹을 때 혀가 가끔 아프다는 것을 알아차렸을 수도 있다. ❷ 이것은 왜 일어나는 것일까? ❸ 그것은 파인애플에 입이 화끈거리게 만드는 효소가 들어 있기 때문이다! ❹ 하지만 걱정할 필요는 없다. ❺ 그것은 어떠한 심각한 손상을 입히기에는 너무 약하다. ❻ 그리고 당신의 입은 스스로 빠르게 치유할 수 있다. ❼ 게다가, 이 효소는 파인애플을 도움이 되도록 만들어주는 것이다. ❽ 그것은 우리가 먹는 음식 안의 단백질을 분해하는데, 이는 소화를 더 쉽게 만든다. (❾ 식단에서 적당한 양의 단백질을 얻는 것은 건강에 좋다.) ❿ 이러한 이유로, 파인애플은 종종 소고기나 돼지고기와 같이 많은 단백질이 들어 있는 요리들과 함께 제공된다.

⓫ 파인애플이 이 효소를 가진 유일한 과일은 아니다. ⓬ 키위와 망고 같은 많은 다른 과일들이 그것을 가지고 있고, 그것들 역시 찌르는 듯한 느낌을 유발한다!

---

❶ You may have noticed / that your tongue sometimes feels painful /
　당신은 알아차렸을 수도 있다　　　　당신의 혀가 가끔 아프다는 것을

when you eat pineapple. / ❷ Why does this happen? / ❸ It's because /
당신이 파인애플을 먹을 때　　　이것은 왜 일어나는 것일까　　　그것은 ~ 때문이다

pineapples contain an enzyme / that makes your mouth burn! / ❹ But
파인애플에 효소가 들어 있기　　　　당신의 입이 화끈거리게 만드는　　　　하지만

there is no need to worry. / ❺ It's too weak / to do any serious damage. /
걱정할 필요는 없다　　　　그것은 너무 약하다　어떠한 심각한 손상을 입히기에는

❻ And your mouth is capable of / healing itself quickly. / ❼ Besides,
　그리고 당신의 입은 ~할 수 있다　　　스스로를 빠르게 치유하기를　　　게다가

this enzyme is / what makes pineapple helpful. / ❽ It breaks down
이 효소는 ~이다　　　파인애플을 도움이 되도록 만들어주는 것　　　그것은 단백질을 분해한다

the protein / in the food we eat, / which makes it easier to digest. /
　　　　　　우리가 먹는 음식 안의　　　그런데 이것은 소화하는 것을 더 쉽게 만든다

(e) (❾ Getting the right amount of protein in your diet / is good for your
　　　당신의 식단에서 적당한 양의 단백질을 얻는 것은　　　　　당신의 건강에 좋다

health. /) ❿ For this reason, / pineapple is often served with dishes / that
　　　　　이러한 이유로　　　파인애플은 종종 요리들과 함께 제공된다

contain lots of protein, / such as beef or pork. /
많은 단백질이 들어 있는　　　소고기나 돼지고기와 같이

⓫ Pineapples are not the only fruit / with this enzyme. / ⓬ Many
　파인애플이 유일한 과일은 아니다　　　이 효소를 가진　　　　　　　

other fruits like kiwis and mangoes / have it, / and they cause a stinging
키위와 망고 같은 많은 다른 과일들이　　　그것을 가지고 있다　그리고 그것들 역시 찌르는

feeling, too! /
듯한 느낌을 유발한다

구문 해설

❶　You **may have noticed** [that your tongue sometimes feels painful when you eat pineapple].
　　→ 「may have p.p.」는 '~했을 수도 있다, ~했을지도 모른다'라는 의미로, 과거 사실에 대한 약한 추측을 나타낸다.
　　　cf. 「must have p.p.」: ~했음이 틀림없다 [과거 사실에 대한 강한 추측] *ex.* It **must have rained** last night. (어젯밤에 비가 왔음이 틀림없다.)
　　→ [ ]는 may have noticed의 목적어 역할을 하는 명사절이다. 이때 명사절 접속사 that은 생략할 수 있다.

❸　**It's because** pineapples contain an enzyme [that makes your mouth burn]!
　　→ It is because는 '그것은 ~ 때문이다'라는 의미로, because 뒤에 오는 내용이 앞 문장에 대한 이유가 된다.
　　→ [ ]는 앞에 온 선행사 an enzyme을 수식하는 주격 관계대명사절이다.

❺　It's **too weak to do** any serious damage.
　　→ 「too + 형용사/부사 + to-v」는 '~하기에는 너무 …하다' 또는 '너무 …해서 ~할 수 없다'라는 의미이다.
　　　= 「so + 형용사/부사 + that + 주어 + can't + 동사원형」 *ex.* It's **so weak that it can't do** any serious damage.

1 What is the main topic of the passage? 이 글의 주제로 가장 적절한 것은?

① common nutrients in fruits and meats 과일과 고기에 있는 공통의 영양소

② problems caused by pineapple allergies 파인애플 알레르기에 의해 야기되는 문제들

③ special enzymes found only in pineapple 파인애플에서만 발견되는 특별한 효소들

④ how an enzyme in pineapples affects your body
파인애플 속 효소가 어떻게 당신의 몸에 영향을 주는지

⑤ why the tongue is the most sensitive body part 혀가 왜 가장 민감한 신체 부위인지

2 What does the underlined this mean in the passage? Write the answer in Korean.
이 글의 밑줄 친 this가 의미하는 것은 무엇인가? 우리말로 쓰시오.

파인애플을 먹을 때 혀가 가끔 아픈 것

3 Among (a)~(e), which sentence does NOT fit in the context?
(a)~(e) 중, 전체 흐름과 관계없는 문장은?

① (a)　　② (b)　　③ (c)　　④ (d)　　☑ (e)

4 Complete the answer with words from the passage. 이 글에서 알맞은 말을 찾아 대답을 완성하시오.

Q. Why is pineapple often served with beef or pork?
파인애플은 왜 종종 소고기나 돼지고기와 함께 제공되는가?

A. To help to ____digest____ the meat by breaking down the
____protein____ in it 고기 속의 단백질을 분해함으로써 그것을 소화하는 것을 돕기 위해서

5 Complete each sentence with ONE word from the passage.
이 글에서 알맞은 한 단어를 찾아 각 문장을 완성하시오.

• I fell off my bicycle but had no ____serious____ injuries.
나는 자전거에서 떨어졌지만 심각한 부상은 없었다.

• Edward is a ____serious____ person who does not laugh often.
Edward는 자주 웃지 않는 진지한 사람이다.

1 파인애플을 비롯한 일부 과일에는 혀에 찌르는 듯한 느낌을 주지만 소화를 돕는 효소가 있다고 설명하는 글이므로, 주제로 ④ '파인애플 속 효소가 어떻게 당신의 몸에 영향을 주는지'가 가장 적절하다.

2 문장 ❶에 언급된 내용을 의미한다. 파인애플을 먹을 때 혀가 가끔 아픈 것(= this)이 왜 일어나는지 묻고 있다.

3 파인애플 속 효소가 단백질을 분해하여 소화를 더 쉽게 해준다고 설명하는 내용 중에, '식단에서 적당한 양의 단백질을 얻는 것은 건강에 좋다'라는 내용의 (e)는 전체 흐름과 관계없다.

4 문장 ❽, ❿에서 파인애플 속 효소는 음식의 단백질을 분해해서 소화를 쉽게 만들기 때문에, 파인애플이 소고기나 돼지고기처럼 단백질이 많이 들어 있는 요리들과 함께 제공된다고 했다.

5 빈칸에 공통으로 들어갈 알맞은 단어는 '심각한; 진지한'이라는 뜻을 가진 serious이다.

정답　**1** ④　**2** 파인애플을 먹을 때 혀가 가끔 아픈 것　**3** ⑤　**4** digest, protein　**5** serious

❼ Besides, this enzyme is [what makes pineapple helpful].

→ [ ]는 is의 보어 역할을 하는 관계대명사절이다. 관계대명사 what은 선행사를 포함하고 있으며, '~하는 것'이라는 의미이다.

❽ It breaks down the protein in the food [(which/that) we eat]{, which *makes it easier* to digest}.

→ [ ]는 앞에 온 선행사 the food를 수식하는 목적격 관계대명사절로, 목적격 관계대명사 which/that이 생략되어 있다.

→ { }는 앞 문장 전체를 선행사로 가지는 계속적 용법의 관계대명사절이다. 여기서는 '그런데 이것(효소가 우리가 먹는 음식 안의 단백질을 분해하는 것)은 ~하다'라고 해석한다.

→ 「make + 목적어 + 형용사」는 '~을 …하게 만들다'라는 의미이다. 이 문장에서는 형용사의 비교급 easier가 쓰였다.

→ it은 가목적어이고, to digest가 진목적어이다. 이때 가목적어 it은 따로 해석하지 않는다.

❾ [**Getting** the right amount of protein in your diet] is good for your health.

→ [ ]는 문장의 주어 역할을 하는 동명사구이다. 동명사구는 단수 취급하므로 뒤에 단수동사 is가 쓰였다.

본문 해석

❶ <알라딘과 마법의 램프>는 알라딘이라는 이름의 한 아랍인 캐릭터에 대한 인기 있는 이야기이다. ❷ 많은 책과 영화에서, 그 이야기는 중동에서 일어난다. ❸ 하지만, 원작에서, 그 이야기는 중국 어딘가를 배경으로 한다! ❹ 그렇다면, 서로 매우 다른 두 문화가 어떻게 하나의 옛이야기 속에 나타났을까? ❺ 그것은 비단길 때문일 수도 있다.

❻ 비단길은 고대 무역 경로의 연결망이었다. ❼ 이 6,400킬로미터 길이의 길은 중국을 서구권에 연결해 주었다. ❽ 중국 상인들은 중동과 로마로 향하는 경로를 따라, 차와 비단을 포함하여, 다양한 종류의 상품을 팔았다. ❾ 비단이 가장 인기 있는 상품이어서, 그것이 길의 이름이 되었다. ❿ 상품에 더해, 중국 상인들은 그들의 음식과 우화와 같은 다양한 다른 것들도 공유했다. ⓫ 이러한 문화적 교류의 결과로, 알라딘의 이야기와 같은 이야기들이 생겨났다.

❶ *Aladdin and the Magic Lamp* is a popular story / of an Arabian
<알라딘과 마법의 램프>는 인기 있는 이야기이다   알라딘이라는 이름의

character named Aladdin. / ❷ In many books and movies, / the story
한 아랍인 캐릭터에 대한   많은 책과 영화에서   그 이야기는

takes place in the Middle East. / ❸ However, / in the original book, /
중동에서 일어난다   하지만   원작에서

the story is set somewhere in China! / ❹ How did two very different
그 이야기는 중국의 어딘가를 배경으로 한다   서로 매우 다른 두 문화가 어떻게

cultures appear / in one old story, / then? / ❺ It might be because of the
나타났을까   하나의 옛이야기 속에   그렇다면   그것은 비단길(실크로드) 때문일 수도

Silk Road. /
있다

❻ The Silk Road was a network / of ancient trade routes. / ❼ This
비단길은 연결망이었다   고대 무역 경로의

6,400-kilometer-long road / connected China to countries in the West. /
이 6,400킬로미터 길이의 길   중국을 서구권 국가들에 연결해 주었다

❽ Chinese merchants sold various kinds of goods, / including tea and
중국 상인들은 다양한 종류의 상품을 팔았다   차와 비단을 포함하여

silk, / along the routes / to the Middle East and Rome. / ❾ Silk was
경로를 따라서   중동과 로마로 향하는   비단이

the most popular item, / so it became the road's name. / ❿ In addition
가장 인기 있는 상품이었다   그래서 그것이 그 길의 이름이 되었다   상품에 더해

to merchandise, / Chinese traders also shared various other things, / like
중국 상인들은 다양한 다른 것들도 공유했다

their food and fables. / ⓫ As a result of this cultural exchange, / stories
그들의 음식과 우화와 같은   이러한 문화적 교류의 결과로

like Aladdin's developed. /
알라딘의 것(이야기)과 같은 이야기들이 생겨났다

구문 해설

❶ Aladdin and the Magic Lamp is a popular story of an Arabian character [**named** Aladdin].
→ [ ]는 앞에 온 an Arabian character를 수식하는 과거분사구이다. 이때 named는 '~이라고 이름 지어진, ~이라는 이름의'라고 해석한다.

❺ It **might** be *because of* the Silk Road.
→ 조동사 might는 '~일 수도 있다, ~일지도 모른다'라는 의미로, may보다 불확실한 추측을 나타낸다.
→ because of는 '~ 때문에'라는 의미의 전치사로, 뒤에 명사가 온다.
   cf. 「접속사 because + 주어 + 동사」 *ex.* Sarah was upset **because** she lost her wallet. (Sarah는 지갑을 잃어버렸기 때문에 속상했다.)

❼ This **6,400-kilometer-long** road *connected China to countries in the West*.
→ 숫자와 명사는 하이픈(-)으로 연결되어 형용사처럼 쓰일 수 있다. 이때 명사는 항상 단수형으로 쓴다.
   cf. 하이픈이 없을 때: 복수형   *ex.* The road is **6,400 kilometers long**. (그 길은 6,400킬로미터 길이이다.)
→ 「connect A to B」는 'A를 B에 연결하다'라는 의미이다.

1 이 글의 빈칸에 들어갈 말로 가장 적절한 것은?

① was closed for a long time 오랫동안 폐쇄되어 있었다
② became a symbol of the West 서구권의 상징이 되었다
③ protected China from other countries 중국을 다른 국가들로부터 보호했다
④ was built over a long period of time 오랜 시간에 걸쳐 지어졌다
⑤ connected China to countries in the West 중국을 서구권 국가들에 연결해 주었다

2 이 글의 내용과 일치하도록 괄호 안에서 알맞은 말을 골라 표시하시오.

The original story of *Aladdin and the Magic Lamp* takes places in
(1) (China / the Middle East), even though most media say it happens in
(2) (China / the Middle East).

비록 대부분의 매체에서 <알라딘과 마법의 램프>가 (2) 중동에서 일어난다고 말하지만, 그것의 원작 이야기는 (1) 중국에서 일어난다.

3 이 글을 읽고 비단길에 관해 답할 수 없는 질문은?

① How long was it? 그것은 얼마나 길었는가?
② How many routes did it include? 그것은 몇 개의 경로를 포함했는가?
③ How did it get its name? 그것은 어떻게 이름을 얻었는가?
④ How did it affect the story of Aladdin? 그것은 어떻게 알라딘의 이야기에 영향을 주었는가?
⑤ What was exchanged through it? 그것을 통해 무엇이 교환되었는가?

4 이 글의 내용으로 보아, 빈칸 (A)와 (B)에 들어갈 말로 가장 적절한 것은?

Chinese merchants _____(A)_____ goods with people from other countries
along the Silk Road. They _____(B)_____ culture along with merchandise, which
resulted in stories like *Aladdin and the Magic Lamp*.

중국 상인들은 비단길을 따라 다른 나라 출신의 사람들과 상품을 (A) 거래했다. 그들은 상품과 함께 문화도 (B) 교류했고, 이는 <알라딘과 마법의 램프>와 같은 이야기들을 낳았다.

	(A)		(B)	
①	developed	......	changed	개발했다 … 바꿨다
②	developed	......	experienced	개발했다 … 경험했다
③	traded	......	exchanged	거래했다 … 교류했다
④	traded	......	separated	거래했다 … 분리했다
⑤	exchanged	......	separated	교환했다 … 분리했다

정답 **1** ⑤ **2** (1) China (2) the Middle East **3** ② **4** ③

1 빈칸 앞에서 비단길은 고대의 무역 경로의 연결망이라고 했고, 빈칸 뒤에서 중국 상인이 중동과 로마로 향하는 그 경로를 따라 다양한 상품을 팔고 그 외 다른 것들도 공유했다고 했다. 따라서 빈칸에는 ⑤ '중국을 서구권 국가들에 연결해 주었다'가 가장 적절하다.

2 문장 ❷-❸에서 많은 책과 영화에서 <알라딘과 마법의 램프> 이야기는 중동에서 일어나지만, 원작에서는 중국 어딘가를 배경으로 한다고 했다.

3 ②: 비단길에 몇 개의 경로가 있는지에 대한 언급은 없다.
①: 문장 ❼에서 비단길은 6,400킬로미터 길이라고 했다.
③: 문장 ❾에서 비단이 가장 인기 있는 상품이어서 그 길의 이름이 되었다고 했다.
④: 문장 ⓫에서 비단길을 통한 문화적 교류의 결과로 알라딘의 이야기가 생겨났다고 했다.
⑤: 문장 ❽, ❿에서 차와 비단을 포함한 다양한 상품에 더해 음식과 우화 등도 공유되었다고 했다.

4 문제 해석 참고

❽ including은 '~을 포함하여'라는 의미의 전치사이다.

❾ 「the + 형용사/부사의 최상급」은 '가장 ~한/하게'라는 의미이다. 여기서는 형용사 popular의 최상급인 most popular가 쓰였다.

❿ In addition to는 '~에 더해, ~뿐만 아니라'라는 의미의 전치사이다.
   cf. 접속부사 in addition: 게다가
   ex. Chinese traders shared merchandise. **In addition**, they also shared various other things, like their food and fables.
   (중국 상인들은 상품을 공유했다. 게다가, 그들은 그들의 음식과 우화와 같은 다양한 다른 것들도 공유했다.)

⓫ As a result of this cultural exchange, stories like **Aladdin's** (story) developed.
   → 소유격 Aladdin's 뒤에 story가 생략되어 있다. 소유격 뒤의 명사가 앞에 나온 명사와 같을 때 생략할 수 있다.

UNIT 08
2

본문 해석

❶ <계곡의 커튼>은 예술가 크리스토와 잔느 클로드에 의해 만들어진 작품이었다. ❷ 그것은 두 콜로라도 산비탈 사이에 걸려 있는 381미터 길이의 주황색 천으로 된 벽이었다. ❸ 그것은 거인에 의해 놓인 커튼처럼 보였다. ❹ 1970년에서 1972년 사이의 28개월 동안, 그들은 커튼의 형태의 밑그림을 그리고, 엄청난 크기의 천 조각을 염색하고, 그리고 적절한 계곡을 발견했다. ❺ 그 다음, 그들은 100명의 공학자들로 된 팀을 모으고 커튼을 설치했다. ❻ 하지만, 그 작품은 설치된 지 단 28시간 후에, 강풍에 의해 파괴되었다. ❼ 그들은 그 작품을 치워야 했지만, 좌절하지 않았다. ❽ 사실, 이것은 그들이 기대했던 것에 가까웠다!

❾ 이러한 양식의 예술 작품은 대지 미술이라고 알려져 있다. ❿ 대지 미술가들은 그들의 작품이 자연의 일부가 되기를 원한다. ⓫ 예를 들어, <계곡의 커튼>은 바람이 불 때 흔들려서, 자연의 움직임과 함께 변화했다. ⓬ 결국, 그것은 자연에 의해 마무리도 지어졌다.

---

❶ *Valley Curtain* was a work / by the artists Christo and Jeanne-Claude. /
<계곡의 커튼>은 작품이었다   예술가 Christo(크리스토)와 Jeanne-Claude(잔느 클로드)에 의한

❷ It was a 381-meter-long wall of orange cloth / hanging between two Colorado mountain slopes. /
그것은 381미터 길이의 주황색 천으로 된 벽이었다   두 콜로라도 산비탈 사이에 걸려 있는

❸ It looked like a curtain / laid down by a giant. /
그것은 커튼처럼 보였다   거인에 의해 놓인

❹ For 28 months between 1970 and 1972, / they sketched the curtain's shape, / dyed a huge piece of fabric, / and found a suitable valley. /
1970년에서 1972년 사이의 28개월 동안   그들은 커튼의 형태의 밑그림을 그렸다   엄청난 크기의 천 조각을 염색했다   그리고 적절한 계곡을 발견했다

(② ❺ Then, / they gathered a team of 100 engineers / and installed the curtain. /)
그 다음   그들은 100명의 공학자들로 된 팀을 모았다   그리고 그 커튼을 설치했다

❻ However, / the work was destroyed / by strong winds, / just 28 hours after it was installed. /
하지만   그 작품은 파괴되었다   강풍에 의해   그것이 설치된 지 단 28시간 후에

❼ They had to remove the work, / but they were not frustrated. /
그들은 그 작품을 치워야 했다   하지만 그들은 좌절하지 않았다

❽ In fact, / this was close / to what they expected! /
사실   이것은 가까웠다   그들이 기대했던 것에

❾ This style of artwork is known / as land art or Earth art. /
이러한 양식의 예술 작품은 알려져 있다   대지 미술이라고

❿ Land artists want / their work / to be a part of nature. /
대지 미술가들은 원한다   그들의 작품이   자연의 일부가 되기를

⓫ *Valley Curtain*, / for example, / swayed as the wind blew, / so it changed with the movement of nature. /
<계곡의 커튼>은   예를 들어   바람이 불 때 흔들렸다   그래서 그것은 자연의 움직임과 함께 변화했다

⓬ In the end, / it was also finished by nature. /
결국   그것은 자연에 의해 마무리도 지어졌다

구문 해설

❷ It was a 381-meter-long wall of orange cloth [**hanging** between two Colorado mountain slopes].
→ [ ]는 앞에 온 a 381-meter-long wall of orange cloth를 수식하는 현재분사구이다. 이때 hanging은 '걸려 있는'이라고 해석한다.

❸ It **looked like a curtain** [*laid down* by a giant].
→ 「look like + 명사」는 '~처럼 보이다'라는 의미이다. 이때 like는 '~과 같은'이라는 의미의 전치사이다.
→ [ ]는 앞에 온 a curtain을 수식하는 과거분사구이다. 이때 laid down은 '놓인'이라고 해석한다.

❹ For 28 months ~, they **sketched** the curtain's shape, **dyed** a huge piece of fabric, **and found** a suitable valley.
→ 과거 시제 동사 sketched, dyed, found가 접속사 and로 연결되어 쓰였다. 이때 세 가지 이상의 단어가 나열되었으므로 「A, B, and[or] C」로 나타냈다.

❼ They **had to** remove the work, but they were not frustrated.
→ had to는 have to(~해야 한다)의 과거형으로, '~해야 했다'라고 해석한다.

1 이 글의 주제로 가장 적절한 것은?

① an effort to protect nature 자연을 지키기 위한 노력
② engineers who became artists 예술가가 된 공학자들
✓③ artwork created within nature 자연 안에서 만들어지는 예술 작품
④ a valley that looks like a curtain 커튼처럼 보이는 계곡
⑤ a challenge to fight climate change 기후 변화에 맞서 싸우는 도전

2 이 글의 흐름으로 보아, 다음 문장이 들어가기에 가장 적절한 곳은?

> Then, they gathered a team of 100 engineers and installed the curtain.
> 그 다음, 그들은 100명의 공학자들로 된 팀을 모으고 커튼을 설치했다.

① ② ③ ④ ⑤

3 *Valley Curtain*의 제작 의도를 가장 잘 파악한 사람은?

① 지현: 모든 작품의 가치는 영원할 수 없어.
✓② 명수: 작품이 자연의 일부가 되어 변화하고 있어.
③ 수민: 거대한 자연 앞에서 인간은 나약한 존재야.
④ 준하: 우리가 보호해야 할 자연의 모습을 본떠 만들어졌어.
⑤ 민경: 한 작품을 만들기 위해서는 많은 시간과 정성을 들여야 해.

4 *Valley Curtain*에 관한 이 글의 내용과 일치하지 않는 것은?

| Location
위치 | ① It was installed between two mountain slopes.
그것은 두 산비탈 사이에 설치되었다. |
| Production Method
제작 방법 | ② It was made by dying a giant cloth.
그것은 거대한 천을 염색하여 만들어졌다. |
| Aspects
특징 | ③ The display period was shorter than the production period. 제작 기간보다 전시 기간이 더 짧다.
✓④ It could withstand strong winds.
그것은 강한 바람을 견뎌낼 수 있었다.
⑤ It is an example of land art.
그것은 대지 미술의 한 예이다. |

정답 1 ③ 2 ② 3 ② 4 ④

문제 해설

1 <계곡의 커튼>을 예로 들며 자연의 일부로서 작품이 되는 대지 미술에 대해 설명하는 글이므로, 주제로 ③ '자연 안에서 만들어지는 예술 작품'이 가장 적절하다.

2 작품을 설치했다는 주어진 문장은 작품을 설치하기 전의 사전 작업에 대해 설명하는 문장 ④와 설치된 후 그 작품이 파괴되었다고 설명하는 문장 ❻ 사이에 오는 것이 자연스러우므로, ②가 가장 적절하다.

3 문장 ❿-⓫에서 대지 미술가들은 작품이 자연의 일부가 되기를 원한다고 했고 바람이 불면 <계곡의 커튼>도 흔들려서 자연의 움직임과 함께 변화했다고 했다. 따라서 <계곡의 커튼>의 제작 의도를 가장 잘 파악한 사람은 명수이다.

4 ④: 문장 ❻에서 <계곡의 커튼>은 강풍에 의해 파괴되었다고 했다.
① : 문장 ❷에서 <계곡의 커튼>이 두 콜로라도 산비탈 사이에 걸려 있다고 했다.
② : 문장 ④에 언급되어 있다.
③ : 문장 ④에서 제작 기간은 28개월이라고 했고, 문장 ❻에서 설치 후 28시간 만에 파괴되었다고 했으므로 제작 기간보다 전시 기간이 더 짧았음을 알 수 있다.
⑤ : 문장 ❾에 언급되어 있다.

---

❽ In fact, this was close to [what they expected]!
→ [ ]는 to의 목적어 역할을 하는 관계대명사절이다. 관계대명사 what은 선행사를 포함하고 있으며, '~하는 것'이라는 의미이다.

❾ be known as는 '~이라고[으로] 알려지다'라는 의미의 수동태 표현이다.

❿ 「want + 목적어 + to-v」는 '~가 …하기를 원하다'라는 의미이다.

⓫ as는 '~할 때, ~하면서'라는 의미로, 부사절을 이끄는 접속사로 쓰여 뒤에 「주어 + 동사」의 절이 왔다.
  cf. 접속사 as의 다양한 의미: ① ~할 때, ~하면서 ② ~하듯이, ~하는 대로 ③ ~하기 때문에 ④ ~할수록, ~함에 따라
  ex. ② Jane doesn't lie **as** I told you before. (내가 전에 말했듯이 Jane은 거짓말을 하지 않는다.)
    ③ I put on a coat **as** it was cold outside. (밖이 추웠기 때문에 나는 코트를 입었다.)
    ④ Mary became wiser **as** she grew older. (Mary는 나이가 들수록 더 현명해졌다.)

본문 해석

❶ 어느 날, Tim은 직장으로 운전을 하는 동안 무언가 놀라운 것을 봤다. **❷** 횡단보도가 떠다니고 있었다! **❸** 그는 경계심과 함께 속도를 줄였고 곧 그것이 단지 환상이었다는 것을 깨달았다.

❹ 이것은 아이슬란드의 한 마을에서 만들어진 새로운 유형의 횡단보도였다. **❺** 그 주민들은 빠르게 달리는 차들을 두려워해서, 특별한 횡단보도가 마을에 설치되었다. **❻** 이 횡단보도는 3D인 것처럼 보였지만, 실제로는 착시 현상이다. **❼** 그것은 길 위에 떠다니는 흰색 판자들처럼 보이도록 만드는 기발한 명암 기법을 이용해서 평평한 표면 위에 그려진다!

❽ 이 횡단보도는 많은 방면에서 도움이 된다. **❾** 그것은 과속방지턱보다 훨씬 더 싸지만, 여전히 운전자들의 경계심을 높인다. **❿** 보행자들 또한 그것을 좋아한다. **⓫** 멀리서, 사람들은 마치 공중에서 걷고 있는 것처럼 보인다. **⓬** 그 횡단보도는 현재 프랑스, 중국, 그리고 스페인을 포함하여, 여러 다른 나라들에서 사용된다.

❶ One day, / Tim saw something astonishing / while driving to work. /
어느 날 Tim은 무언가 놀라운 것을 봤다 직장으로 운전을 하는 동안

❷ The crosswalk was floating! / **❸** He slowed down with caution / and
횡단보도가 떠다니고 있었다 그는 경계심과 함께 속도를 줄였다 그리고

soon realized / that it was just an illusion. /
곧 깨달았다 그것이 단지 환상이었다는 것을

❹ This was a new type of crosswalk / that was invented in a town in
이것은 새로운 유형의 횡단보도였다 아이슬란드의 한 마을에서 만들어진

Iceland. / **❺** The residents were afraid of fast-driving cars, / so ⓐ special
그 주민들은 빠르게 달리는 차들을 두려워했다 그래서 특별한

crosswalks were installed / in the town. / **❻** These crosswalks appeared to
횡단보도가 설치되었다 그 마을에 이 횡단보도는 3D인 것처럼 보였다

be 3D, / but are actually optical illusions. / **❼** They are painted on a flat
하지만 실제로는 착시 현상이다 그것들은 평평한 표면 위에 그려진다

surface / by using clever shading techniques / that make ⓑ them look like
기발한 명암 기법을 이용해서 그것들을 흰색 판자들처럼 보이도록

white boards / floating above the street! /
만드는 길 위에 떠다니는

❽ These crosswalks are helpful / in many ways. / **❾** They're much
이 횡단보도는 도움이 된다 많은 방면에서 그것들은

cheaper than speed bumps, / but ⓒ they still increase drivers' caution. /
과속방지턱보다 훨씬 더 싸다 하지만 그것들은 여전히 운전자들의 경계심을 높인다

❿ Pedestrians also love ⓓ them. / **⓫** From far away, / people appear / as if
보행자들 또한 그것들을 좋아한다 멀리서 사람들은 보인다 마치

ⓔ they were walking on air. / **⓬** The crosswalks are now used / in several
그들이 공중에서 걷고 있는 것처럼 그 횡단보도는 현재 사용된다 여러 다른

other countries, / including France, China, and Spain. /
나라들에서 프랑스, 중국 그리고 스페인을 포함하여

구문 해설

❶ One day, Tim saw **something astonishing** *while* (he was) driving to work.
→ something과 같이 -thing으로 끝나는 대명사는 형용사가 뒤에서 수식한다. 이 문장에서는 형용사 astonishing이 대명사 something을 뒤에서 수식하여 '무언가 놀라운 것'이라고 해석한다.
→ while은 부사절을 이끄는 접속사로, '~하는 동안'이라는 의미이다. 주로, 진행 시제와 함께 쓰인다.
  cf. 접속사 while의 두 가지 의미: ① ~하는 동안 ② ~하는 반면에
  ex. I like cats **while** my brother prefers dogs. (내 남동생이 개를 선호하는 반면에 나는 고양이를 좋아한다.)
→ 부사절의 주어가 주절의 주어와 같을 때, 부사절에 쓰인 「주어 + be동사」는 생략할 수 있다.

❸ He slowed down with caution and soon realized [that it was just an illusion].
→ [ ]는 realized의 목적어 역할을 하는 명사절이다. 이때 명사절 접속사 that은 생략할 수 있다.

1 이 글의 제목으로 가장 적절한 것은?

① A Designer of 3D Crosswalks 3D 횡단보도의 디자이너
② The Science of Optical Illusions 착시 현상의 과학
③ Drivers' Efforts to Make Road Safer 길을 더 안전하게 만들기 위한 운전자들의 노력
④ An Interesting Idea for Safety from Iceland 아이슬란드에서 나온 안전을 위한 흥미로운 발상
⑤ Types of Crosswalks Used in Different Countries 다른 나라들에서 사용되는 횡단보도의 유형

2 3D 횡단보도가 아이슬란드의 한 마을에 설치된 이유를 우리말로 쓰시오.

주민들이 빠르게 달리는 차들을 두려워했기 때문에

3 이 글의 밑줄 친 ⓐ~ⓔ 중, 가리키는 대상이 나머지 넷과 다른 것은?

① ⓐ ② ⓑ ③ ⓒ ④ ⓓ ⑤ ⓔ

4 3D 횡단보도에 관한 이 글의 내용과 일치하면 T, 그렇지 않으면 F를 쓰시오.

(1) They are made of white boards that are printed in 3D.　　　　　F
그것들은 3D로 출력된 흰색 판자들로 만들어진다.

(2) They could help save money compared to speed bumps.　　　　T
그것들은 과속방지턱에 비해 돈을 절약하는 데 도움이 된다.

(3) Other countries outside of Iceland use them today.　　　　　　T
오늘날 아이슬란드 외에 다른 나라들도 그것들을 사용한다.

5 이 글의 빈칸에 들어갈 말을 글에서 찾아 쓰시오.

caution
경계심

---

1 운전자들이 더 조심해서 천천히 운전할 수 있도록 착시를 이용해 디자인된 아이슬란드의 3D 횡단보도를 소개하는 글이므로, 제목으로 ④ '아이슬란드에서 나온 안전을 위한 흥미로운 발상'이 가장 적절하다.

2 문장 ❺에서 주민들이 빠르게 달리는 차들을 두려워해서 3D 횡단보도가 설치되었다고 했다.

3 ⓔ는 사람들을 가리키고, 나머지는 모두 3D 횡단보도를 가리킨다.

4 (1) 문장 ❻에서 횡단보도가 3D인 것처럼 보이지만 실제로는 착시 현상이라고 했다.
(2) 문장 ❾에서 3D 횡단보도는 과속방지턱과 같은 효과가 있으면서도 훨씬 더 싸다고 했다.
(3) 문장 ⑫에 언급되어 있다.

5 첫 번째 단락에서 Tim이 3D 횡단보도를 보고 경계심과 함께 운전 속도를 낮췄다고 했으므로, 3D 횡단보도가 운전자들의 경계심을 높이는 기능을 한다는 것을 알 수 있다. 따라서 빈칸에는 문장 ❸의 'caution(경계심)'이 가장 적절하다.

정답　**1** ④　**2** 주민들이 빠르게 달리는 차들을 두려워했기 때문에　**3** ⑤
4 (1) F (2) T (3) T　**5** caution

---

❹ This was a new type of crosswalk [**that was** invented in a town in Iceland].
　→ [ ]는 앞에 온 선행사 a new type of crosswalk를 수식하는 주격 관계대명사절이다. 이때 「주격 관계대명사 + be동사」는 생략할 수 있다.

❻ 「appear + to-v」는 '~인 것처럼 보이다, ~하는 것 같다'라는 의미이다.　= 「seem + to-v」

❼ They are painted ~ **by using** clever shading techniques [that make them look like white boards {*floating* above the street}]!
　→ 「by + v-ing」는 '~해서, ~함으로써'라는 의미로 수단이나 방법을 나타낸다.
　→ [ ]는 앞에 온 선행사 clever shading techniques를 수식하는 주격 관계대명사절이다.
　→ { }는 앞에 온 white boards를 수식하는 현재분사구이다. 이때 floating은 '떠다니는'이라고 해석한다.

⑪ From far away, people appear **as if they were** walking on air.
　→ 「as if + 주어 + 동사의 과거형(be동사는 were)」은 '마치 ~한 것처럼'이라는 의미로, 주절의 시제와 같은 시점의 사실과 반대되는 상황을 가정할 때 쓰인다. 이 문장에서는 사람들이 공중에서 걷고 있는 것처럼 보인다는 같은 시점의 사실과 반대되는 상황을 가정하고 있다.

본문 해석

❶ 당신은 가게에 가지만, 모든 선반이 비어 있다. ❷ 상품은 모두 어디에 있을까? ❸ 사실, 그것들은 이미 그 가게가 재고가 동나는 것을 두려워한 사람들에 의해 구매되었다.

❹ 재난이 있을 때마다, 사람들은 대량의 상품을 사고 그것들을 비축하는 경향이 있다. ❺ 이러한 현상은 패닉 바잉이라고 불린다. ❻ 2020년에, 코로나19는 전 세계 많은 사람들이 겁에 질리도록 만들었다. ❼ 그들은 물자가 동나는 것을 두려워해서, 엄청난 양의 화장지, 물, 그리고 통조림 식품을 샀다. (❽ 통조림 식품은 최근 훨씬 더 저렴해졌다.) ❾ 심지어 구매 제한이 있어도, 상품은 공급될 수 있는 것보다 계속해서 더 빠르게 팔렸다.

❿ 종종, 패닉 바잉은 사회에 해로운 영향을 끼친다. ⓫ 그것은 음식과 약 같은 상품의 가격이 빠르게 오르도록 만들 수 있다. ⓬ 몇몇 사람들은 이러한 필수품들을 전혀 구하지 못할 수도 있는데, 이는 그들의 생명을 위험에 빠뜨릴 수 있다.

❶ You go to a store, / but all the shelves are empty. / ❷ Where are
당신은 가게에 간다　　　하지만 모든 선반이 비어 있다　　　상품은 모두

all the goods? / ❸ Actually, / they were already bought / by people who
어디에 있을까　　　사실　　　그것들은 이미 구매되었다　　　두려워한 사람들에

feared / that the store would run out of supplies. /
의해　　　그 가게가 재고가 동나는 것을

❹ Whenever there is a disaster, / people tend / to buy lots of products /
재난이 있을 때마다　　　사람들은 경향이 있다　대량의 상품을 사는

and store them. / ❺ This phenomenon is called panic buying. / ❻ In
그리고 그것들을 비축하는　　　이러한 현상은 패닉 바잉이라고 불린다　　　심지어 구매

2020, / COVID-19 caused / many people worldwide / to be frightened. /
2020년에　코로나19는 만들었다　　　전 세계 많은 사람들이　　　겁에 질리도록

❼ They were scared of running out of supplies, / so they bought /
그들은 물자가 동나는 것을 두려워했다　　　그래서 그들은 샀다

enormous amounts of toilet paper, water, and canned food. /
엄청난 양의 화장지, 물, 그리고 통조림 식품을

(d) (❽ Canned food has become much cheaper / recently. /) ❾ Even with
통조림 식품은 훨씬 더 저렴해졌다　　　최근에　　　심지어 구매

buying limits, / products continued to sell faster / than they could be
제한이 있어도　　　상품은 계속해서 더 빠르게 팔렸다　　　그것들이 공급될 수 있는

supplied. /
것보다

❿ Sometimes, / panic buying can have harmful effects / on society. /
종종　　　패닉 바잉은 해로운 영향을 끼친다　　　사회에

⓫ It can cause / prices of items like food and medicine / to increase
그것은 만들 수 있다　음식과 약 같은 상품의 가격이　　　빠르게 오르도록

rapidly. / ⓬ Some people / may not be able to get these necessities /
몇몇 사람들은　　　이러한 필수품들을 구하지 못할 수도 있다

at all, / which can put their lives in danger. /
전혀　　　그런데 이것은 그들의 생명을 위험에 빠뜨릴 수 있다

구문 해설

❸ Actually, they were already bought by people [who feared {that the store would run out of supplies}].
  → [ ]는 앞에 온 선행사 people을 수식하는 주격 관계대명사절이다.
  → { }는 feared의 목적어 역할을 하는 명사절이다. 이때 명사절 접속사 that은 생략할 수 있다.

❹ **Whenever** there is a disaster, people *tend to buy* lots of products and *store* them.
  → Whenever는 복합관계부사로, '~할 때마다'라는 의미이다. 여기서는 Whenever 대신 At any time (when)으로 바꿔 쓸 수 있다.
  = **At any time (when)** there is a disaster, people tend to buy lots of products and store them.
  cf. whenever의 두 가지 의미: ① ~할 때마다 ② 언제 ~하더라도(=no matter when)
  ex. **Whenever** I ride my bike, I have to wear a helmet. (내가 언제 자전거를 타더라도, 나는 헬멧을 착용해야 한다.)
  → 「tend + to-v」는 '~하는 경향이 있다'라는 의미이다. 이 문장에서는 to buy와 (to) store가 접속사 and로 연결되어 쓰였다.

❽ has become은 현재완료 시제(have p.p.)로, 이 문장에서는 과거에 시작된 일이 현재에 끝난 [완료]를 나타낸다.

1 What is the best title for the passage? 이 글의 제목으로 가장 적절한 것은?

① Stop Buying Things You Don't Use 사용하지 않는 것들을 그만 사라
②✓ Fear of Disaster Causes People to Buy 재난에 대한 공포는 사람들이 구매하도록 만든다
③ Panic Buying Is Actually Good for Society 패닉 바잉은 사실 사회에 좋다
④ Disasters That Created Worldwide Panics 전 세계적 공황을 만들어낸 재난들
⑤ The Best Way to Prepare for Disastrous Situations 재난 상황에 대비하는 최선의 방법

2 Among (a)~(e), which sentence does NOT fit in the context?
(a)~(e) 중, 전체 흐름과 관계없는 문장은?

① (a)   ② (b)   ③ (c)   ④✓ (d)   ⑤ (e)

3 Complete each sentence with ONE word from the passage.
이 글에서 알맞은 한 단어를 찾아 각 문장을 완성하시오.

- Climate change will _____cause_____ extreme weather events such as floods and hurricanes.
  기후 변화는 홍수와 태풍 같은 극단적인 기상 사건들을 <u>야기할</u> 것이다.
- The police officers are trying to find out the _____cause_____ of the accident.
  경찰관들은 그 사고의 <u>원인</u>을 알아내기 위해 노력하고 있다.

4 Choose the correct one based on the passage. 이 글을 바탕으로 알맞은 말을 고르시오.

Panic buying occurs when people become (1) ([frightened] / depressed) during a disastrous situation. They buy (2) ([more] / less) than they need, and this can cause (3) (success / [damage]) to society.

패닉 바잉은 사람들이 재난 상황 동안 (1) 겁에 질리게 될 때 발생한다. 그들은 필요한 것보다 (2) <u>더 많이</u> 구매를 하는데, 이것은 사회에 (3) <u>피해</u>를 야기할 수 있다.

정답 1 ② 2 ④ 3 cause 4 (1) frightened (2) more (3) damage

문제 해설

1 재난 상황이 되면 불필요하게 많은 물건을 사서 비축하는 패닉 바잉 현상이 나타난다고 설명하는 글이므로, 제목으로 ② '재난에 대한 공포는 사람들이 구매하도록 만든다'가 가장 적절하다.

2 코로나19 상황을 패닉 바잉의 예로 들면서 겁에 질린 사람들이 구매 제한이 있어도 엄청난 양의 물자를 사들였다고 설명하는 내용 중에, '통조림 식품은 최근 훨씬 더 저렴해졌다'라는 내용의 (d)는 전체 흐름과 관계없다.

3 빈칸에 공통으로 들어갈 알맞은 단어는 '야기하다; 원인'이라는 뜻을 가진 cause이다.

4 문제 해석 참고

---

❾ Even with buying limits, products **continued to sell** faster than they *could be supplied*.
→ continued to sell은 '계속해서 팔렸다'라고 해석한다. continue는 목적어로 to부정사와 동명사 모두 쓸 수 있다.
→ 조동사 뒤에는 동사원형이 오므로, 조동사가 있는 수동태는 「조동사 + be p.p.」가 된다.

⑪ It can **cause** [prices of items like food and medicine] **to increase** rapidly.
→ 「cause + 목적어 + to-v」는 '~가 …하도록 만들다, 야기하다'라는 의미이다. 이 문장에서는 [ ]가 목적어에 해당한다.

⑫ Some people **may** not **be able to** get these necessities at all[, *which* can put their lives in danger].
→ 조동사는 한 번에 하나만 쓰므로, 조동사 may 뒤에서 can 대신 be able to가 쓰였다.
→ [ ]는 앞 문장 전체를 선행사로 가지는 계속적 용법의 관계대명사절이다. 여기서는 '그런데 이것(몇몇 사람들이 이러한 필수품들을 전혀 구하지 못할 수도 있는 것)은 ~하다'라고 해석한다.

본문 해석

❶ 당신의 엉덩이는 죽어있는가 아니면 살아있는가? ❷ 알아내려면 이것을 시도해보아라. ❸ 얼굴을 아래로 향한 채 바닥에 눕고 한쪽 다리를 들어라. ❹ 당신의 엉덩이 근육이 단단해지는지 보아라. ❺ 만약 아니라면, 그것은 죽은 엉덩이 증후군의 신호일 수도 있다.

❻ 당신의 엉덩이 근육은 골반 부위와 허벅지에 연결되어 있고, 그것들을 지탱하도록 돕는다. ❼ 하지만 만약 당신이 하루의 너무 많은 시간을 앉아있는 데 보낸다면, 당신의 몸은 엉덩이 근육을 사용하는 것을 잊는다. ❽ 대신에, 허리와 같은, 다른 신체 부위들이 골반 부위와 허벅지를 지탱하는 책임을 이어받는다. ❾ 하지만, 이것은 골반 부위 통증, 허리 통증, 그리고 무릎 문제들을 유발할 수 있다. ❿ 그것은 심지어 골반 부위와 척추가 돌아가서 비틀어지게 할 수 있다.

⓫ 이 증후군을 어떻게 피할 수 있을까? ⓬ 답은 꽤 간단하다. ⓭ 너무 오랫동안 가만히 앉아있지 말아라! ⓮ 최소한 두 시간마다 일어나서 당신의 발뒤꿈치를 위아래로 움직여라. ⓯ 이렇게 하는 것은 당신의 엉덩이 근육을 강화할 것이다.

---

❶ Is your butt dead or alive? / ❷ Try this to find out: / ❸ Lie on the
당신의 엉덩이는 죽어있는가 아니면 살아있는가 알아내려면 이것을 시도해보아라 바닥에

floor / with your face down / and lift one leg. / ❹ See if your butt muscles
누워라 얼굴을 아래로 향한 채 그리고 한쪽 다리를 들어라 당신의 엉덩이가 근육이

become tight. / ❺ If not, / it may be a sign of Dead Butt Syndrome. /
단단해지는지 보아라 만약 아니라면 그것은 죽은 엉덩이 증후군의 신호일 수도 있다

❻ Your butt muscles connect to your hips and thighs, / helping to
당신의 엉덩이 근육은 당신의 골반 부위와 허벅지에 연결되어 있다 그리고 그것들을

support them. / ❼ But / if you spend too much of your day sitting, /
지탱하도록 돕는다 하지만 만약 당신이 하루의 너무 많은 시간을 앉아있는 데 보낸다면

your body (A) forgets / to use your butt muscles. / ❽ Instead, / other
당신의 몸은 잊는다 당신의 엉덩이 근육을 사용하는 것을 대신에 다른

body parts, / like the waist, / take over the responsibility / of supporting
신체 부위들이 허리와 같은 책임을 이어받는다 당신의 골반 부위와

your hips and thighs. / ❾ However, / this can (B) cause / hip pain,
허벅지를 지탱하는 하지만 이것은 유발할 수 있다 골반 부위 통증,

backache, and knee problems. / ❿ It can even lead the hips and spine /
허리 통증, 그리고 무릎 문제들을 그것은 심지어 골반 부위와 척추가 ~하게 할 수 있다

to rotate and twist. /
돌아가서 비틀어지게

⓫ How can you avoid this syndrome? / ⓬ The answer is rather simple. /
당신은 어떻게 이 증후군을 피할 수 있을까 답은 꽤 간단하다

⓭ Don't sit still / for too long! / ⓮ Get up / and move your heels up and
가만히 앉아있지 말아라 너무 오랫동안 일어나라 그리고 당신의 발뒤꿈치를 위아래로

down / at least every two hours. / ⓯ Doing this will (C) strengthen your
움직여라 최소한 두 시간마다 이렇게 하는 것은 당신의 엉덩이 근육을 강화할 것이다

butt muscles. /

구문 해설

❹   See [**if** your butt muscles become tight].
      → [ ]는 see의 목적어 역할을 하는 명사절이다. 명사절 접속사 if는 '~인지 (아닌지)'라고 해석한다.

❺   If not은 If your butt muscles don't become tight(당신의 엉덩이 근육이 단단해지지 않는다면)를 의미한다.

❻   Your butt muscles connect to your hips and thighs, [***helping to support them***].
      → [ ]는 '그리고 그것들을 지탱하도록 돕는다'라는 의미로, [연속동작]을 나타내는 분사구문이다.
        = 「접속사 + 주어 + 동사」 *ex.* Your butt muscles connect to your hips and thighs, **and they help** to support them.
      → 「help + to-v」는 '~하도록[하는 것을] 돕다'라는 의미이다. = 「help + 동사원형」

❼   But if you **spend too much of your day sitting**, your body *forgets to use* your butt muscles.
      → 「spend + 시간/돈 + v-ing」는 '~하는 데 …의 시간/돈을 보내다[쓰다]'라는 의미이다.

1 이 글에서 설명하는 죽은 엉덩이 증후군을 확인하는 자세로 가장 적절한 것은?

① ② ③✓ ④ ⑤

2 (A), (B), (C)의 각 네모 안에서 문맥에 알맞은 말로 가장 적절한 것은?

	(A)		(B)		(C)	
①	remembers	······	prevent	······	strengthen	기억한다 … 막다 … 강화하다
②	remembers	······	prevent	······	weaken	기억한다 … 막다 … 약화하다
③	forgets	······	prevent	······	strengthen	잊는다 … 막다 … 강화하다
④	forgets	······	cause	······	weaken	잊는다 … 유발하다 … 약화하다
⑤✓	forgets	······	cause	······	strengthen	잊는다 … 유발하다 … 강화하다

3 엉덩이 근육이 약해질 경우 발생할 수 있는 일로 언급되지 <u>않은</u> 것을 <u>모두</u> 고르시오.

① 다른 신체 부위가 엉덩이 근육의 역할을 대신한다.
②✓ 허리 근육이 이완되어 늘어난다.
③ 무릎에 문제가 생긴다.
④ 척추가 비틀어진다.
⑤✓ 허벅지 근육이 점점 약해진다.

4 다음 질문에 대한 답이 되도록 빈칸에 들어갈 말을 우리말로 쓰시오.

> Q. How can you prevent Dead Butt Syndrome?
> 어떻게 죽은 엉덩이 증후군을 예방할 수 있을까?

A. 너무 오랫동안 앉아있지 말고,
___최소한 두 시간마다 일어나서 발뒤꿈치를 위아래로 움직인다___.

정답 1 ③ 2 ⑤ 3 ②, ⑤ 4 최소한 두 시간마다 일어나서 발뒤꿈치를 위아래로 움직인다

문제 해설

1 문장 ❸에서 얼굴을 아래로 향한 채 바닥에 눕고 한쪽 다리를 들라고 했다. 따라서 죽은 엉덩이 증후군을 확인하는 자세로 ③이 가장 적절하다.

2 (A) 네모 뒤에서 허리와 같은 다른 신체 부위가 엉덩이 대신 골반 부위와 허벅지를 지탱하는 책임을 이어받는다고 했으므로, 네모 (A)에는 '잊는다'가 문맥상 적절하다.
(B) 네모 뒤에서 다른 신체 부위가 골반 부위와 허벅지를 대신 지탱하는 것은 골반 부위와 척추가 돌아가서 비틀어지게 할 수 있다고 했으므로, 네모 (B)에는 '유발하다'가 문맥상 적절하다.
(C) 네모 앞에서 죽은 엉덩이 증후군을 피할 수 있는 방법을 소개했으므로, 네모 (C)에는 '강화하다'가 문맥상 적절하다.

3 ②, ⑤: 엉덩이 근육이 약해질 경우, 허리 근육이 이완되어 늘어난다거나 허벅지 근육이 약해진다는 것에 대한 언급은 없다.
①은 문장 ❽에, ③은 문장 ❾에, ④는 문장 ❿에 언급되어 있다.

4 문장 ⓫-⓮에서 죽은 엉덩이 증후군을 피하려면, 너무 오랫동안 가만히 앉아있지 말고, 최소한 두 시간마다 일어나서 발뒤꿈치를 위아래로 움직이라고 했다.

→ 「forget + to-v」는 '(아직 하지 않은 무언가에 대해) ~할 것을 잊다'라는 의미이다.
  cf. 「forget + v-ing」: (이미 한 무언가에 대해) ~한 것을 잊다
  ex. I'll never **forget visiting** Hawaii with my family. (나는 내 가족과 함께 하와이에 갔던 것을 결코 잊지 않을 것이다.)

❿ 「lead + 목적어 + to-v」는 '~가 …하게 하다'라는 의미이다. 여기서는 to rotate와 (to) twist가 접속사 and로 연결되어 쓰였다.

⓮ Get up and move your heels up and down **at least** *every two hours*.
  → at least는 '최소한, 적어도'라는 의미의 비교 표현이다.
    cf. at most: 많아 봐야, 기껏해야 *ex.* **At most**, five people will attend the meeting. (많아 봐야, 5명이 회의에 참석할 것이다.)
  → 「every + 기수(one, two, …) + 복수명사」는 '~마다, 매 ~'라는 의미로, 여기서는 two hours가 함께 쓰여 '두 시간마다'라고 해석한다.
    cf. 「every + 서수(first, second, …) + 단수명사」 *ex.* Open all windows **every third hour**. (세 시간마다 모든 창문을 열어라.)

본문 해석

❶ 당신은 매운 면을 스트링 치즈와 함께 또는 우유를 탄산수와 함께 먹어본 적이 있는가? ❷ 흥미롭게도, 이러한 조합은 소비자들에 의해 만들어졌고, 그것들은 매우 인기를 얻어서 실제 상품으로 만들어졌다.

❸ 보통, 식품에는 따라 할 설명서가 딸려 있다. ❹ 하지만 사람들은 때때로 그들 자신만의 조리법을 만드는 것을 선택한다. ❺ 예를 들어, Coca-Cola With Coffee는 커피의 향과 탄산음료의 느낌을 즐기던 사람들에 의해 처음 발명되었다. ❻ 곧, 그 음료는 매우 인기를 얻었다. ❼ 그 후, 제조사가 그 조리법을 가져갔고 새로운 상품을 개발하기 위해 그것을 이용했다.

❽ 이러한 유행은 단지 식품에만 해당하지 않는다. ❾ 몇몇 사람들은 독특한 향을 만들기 위해 두 개의 다른 향수를 조합한다. ❿ 마찬가지로, 많은 소비자들은 그들의 기호에 맞추기 위해 화장품, 목욕용품, 또는 다른 생활필수품과 같은 다양한 상품을 섞는다. ⓫ 당신도 상품을 사용하는 자신만의 특별한 방법을 가지고 있는가?

❶ Have you ever tried / spicy noodles with string cheese / or milk
당신은 먹어본 적이 있는가　　매운 면을 스트링 치즈와 함께　　또는 우유를

with soda water? / ❷ Interestingly, / these combinations were created by
탄산수와 함께　　흥미롭게도　　이러한 조합들은 소비자들에 의해 만들어졌다

consumers, / and they became so popular / that they were made into
그리고 그것들은 매우 인기를 얻어서　　그것들은 실제 상품들로 만들어졌다

actual products. /

❸ Usually, / food products come with instructions / to follow. /
보통　　식품들에는 설명서가 딸려 있다　　따라 할

(② ❹ But / people sometimes choose / to create their own recipes. /)
하지만　　사람들은 때때로 선택한다　　그들 자신만의 조리법을 만드는 것을

❺ Coca-Cola With Coffee, / for example, / was first invented by people /
Coca-Cola With Coffee는　　예를 들어　　사람들에 의해 처음 발명되었다

who enjoyed the scent of coffee and the sensation of soda. / ❻ Soon, /
커피의 향과 탄산음료의 느낌을 즐기던　　곧

the drink became very popular. / ❼ Then, / the manufacturer took the
그 음료는 매우 인기를 얻었다　　그 후　　제조사가 그 조리법을 가져갔다

recipe / and used it to develop a new product. /
그리고 그것을 새로운 상품을 개발하기 위해 이용했다

❽ This trend / does not just apply to food products. / ❾ Some people
이러한 유행은　　단지 식품에만 해당하지 않는다　　몇몇 사람들은

combine two different perfumes / to make a unique scent. / ❿ Likewise, /
두 개의 다른 향수를 조합한다　　독특한 향을 만들기 위해　　마찬가지로

many consumers mix various goods / like cosmetics, bathing products,
많은 소비자들은 다양한 상품들을 섞는다　　화장품, 목욕용품,

or other daily necessities / to match their preferences. / ⓫ Do you also
또는 다른 생활필수품들과 같은　　그들의 기호에 맞추기 위해　　당신도 가지고

have / your own particular way / of using products?
있는가　　당신 자신만의 특별한 방법을　　상품들을 사용하는

구문 해설

❶ **Have you** ever **tried** spicy noodles with string cheese or milk with soda water?
→ 「Have/Has + 주어 + p.p. ~?」의 현재완료 시제가 쓰인 의문문으로, 과거의 [경험]을 물을 때 쓴다.

❷ Interestingly, ~ they became **so popular that** they *were made into* actual products.
→ 「so + 형용사/부사 + that절」은 '매우/너무 ~해서 …하다'라는 의미이다.
→ be made into는 '~으로 만들어지다'라는 의미의 수동태 표현이다. 이때 into 뒤에는 만들어진 결과물에 해당하는 표현이 온다.
　ex. Grapes **are made into** wine. (포도는 와인으로 만들어진다.)
　cf. 「be made of/from + 재료」: ~으로 만들어지다　*ex.* Wine **is made from** grapes. (와인은 포도로 만들어진다.)

❸ Usually, food products come with instructions **to follow**.
→ to follow는 '따라 할'이라는 의미로, to부정사의 형용사적 용법으로 쓰여 instructions를 수식하고 있다.

문제 해설

1 이 글에서 설명하는 소비자의 유형으로 가장 적절한 것은?

① 모디슈머(modisumer): 자신만의 방법으로 제품을 재창조하는 소비자
② 프로슈머(prosumer): 제품의 기획이나 홍보에 적극적으로 참여하는 소비자
③ 체크슈머(checksumer): 제품의 성분과 재료 등을 꼼꼼하게 확인하는 소비자
④ 트윈슈머(twinsumer): 제품의 사용 후기와 의견을 참고하여 구매하는 소비자
⑤ 트라이슈머(trysumer): 새로운 서비스나 제품을 직접 체험해보고자 하는 소비자

2 이 글의 흐름으로 보아, 다음 문장이 들어가기에 가장 적절한 곳은?

> But people sometimes choose to create their own recipes.
> 하지만 사람들은 때때로 그들 자신만의 조리법을 만드는 것을 택한다.

①   ②   ③   ④   ⑤

3 이 글의 빈칸에 들어갈 말로 가장 적절한 것은?

① using 사용하는　　② buying 사는　　③ testing 시험하는
④ choosing 선택하는　　⑤ reviewing 검토하는

4 이 글의 내용으로 보아, 다음 빈칸에 들어갈 말을 보기 에서 골라 쓰시오.

보기	necessities	consumers	manufacturers	combinations
	필수품	소비자들	제조사들	조합

Many ____consumers____ mix items to create something entirely new. Sometimes, these ____combinations____ become so popular that companies release them as products.

많은 <u>소비자들</u>은 무언가 완전히 새로운 것을 만들기 위해 상품을 섞는다. 가끔, 이러한 <u>조합</u>은 매우 인기 있어서 기업이 그것들을 상품으로 출시하기도 한다.

정답 1 ①　2 ②　3 ①　4 consumers, combinations

문제 해설

1 소비자들이 자신들의 기호를 충족시키기 위해 다양한 상품을 조합하여 새로운 상품으로 만들어내는 유행을 소개하는 글이다. 따라서 이 글에서 설명하는 소비자 유형으로 ①이 가장 적절하다.

2 주어진 문장은 식품에는 보통 따라 할 설명서가 딸려있다는 문장 ❸과 대조되는 내용으로, 문장 ❺에서 언급한 Coca-Cola With Coffee가 주어진 문장의 예시에 해당한다. 따라서 주어진 문장은 문장 ❸과 ❺ 사이에 오는 것이 자연스러우므로, ②가 가장 적절하다.

3 빈칸 앞에서 많은 소비자들이 그들의 기호에 맞추기 위해 다양한 상품을 섞는다고 했다. 따라서 빈칸에는 ① '사용하는'이 가장 적절하다.

4 문제 해석 참고

---

❹ But people sometimes **choose to create** their own recipes.
　→ 「choose + to-v」는 '~하는 것을 선택하다'라는 의미이다. choose는 목적어로 to부정사를 쓴다.

❺ Coca-Cola With Coffee ~ was first invented by people [who enjoyed the scent of coffee and the sensation of soda].
　→ [ ]는 앞에 온 선행사 people을 수식하는 주격 관계대명사절이다.

❼ to develop a new product는 '새로운 상품을 개발하기 위해'라는 의미로, [목적]을 나타내는 to부정사의 부사적 용법으로 쓰였다.

❾ to make a unique scent는 '독특한 향을 만들기 위해'라는 의미로, [목적]을 나타내는 to부정사의 부사적 용법으로 쓰였다.

❿ Likewise, many consumers mix ~ **cosmetics, bathing products, or other daily necessities** *to match their preferences*.
　→ 세 가지 이상의 단어를 나열할 때는 콤마와 함께 마지막 단어 앞에 or[and]를 써서 「A, B, or[and] C」로 나타낸다.
　→ to match their preferences는 '그들의 기호에 맞추기 위해'라는 의미로, [목적]을 나타내는 to부정사의 부사적 용법으로 쓰였다.

본문 해석

❶ 어느 날, Orlando Serrell이라는 이름의 10살짜리 소년은 야구를 하는 동안 공에 머리를 맞았다. ❷ 그는 경미한 두통만 있었기 때문에 병원에 가지 않았다. ❸ 하지만, 그 통증이 멎었을 때, 무언가 이상한 일이 일어났다. ❹ 그는 갑자기 달력에 관한 계산을 할 수 있었다. ❺ 어떠한 날짜가 주어진다고 하더라도, 그는 그것이 그 주의 어느 요일이었는지 또는 어느 요일이 될지를 즉시 말할 수 있었다. ❻ 그의 대답은 항상 정확했다. ❼ 게다가, 그는 사고 이후 하루하루를 완벽하게 기억할 수 있었다. ❽ 그는 날씨가 어땠는지, 그가 무슨 옷을 입고 있었는지, 그리고 각 날마다의 다른 모든 세부 사항을 알고 있었다.

❾ 이후에, 의사는 그 부상으로 그에게 서번트 증후군이 생겼다고 말했다. ❿ 전 세계에서 단 몇 명의 사람들만 이 증후군을 가지고 있고, 그들은 보통 그것을 가지고 태어난다. ⓫ Orlando처럼 서번트 증후군을 생애에서 나중에 얻는 것은 드문 일이다. ⓬ 따라서, 의사들은 그의 놀라운 능력의 불가사의를 풀기 위해 현재 그의 정신을 연구하고 있다.

---

❶ One day, / a 10-year-old boy named Orlando Serrell / was hit in the
어느 날　　　　Orlando Serrell이라는 이름의 10살짜리 소년은　　　공에 머리를 맞았다

head by a ball / while playing baseball. / ❷ He didn't go to the doctor /
　　　　　　야구를 하는 동안　　　　　그는 병원에 가지 않았다

because he only had a light headache. / (❷ ❸ However, / when the pain
그에게 경미한 두통만 있었기 때문에　　　　　　　하지만　　　그 통증이 멎었을 때

ended, / something unusual happened. /) ❹ He could suddenly perform
멎었을 때　　무언가 이상한 일이 일어났다　　　　　그는 갑자기 달력에 관한 계산을

calendar calculations. / ❺ Given any date, / he could immediately tell /
할 수 있었다　　　　어떠한 날짜가 주어진다고 하더라도　그는 즉시 말할 수 있었다

which day of the week it was or would be. / ❻ His answers were always
그것이 그 주의 어느 요일이었는지 또는 (어느 요일이) 될지를　　그의 대답은 항상 정확했다

correct. / ❼ In addition, / he was able to remember every day perfectly /
정확했다　　　게다가　　　그는 하루하루를 완벽하게 기억할 수 있었다

after the accident. / ❽ He knew / what the weather was like, / what clothes
사고 이후　　　그는 알고 있었다　날씨가 어땠는지　　　그가 무슨 옷을

he was wearing, / and every other detail of each day. /
입고 있었는지　　　그리고 각 날마다의 다른 모든 세부 사항을

❾ Later, / the doctor said / that he had developed savant syndrome /
이후에　　의사는 말했다　　그에게 서번트 증후군이 생겼다고

from the injury. / ❿ Only a few people in the world / have this syndrome, /
그 부상으로　　　전 세계에서 단 몇 명의 사람들만　　이 증후군을 가지고 있다

and they are usually born with it. / ⓫ It is rare to acquire savant
그리고 그들은 보통 그것을 가지고 태어난다　　　서번트 증후군을 얻는 것은 드물다

syndrome / later in life / like Orlando. / ⓬ Therefore, / doctors are now
생애에서 나중에　Orlando처럼　　　따라서　　　의사들은 현재

studying his mind / to solve the mystery of his incredible ability. /
그의 정신을 연구하고 있다　그의 놀라운 능력의 불가사의를 풀기 위해

구문 해설

❶ One day, a 10-year-old boy [**named** Orlando Serrell] was hit in the head by a ball while (he was) playing baseball.
→ [ ]는 앞에 온 a 10-year-old boy를 수식하는 과거분사구이다. 이때 named는 '~이라는 이름의'라고 해석한다.
→ 부사절의 주어가 주절의 주어와 같을 때, 부사절에 쓰인 「주어 + be동사」는 생략할 수 있다.

❺ (Being) **Given any date**, he could immediately tell [*which* day of the week it was or would be].
→ Given any date는 '어떠한 날짜가 주어진다고 하더라도'라는 의미로, [조건]을 나타내는 수동형 분사구문이다. 분사구문으로 만드는 부사절에 수동태가 쓰였을 경우 동사를 「Being p.p.」로 바꾸는데, 이때 Being은 생략할 수 있다.
= 「접속사 + 주어 + 동사」 *ex.* **If he was given** any date, he could immediately tell which day of the week it was or would be.
→ [ ]는 「의문사 + 주어 + 동사」의 간접의문문으로, could tell의 목적어 역할을 하고 있다. 여기서는 it이 간접의문문의 주어에 해당하며, which는 '어느, 어떤'이라는 의미로 쓰여 뒤의 day of the week를 수식하고 있다.

문제 해설

1 이 글의 제목으로 가장 적절한 것은?

① A Danger of Injuries in Sports 스포츠에서 부상의 위험
② How to Overcome Savant Syndrome 서번트 증후군을 극복하는 방법
③ Loss of Memory after a Small Accident 작은 사고 이후의 기억 상실
④ People Who Are Born with Amazing Intelligence 놀라운 지능을 가지고 태어난 사람들
⑤ An Unusual Ability That Was Accidentally Gained 우연히 얻게 된 특별한 능력

2 이 글의 흐름으로 보아, 다음 문장이 들어가기에 가장 적절한 곳은?

> However, when the pain ended, something unusual happened.
> 하지만, 그 통증이 멎었을 때, 무언가 이상한 일이 일어났다.

①　　　②✔︎　　　③　　　④　　　⑤

3 이 글의 빈칸에 들어갈 말로 가장 적절한 것은?

① his endless pain 그의 끊임없는 고통
② his creative thinking 그의 창의적인 생각
③ his childhood memories 그의 어린 시절 기억
④ his incredible ability 그의 놀라운 능력 ✔︎
⑤ his survival of the accident 그 사고에서의 그의 생존

4 이 글의 내용과 일치하면 T, 그렇지 않으면 F를 쓰시오.

(1) Orlando Serrell은 머리를 다친 후 큰 수술을 받았다. ____ F
(2) Orlando Serrell은 사고 이전의 기억을 잊어버리게 되었다. ____ F
(3) 서번트 증후군을 후천적으로 갖게 되는 경우는 드물다. ____ T

정답 1 ⑤　2 ②　3 ④　4 (1) F (2) F (3) T

---

1 머리에 공을 맞은 후 서번트 증후군이 생겨 달력에 관한 계산 능력과 뛰어난 기억력을 갖게 된 Orlando의 일화를 소개하는 글이므로, 제목으로 ⑤ '우연히 얻게 된 특별한 능력'이 가장 적절하다.

2 주어진 문장의 the pain은 문장 ❷에서 언급한 경미한 두통을 가리키고, 문장 ❹에서 설명한 갑자기 달력에 관한 계산을 할 수 있게 된 것은 주어진 문장에서 언급한 무언가 이상한 일의 구체적인 내용에 해당한다. 따라서 주어진 문장은 문장 ❷와 ❹ 사이에 오는 것이 자연스러우므로, ②가 가장 적절하다.

3 빈칸 앞 단락에서 Orlando는 사고 이후 갑자기 달력에 관한 계산을 할 수 있게 되었고 사고 후 하루하루를 완벽하게 기억할 수 있었다고 했다. 따라서 빈칸에는 ④ '그의 놀라운 능력'이 가장 적절하다.

4 (1) 문장 ❷에서 Orlando는 경미한 두통만 있었기 때문에 병원에는 가지 않았다고 했다.
(2) 문장 ❼에서 Orlando가 사고 이후 매일을 완벽하게 기억할 수 있었다고는 했지만, 사고 이전의 기억을 잊어버리게 되었다는 것에 대한 언급은 없다.
(3) 문장 ⓫에 언급되어 있다.

---

❽ He knew [what the weather was like], {what clothes he was wearing}, and every other detail of each day.
→ [ ]는 「의문사 + 주어 + 동사」의 간접의문문으로, knew의 목적어 역할을 하고 있다.
→ { }는 「의문사 + 주어 + 동사」의 간접의문문으로, knew의 목적어 역할을 하고 있다. 여기서는 he가 간접의문문의 주어에 해당하며, what은 '무슨, 어떤'이라는 의미로 쓰여 뒤의 clothes를 수식하고 있다.
→ 세 가지 이상의 단어를 나열할 때는 콤마와 함께 마지막 단어 앞에 and[or]를 써서 「A, B, and[or] C」로 나타낸다.

❾ Later, the doctor said [that he **had developed** savant syndrome from the injury].
→ [ ]는 said의 목적어 역할을 하는 명사절이다. 이때 명사절 접속사 that은 생략할 수 있다.
→ had developed는 과거완료 시제(had p.p.)로, 이 문장에서는 과거의 특정 시점보다 더 이전에 발생한 일, 즉 [대과거]를 나타낸다. 의사가 말했던 과거의 시점보다 더 이전에 그에게 서번트 증후군이 생겼다는 의미이다.

⓫ It은 가주어이고, to acquire 이하가 진주어이다. 이때 가주어 it은 따로 해석하지 않는다.

본문 해석

❶ 당신은 영화 <어벤져스: 엔드게임>의 포스터가 모든 나라에서 같지 않다는 것을 알고 있었는가? ❷ 예를 들어, 중국의 포스터는 모든 등장인물들을 같은 크기로 두어서 똑같이 강조했다. ❸ 하지만, 한국의 포스터를 포함하여, 다른 나라의 포스터는 가장 인기 있는 등장인물들이 중앙에 놓이게 하고 더 큰 크기로 보이게 했다.

❹ 마찬가지로, 한국의 괴수 영화인 <괴물>의 서로 다른 포스터들도 있는데, 이것은 해외 202개국에서 개봉되었다. ❺ 그 포스터의 원래 버전에는, 괴물이 없었다. ❻ 그것은 주인공들만 보여줬다. ❼ 하지만, 다른 나라들에서는 포스터가 많이 다르게 생겼다. ❽ 그것들 대부분은 괴물의 꼬리에 붙잡혀 있는 한 소녀의 장면을 묘사했다.

❾ 요약하면, 영화 포스터는 여러 나라들에서 다를 수 있다. ❿ 그것들의 디자인은 각 나라에서 무엇이 더 많은 관객을 끌어들일 것인지에 달려있다.

❶ Did you know / that the posters for the movie *Avengers: Endgame* /
당신은 알고 있었는가   영화 <어벤져스: 엔드게임>의 포스터들이

are not the same / in all countries? / ❷ For example, / the poster in China /
같지 않다는 것을   모든 나라에서   예를 들어   중국의 포스터는

emphasized all of the characters equally / by keeping them the same
모든 등장인물들을 똑같이 강조했다   그들을 같은 크기로 두어서

size. / ❸ (A) However, / other countries' posters, / including Korea's, /
    하지만   다른 나라들의 포스터들은   한국의 것(포스터)을 포함하여

had the most popular characters placed in the center / and shown in a
가장 인기 있는 등장인물들이 중앙에 놓이게 했다   그리고 더 큰 크기로

bigger size. /
보이게 했다

❹ Likewise, / there are different posters for *The Host*, / a Korean
마찬가지로   <괴물>의 서로 다른 포스터들이 있다   한국의 괴수 영화인

monster film, / which was released in 202 foreign countries. / ❺ In the
    그런데 이것은 해외 202개국에서 개봉되었다

original version of the poster, / there was no monster. / ❻ It only showed
그 포스터의 원래 버전에는   괴물이 없었다   그것은 오직

the main characters. / ❼ (B) However, / the posters looked a lot different /
주인공들을 보여줬다   하지만   그 포스터들이 많이 다르게 생겼다

in other countries. / ❽ Most of them portrayed the scene of a girl / who
다른 나라들에서는   그것들 대부분은 한 소녀의 장면을 묘사했다

was being grabbed by the tail of the monster. /
괴물의 꼬리에 붙잡혀 있는

❾ In short, / movie posters may vary / in different countries. / ❿ Their
요약하면   영화 포스터들은 다를 수 있다   여러 나라에서   그것들의

designs depend on / what will draw a larger audience / in each country. /
디자인은 ~에 달려있다   무엇이 더 많은 관객을 끌어들일 것인지   각 나라에서

구문 해설

❶ Did you know [that the posters for the movie Avengers: Endgame are not the same in all countries]?
→ [ ]는 know의 목적어 역할을 하는 명사절이다. 이때 명사절 접속사 that은 생략할 수 있다.

❸ However, other countries' posters ~ **had the most popular characters placed** in the center and **shown** in a bigger size.
→ 「have + 목적어 + p.p.」는 '~이 …되게 하다'라는 의미이다. 목적어와의 수동 관계를 나타내기 위해, 동사원형 대신 과거분사 placed(놓이게)와 shown(보이게)이 접속사 and로 연결되어 쓰였다.   *cf.* 「have + 목적어 + 동사원형」: ~이 …하게 하다 [능동]

❹ Likewise, there are different posters for **The Host, a Korean monster film**[, *which* was released in 202 foreign countries].
→ The Host와 a Korean monster film은 콤마로 연결된 동격 관계이다.
→ [ ]는 앞에 온 The Host를 선행사로 가지는 계속적 용법의 관계대명사절이다. 여기서는 '그런데 이것(영화 <괴물>)은 ~하다'라고 해석한다.

1 What is the main topic of the passage? 이 글의 주제로 가장 적절한 것은?

① films with great posters 훌륭한 포스터를 가진 영화들
② why Korean films are popular globally 한국 영화가 왜 세계적으로 인기 있는지
③ the importance of characters in movies 영화에서 등장인물의 중요성
④ how movie posters vary between countries 영화 포스터가 나라들 간에 어떻게 다른지 ✓
⑤ movie preferences depending on the culture 문화에 따른 영화 선호도

2 Which is the best choice for both blanks (A) and (B)?
빈칸 (A)와 (B)에 공통으로 들어갈 말로 가장 적절한 것은?
① Besides 게다가　　② Therefore 따라서　　③ However 하지만 ✓
④ For example 예를 들어　　⑤ In other words 다시 말해서

3 What is the reason for the underlined sentence? Write the answer in Korean.
이 글의 밑줄 친 문장의 이유는 무엇인가? 우리말로 쓰시오.
영화 포스터의 디자인은 각 나라에서 무엇이 더 많은 관객을 끌어들일 것인지에 달려있기 때문에

4 Complete the table with words from the passage. 이 글에서 알맞은 말을 찾아 표를 완성하시오.

Characteristics of Korean Movie Posters
한국 영화 포스터의 특징들

Avengers: Endgame <어벤저스: 엔드게임>	Only the famous characters were placed in the (1) ___center___ in a (2) ___bigger___ size. 유명한 등장인물들만 (1) 중앙에 (2) 더 큰 크기로 놓여졌다.
The Host <괴물>	It didn't include the (3) ___monster___ and showed only the main characters. 그것은 (3) 괴물을 포함하지 않았고 주인공들만 보여줬다.

정답 　1 ④　　2 ③　　3 영화 포스터의 디자인은 각 나라에서 무엇이 더 많은 관객을 끌어들일 것인지에 달려있기 때문에　　4 (1) center (2) bigger (3) monster

---

문제 해설

1 같은 영화라도 나라마다 영화 포스터에서 강조되는 부분이 다를 수 있음을 설명하는 글이므로, 주제로 ④ '영화 포스터가 나라들 간에 어떻게 다른지'가 가장 적절하다.

2 (A) 빈칸 앞에서 <어벤저스: 엔드게임>의 중국 포스터는 모든 등장인물들을 같은 크기로 두었다고 한 후, 빈칸이 있는 문장에서 다른 나라들에서는 가장 인기 있는 등장인물들을 더 큰 크기로 만들었다며 대조되는 내용을 언급했다. 따라서 빈칸 (A)에는 '하지만'이 가장 적절하다.
(B) 빈칸 앞에서 <괴물> 포스터의 원래 버전에는 괴물 없이 주인공들만 보여줬다고 한 후, 빈칸 뒤에서 다른 나라들에서는 포스터가 괴물이 소녀를 붙잡은 장면을 묘사했다며 대조되는 내용을 언급했다. 따라서 빈칸 (B)에는 '하지만'이 가장 적절하다.

3 문장 ❿에서 영화 포스터의 디자인은 각 나라에서 무엇이 더 많은 관객을 끌어들일 것인지에 달려있다고 했다.

4 문제 해석 참고

---

❽ Most of them portrayed the scene of a girl [**who *was* *being grabbed*** by the tail of the monster].
→ [ ]는 앞에 온 선행사 a girl을 수식하는 주격 관계대명사절이다. 이때 「주격 관계대명사 + be동사」는 생략할 수 있다.
→ 수동태가 과거진행 시제로 쓰였다. 과거진행 시제는 be동사의 과거형 뒤에 현재분사(v-ing)가 오므로, 과거진행 시제의 수동태는 「be동사의 과거형 + being p.p.」가 된다.

❿ Their designs depend on [**what** will draw a larger audience in each country].
→ [ ]는 주어가 의문사인 간접의문문으로, depend on의 목적어 역할을 하고 있다. 이 문장에서처럼 간접의문문의 주어가 의문사인 경우 뒤에 바로 동사가 온다.
ex. I want to know **who** made this cake. (나는 누가 이 케이크를 만들었는지 알고 싶다.)

본문 해석

❶ 잠이 들 때마다, 당신은 꿈을 꿀 가능성이 있다. ❹ 꿈을 꿀 때, 당신은 깨어날 때까지 꿈을 꾸고 있다는 것을 보통 알아차리지 못한다. ❸ 하지만 자각몽 동안에는, 당신이 꿈을 꾸고 있다는 것을 안다. ❷ 가끔은 심지어 자각몽에서 일어나는 일을 조종할 수도 있다. ❺ 예를 들어, 좀비들이 당신을 뒤쫓고 있는 꿈을 꾸고 있다고 가정해보자. ❻ 그러면 당신은 그냥 당신이 있는 곳에 대해 생각함으로써 당신이 있는 곳을 바꾸고 탈출할 수 있다.
❼ 과학자들은 자각몽이 불안과 스트레스를 줄인다고 말한다. ❽ 이것은 자각몽에서는 당신이 원하는 어떤 것이든 할 수 있기 때문이다. ❾ 이러한 꿈은 창의력을 신장시킨다고도 알려져 있다. ❿ 일부 예술가들은 그들이 자각몽에서 다양한 예술적 기법들을 시도할 수 있고 그 후 그것들을 현실에 적용할 수 있다고 보고했다. ⓫ 하지만, 잦은 자각몽은 건강에 좋지 않다. ⓬ 그것은 당신의 정신이 깨어 있도록 해서, 당신은 피로를 느낀다.

❶ Every time you go to sleep, / there is a chance / that you will have a
당신이 잠이 들 때마다   가능성이 있다   당신이 꿈을 꿀

dream. / (C) ❹ When you dream, / you usually don't realize / you're
                  당신이 꿈을 꿀 때   당신은 보통 알아차리지 못한다   당신이

dreaming / until you wake up. / (B) ❸ But during a lucid dream, /
꿈을 꾸고 있다는 것을   당신이 깨어날 때까지   하지만 자각몽 동안에는

you know / that you are dreaming. / (A) ❷ Sometimes / you can even
당신은 안다   당신이 꿈을 꾸고 있다는 것을   가끔은   당신은 심지어

control / what happens in a lucid dream. / ❺ For example, / let's say
조종할 수 있다 자각몽에서 일어나는 일을   예를 들어   당신이 꿈을

you are dreaming / that zombies are chasing you. / ❻ Then you could
꾸고 있다고 가정해보자   좀비들이 당신을 뒤쫓고 있는   그러면 당신은 바꿀 수

change / where you are / just by thinking about it / and escape. /
있다   당신이 있는 곳을   그냥 그것(당신이 있는 곳)에 대해 생각함으로써 그리고 탈출할 수 있다

❼ Scientists say / lucid dreams reduce anxiety and stress. / ❽ This is
과학자들은 말한다   자각몽이 불안과 스트레스를 줄인다고   이것은

because / you can do anything you want / in a lucid dream. / ❾ These
~ 때문이다   당신이 원하는 어떤 것이든 할 수 있기   자각몽에서는   이러한

dreams are also known to boost creativity. / ❿ Some artists have
꿈들은 창의력을 신장시킨다고도 알려져 있다   일부 예술가들은 보고했다

reported / that they can try different artistic techniques in lucid dreams /
              그들이 자각몽에서 다양한 예술적 기법들을 시도할 수 있다고

and then apply them in real life. / ⓫ However, / frequent lucid dreams
그 후 그것들을 현실에 적용할 수 있다고   하지만   잦은 자각몽은

are not good for your health. / ⓬ They keep your mind awake, / so you
당신의 건강에 좋지 않다   그것들은 당신의 정신이 깨어 있도록 한다   그래서

feel fatigued. /
당신은 피로를 느낀다

구문 해설

❶ **Every time you go** to sleep, *there is a chance* [*that* you will have a dream].
→ 「Every time + 주어 + 동사」는 '~할 때마다'라는 의미이다.
→ 「there is a chance + that절」은 '~할 가능성이 있다'라는 의미이다. 이때 a chance와 that절은 접속사 that으로 연결된 동격 관계로, 여기서는 '당신이 꿈을 꿀 가능성'이라고 해석한다.

❹ until은 '~할 때까지'라는 의미로, 부사절을 이끄는 접속사로 쓰여 뒤에 「주어 + 동사」의 절이 왔다. *cf.* 「전치사 until + 명사」: ~까지

❷ Sometimes you can even control [what happens in a lucid dream].
→ [ ]는 can control의 목적어 역할을 하는 관계대명사절이다. 관계대명사 what은 선행사를 포함하고 있으며, '~하는 일[것]'이라는 의미이다.

❺ For example, **let's say** [(that) you are dreaming {that zombies are chasing you}].
→ 「let's say + that절」은 '~이라고 가정해보자'라는 의미로, 이때 that절은 say의 목적어 역할을 하는 명사절이다. 이 문장에서는 명사절 접속사 that이 생략되어 있다.

1 이 글의 주제로 가장 적절한 것은?

① how to avoid bad dreams 악몽을 피하는 방법
② why people dream while they sleep 사람들이 자는 동안 꿈을 꾸는 이유
③ various types and meanings of dreams 꿈의 다양한 유형과 의미
✓④ a dream that you recognize as a dream 당신이 꿈이라고 인식하는 꿈
⑤ a story behind the term of lucid dreaming 자각몽이라는 용어의 뒷이야기

2 이 글의 문장 (A)~(C)를 순서에 맞게 배열한 것으로 가장 적절한 것은?

① (A) – (B) – (C)   ② (B) – (A) – (C)   ③ (B) – (C) – (A)
④ (C) – (A) – (B)   ✓⑤ (C) – (B) – (A)

3 이 글의 빈칸에 들어갈 말로 가장 적절한 것은?

① keep you from waking up 당신이 깨어나지 못하게 한다
② are not interesting anymore 더 이상 흥미롭지 않다
✓③ are not good for your health 당신의 건강에 좋지 않다
④ do not improve creativity 창의성을 향상시키지 않는다
⑤ make you confuse dreams with reality 당신이 꿈과 현실을 혼동하게 만든다

4 이 글의 내용으로 보아, 다음 빈칸에 들어갈 말을 글에서 찾아 쓰시오.

> While you are having a lucid dream, you know that you are dreaming and can sometimes ___control___ what happens. According to scientists, lucid dreams can help ___reduce___ anxiety and stress.

자각몽을 꾸는 동안, 당신은 꿈을 꾸고 있다는 것을 알고 가끔은 일어나는 일을 조종할 수 있다. 과학자들에 따르면, 자각몽은 불안과 스트레스를 줄이도록 도와줄 수 있다.

정답   1 ④   2 ⑤   3 ③   4 control, reduce

문제 해설

1 꿈을 꾸는 동안 꿈을 자각하여 꿈 안에서 일어나는 일을 조종할 수 있기까지 한 자각몽을 소개하는 글이므로, 주제로 ④ '당신이 꿈이라고 인식하는 꿈'이 가장 적절하다.

2 잠이 들 때마다 꿈을 꿀 가능성이 있다고 한 뒤, 꿈을 꿀 때는 깨어날 때까지 꿈을 꾸고 있다는 것을 보통 알지 못한다는 내용의 (C), 하지만 자각몽 동안에는 그것을 안다는 내용의 (B), 심지어 자각몽에서는 꿈에서 일어나는 일을 조종할 수도 있다는 내용의 (A)의 흐름이 가장 적절하다.

3 빈칸 뒤에서 자각몽은 정신이 깨어 있도록 해서 피로를 느끼게 된다고 했다. 따라서 빈칸에는 ③ '당신의 건강에 좋지 않다'가 가장 적절하다.

4 문제 해석 참고

→ { }는 are dreaming의 목적어 역할을 하는 명사절이다. 이때 명사절 접속사 that은 생략할 수 있다.

❻ Then you **could change** (the place) [*where* you are] just by thinking about it and **escape**.
→ 조동사 could 뒤에 동사원형 change와 escape가 접속사 and로 연결되어 쓰였다.
→ [ ]는 관계부사절로 앞에 선행사 the place가 생략되어 있다. 관계부사의 선행사가 the place, the time, the reason과 같이 장소, 시간, 이유를 나타내는 일반적인 명사인 경우 선행사나 관계부사 중 하나를 생략할 수 있다.   = change **the place** (where) you are
→ 「by + v-ing」는 '~함으로써, ~해서'라는 의미로 수단이나 방법을 나타낸다.

❾ These dreams **are** also **known to boost** creativity.
→ 「주어 + be known + to-v」는 '~가 …한다고 알려져 있다'라는 의미의 수동태 표현이다.
cf. 「People know that + 주어 + 동사」: 사람들이 ~가 …한다고 알다 [능동]
ex. **People know that these dreams boost** creativity.

UNIT 10
2

본문 해석

❶ "자, 힘겨운 경쟁 끝에, 그 후보가 287표 차이로 이겼습니다. ❷ 초콜릿 칩 쿠키에 축하를 보냅니다!"

❸ 1992년과 2016년 사이에, 미국에서는 매 대통령 선거 전에 쿠키 조리법 경연이 열렸다. ❹ 참가자들은 대선 후보들의 배우자들이었다. ❺ 각 배우자는 그 또는 그녀 자신만의 조리법을 제출했다. ❻ 그 후, 시민들이 직접 쿠키를 구워본 후 그들이 더 좋아한 것에 투표했다. ❼ 흥미롭게도, 우승자의 배우자는 보통 대통령 선거에서도 역시 이겼다. ❽ 예를 들어, 오바마 부부, 부시 부부, 그리고 클린턴 부부가 쿠키 조리법 경연과 대통령 선거 모두에서 이겼다.

❾ 그 경연은 원래 영부인 쿠키 경연이라고 불렸다. ❿ 그런데, 힐러리 클린턴이 대통령에 출마했을 때, 그녀의 남편인 빌이 그의 조리법을 제출해야 했다. ⓫ 그에 따라, 그 경연의 이름은 대통령 쿠키 선거로 바뀌었다.

---

❶ "Well, / after a tough race, / the candidate won by 287 votes. /

자　　힘겨운 경쟁 끝에　　　그 후보가 287표 차이로 이겼습니다

❷ Congratulations to the chocolate chip cookie!" /

초콜릿 칩 쿠키에 축하를 보냅니다

❸ Between 1992 and 2016, / a cookie recipe competition was held /

1992년과 2016년 사이에　　　쿠키 조리법 경연이 열렸다

before every presidential election / in the U.S. / ❹ The competitors were

매 대통령 선거 전에　　　　　　　미국에서　　　참가자들은 배우자들이었다

the spouses / of the presidential candidates. / ❺ Each spouse submitted /

　　　대선 후보들의　　　　　　　　각 배우자는 제출했다

his or her own recipe. / ❻ Then, / citizens voted / for the one they liked

그 또는 그녀 자신만의 조리법을　　그 후　　시민들이 투표했다　그들이 더 좋아한 것에

more / after baking the cookies themselves. / ❼ Interestingly, / the

　　　그들이 직접 쿠키들을 구워본 후　　　　흥미롭게도　　　　그

spouse of the winner / usually won the presidential election / as well. /

우승자의 배우자는　　　보통 대통령 선거에서 이겼다　　　　　역시

❽ For example, / the Obamas, the Bushes, and the Clintons won / both

예를 들어　　　오바마 부부, 부시 부부, 그리고 클린턴 부부가 이겼다

the cookie recipe contest and the presidential poll. /

쿠키 조리법 경연과 대통령 선거 모두에서

❾ The competition was originally called / the First Lady Cookie

그 경연은 원래 불렸다　　　　　　　　　영부인 쿠키 경연이라고

Contest. / ❿ However, / when Hillary Clinton ran for president, / her

　　　그런데　　　힐러리 클린턴이 대통령에 출마했을 때　　　그녀의

husband Bill had to submit his recipe. / ⓫ In response, / (A) the contest's

남편인 빌이 그의 조리법을 제출해야 했다　　　그에 따라　　　그 경연의 이름은

name was changed / to the Presidential Cookie Poll. /

바뀌었다　　　　　대통령 쿠키 선거로

구문 해설

❶ won by 287 votes에서 전치사 by는 '~의 차이로, ~만큼'이라는 의미로 수량, 정도, 비율을 나타낸다.

❸ 「between A and B」는 'A와 B 사이에'라는 의미이다.

❻ Then, citizens voted for the one [(which/that) they liked more] {**after baking** the cookies *themselves*}.
- → [ ]는 앞에 온 선행사 the one을 수식하는 목적격 관계대명사절로, 목적격 관계대명사 which/that이 생략되어 있다.
- → [ ]는 '그들이 직접 쿠키들을 구워본 후'라는 의미로, [시간]을 나타내는 분사구문이다. 분사구문의 의미를 분명하게 하기 위해 접속사 after가 생략되지 않았다.
  - = 「접속사 + 주어 + 동사」 *ex.* citizens voted for the one ~ **after they baked** the cookies themselves
- → 문장의 주어(citizens)를 강조하기 위해 재귀대명사 themselves가 쓰였다. 이때의 재귀대명사는 '직접, 자신이'라고 해석하며, 생략할 수 있다.

문제 해설

1 이 글의 제목으로 가장 적절한 것은?

① How the U.S. President is Selected 미국의 대통령은 어떻게 선정되는가
② Why People Should Participate in Voting 사람들은 왜 투표에 참여해야 하는가
③ A Presidential Candidate Who Loved Cookies 쿠키를 좋아했던 대통령 후보
④ The Best Cookies Always Have a Special Recipe 최고의 쿠키에는 항상 특별한 조리법이 있다
⑤ A Cookie Contest before the Presidential Election 대통령 선거 전의 쿠키 경연

2 이 글의 빈칸에 들어갈 말로 가장 적절한 것은?

① However 하지만
② Instead 대신에
③ Nevertheless 그럼에도 불구하고
④ On the other hand 반면에
⑤ For example 예를 들어

3 이 글을 읽고 Presidential Cookie Poll에 관해 답할 수 <u>없는</u> 질문을 <u>모두</u> 고르시오.

① Who was its last winner? 그것의 마지막 우승자는 누구였는가?
② When did it first start? 그것은 언제 처음 시작되었는가?
③ How was the winner decided? 우승자는 어떻게 결정되었는가?
④ What was its original name? 그것의 원래 이름은 무엇이었는가?
⑤ Who won it by the most votes? 그것을 가장 많은 득표 차이로 이긴 사람은 누구였는가?

4 이 글의 밑줄 친 (A)의 이유를 우리말로 쓰시오.

힐러리 클린턴의 남편인 빌이 조리법을 제출해야 해서, 영부인 쿠키 경연이라는
이름이 적절하지 않아졌으므로

정답 1 ⑤ 2 ⑤ 3 ①, ⑤ 4 힐러리 클린턴의 남편인 빌이 조리법을 제출해야 해서, 영부인 쿠키 경연이라는 이름이 적절하지 않아졌으므로

---

1 미국에서 대통령 선거 전에 후보들의 배우자를 대상으로 개최되었던 쿠키 조리법 경연을 소개하는 글이므로, 제목으로 ⑤ '대통령 선거 전의 쿠키 경연'이 가장 적절하다.

2 빈칸 앞에서 쿠키 대회 우승자의 배우자는 보통 대통령 선거에서도 이겼다고 한 뒤, 빈칸이 있는 문장에서는 그 예시로 오바마, 부시, 클린턴 부부를 언급했다. 따라서 빈칸에는 ⑤ '예를 들어'가 가장 적절하다.

3 ①, ⑤: 대통령 쿠키 선거의 마지막 우승자와 누가 가장 많은 득표 차이로 이겼는지에 대한 언급은 없다.
②: 문장 ❸에서 그것은 1992년부터 열렸다고 했다.
③: 문장 ❻에서 시민들이 직접 쿠키를 구워본 후 그들이 더 좋아한 쿠키에 투표했다고 했다.
④: 문장 ❾에서 그것의 원래 이름은 영부인 쿠키 경연이었다고 했다.

4 문장 ❾-❿에서 경연의 원래 이름은 영부인 쿠키 경연이었으나, 힐러리 클린턴이 대통령에 출마했을 때 그녀의 남편인 빌이 조리법을 제출해야 했다고 했다. 따라서 영부인 쿠키 경연이라는 이름이 적절하지 않아 변경해야 했음을 유추할 수 있다.

---

❽ For example, **the Obamas**, **the Bushes**, and **the Clintons** won *both the cookie recipe contest and the presidential poll*.
→ 「the + 성씨의 복수형」은 부부나 가족을 나타낸다. *ex.* **The Potters** attended the party. (Potter 부부는 그 파티에 참석했다.)
→ 「both A and B」는 'A와 B 모두, 둘 다'라는 의미이다.

❾ 「A be called B」는 'A가 B라고 불리다'라는 의미이다.

❿ However, when Hillary Clinton ran for president, her husband Bill **had to** submit his recipe.
→ had to는 have to(~해야 한다)의 과거형으로, '~해야 했다'라고 해석한다.

⓫ 「A be changed to B」는 'A가 B로 바뀌다'라는 의미로, 「change A to B(A를 B로 바꾸다)」의 수동태 표현이다.

본문 해석

❶ 우주선 Dragon호는 2020년 4월에 마지막 임무 후 다시 성공적으로 지구로 돌아왔다. ❷ 그것은 국제 우주 정거장으로 다수의 운행을 한 첫 번째 우주선이었다.

❸ 보통, 우주선이 우주로 보내질 때, 그것이 손상 없이 돌아오는 것은 극히 어렵다. ❹ 그것은 최고 섭씨 1,850도의 온도를 견뎌야 한다. ❺ 게다가, 그것이 항상 올바른 장소에 착륙하는 것은 아니다. ❻ 대기 상층부에서 부는 강한 바람은 착륙 구역으로 비행하는 것을 어렵게 만든다. ❼ 하지만, Dragon호는 많은 손상 없이 본부로 돌아오는 데 성공했다. ❽ 그 결과, 그것의 부품 중 대부분이 재사용할 수 있었는데, 이는 새로운 부품을 만들기 위해 필요한 시간과 돈을 절약했다.

❾ Dragon호와 같은 우주선은 결국 더 빈번하고 더 저렴한 우주여행을 가능하게 할 것이다. ❿ 실제로, 우주선 개발자들은 미래에 상업적인 우주 비행을 가능하게 만들기 위해 노력하고 있다. ⓫ 만약 그들이 성공한다면, 우리는 심지어 달로 견학을 갈 수도 있을 것이다!

❶ The spacecraft Dragon / came back to the Earth successfully again /
우주선 Dragon호는   다시 성공적으로 지구에 돌아왔다

after its final mission / in April 2020. ❷ It was the first spacecraft / to
그것의 마지막 임무 후   2020년 4월에   그것은 첫 번째 우주선이었다

make multiple trips / to the International Space Station. /
다수의 운행을 한   국제 우주 정거장으로

❸ Usually, / when spacecraft are sent into space, / it's extremely
보통   우주선들이 우주로 보내질 때   극히 어렵다

difficult / for them / to return without damage. / ❹ They must withstand /
그것들이   손상 없이 돌아오는 것은   그것들은 견뎌야 한다

temperatures of up to 1,850°C. / ❺ Moreover, / they don't always land /
최고 섭씨 1,850도의 온도를   게다가   그것들이 항상 착륙하는 것은 아니다

in the right place. / ❻ Heavy winds / blowing in the upper atmosphere /
올바른 장소에   강한 바람은   대기 상층부에서 부는

make it difficult / to navigate to the landing zone. / ❼ However, / the
어렵게 만든다   착륙 구역으로 비행하는 것을   하지만

Dragon succeeded / in returning home without much damage. / ❽ As
Dragon호는 성공했다   많은 손상 없이 본부로 돌아오는 데

a result, / most of its parts were reusable, / which saved the time and
그 결과   그것의 부품들 중 대부분이 재사용할 수 있었다   그런데 이것은 시간과 돈을 절약했다

money / needed to make new ones. /
새로운 것들(부품)을 만들기 위해 필요한

❾ Spacecraft like the Dragon / will eventually allow / for more frequent
Dragon호와 같은 우주선은   결국 가능하게 할 것이다   더 빈번하고

and cheaper space travel. / ❿ In fact, / spacecraft developers are trying /
더 저렴한 우주여행을   실제로   우주선 개발자들은 노력하고 있다

to make commercial space flight possible / in the future. / ⓫ If they
상업적인 우주 비행을 가능하게 만들기 위해   미래에   만약 그들이

succeed, / we might even take field trips / to the Moon! /
성공한다면   우리는 심지어 견학을 갈 수도 있을 것이다   달로

구문 해설

❷ to make 이하는 '국제 우주 정거장으로 다수의 운행을 한'이라는 의미로, to부정사의 형용사적 용법으로 쓰여 the first spacecraft를 수식하고 있다.

❸ Usually, when spacecraft are sent into space, **it's** extremely difficult *for them* **to return without damage**.
→ it은 가주어이고, to return 이하가 진주어이다. 이때 가주어 it은 따로 해석하지 않는다.
→ 「for + 목적격」은 to부정사의 의미상 주어이다.
  cf. 「of + 목적격」: 사람의 성격/태도를 나타내는 형용사가 있을 때   *ex.* It was rude **of me** to say so. (그렇게 말한 것은 내가 무례했다.)

❺ not always는 '항상 ~한 것은 아니다'라는 의미로, 전체가 아닌 일부를 부정하는 [부분 부정]을 나타낸다.

❻ Heavy winds [**blowing** in the upper atmosphere] *make it difficult* to navigate to the landing zone.
→ [ ]는 앞에 온 Heavy winds를 수식하는 현재분사구이다. 이때 blowing은 '부는'이라고 해석한다.
→ 「make + 목적어 + 형용사」는 '~을 …하게 만들다'라는 의미이다.

1 이 글의 제목으로 가장 적절한 것은?

① Difficulties of Space Travel 우주여행의 어려움
② Building a New Space Station 새로운 우주 정거장을 짓기
③ A Big Project to Find a Lost Spacecraft 잃어버린 우주선을 찾는 대형 프로젝트
④ The First Spacecraft That Went into Space 우주로 간 첫 번째 우주선
⑤ A Spacecraft That Is Economical and Time-saving 경제적이고 시간을 절약해 주는 우주선

2 우주선 Dragon호에 관한 이 글의 내용과 일치하지 <u>않는</u> 것은?

① It traveled to space multiple times. 그것은 우주로 여러 번 여행했다.
② It was the first to visit the International Space Station.
국제 우주 정거장을 방문한 것은 그것이 최초였다.
③ It will help make space travel cheaper. 그것은 우주여행을 더 저렴하게 만드는 것을 도울 것이다.
④ It didn't receive much damage while returning to the Earth.
그것은 지구로 돌아오는 동안 많은 손상을 입지 않았다.
⑤ Its parts could be used again for extra trips.
그것의 부품은 추가적인 운행을 위해 다시 사용될 수 있었다.

3 다음 빈칸에 공통으로 들어갈 단어를 글에서 찾아 쓰시오.

- The city's ___atmosphere___ has been polluted by factories.
  그 도시의 공기는 공장으로 인해 오염되었다.
- This restaurant has a romantic ___atmosphere___.
  이 식당은 낭만적인 분위기를 가지고 있다.

4 이 글의 내용으로 보아, 다음 빈칸에 들어갈 말을 보기 에서 골라 쓰시오.

보기	return	commercial	multiple	recover
	돌아오다	상업적인	다수의	회복하다

When spacecraft ___return___ to the Earth, they easily get damaged. However, the spacecraft Dragon was capable of coming back safely and making ___multiple___ trips to space.

우주선이 지구로 돌아올 때, 그것들은 쉽게 손상을 입는다. 하지만, 우주선 Dragon호는 안전하게 돌아오고 우주로 다수의 운행을 할 수 있었다.

정답 1 ⑤ 2 ② 3 atmosphere 4 return, multiple

1 다른 우주선들과 달리 Dragon호는 많은 손상 없이 지구에 돌아오는 것이 가능하고, 그 덕분에 부품을 재사용하여 우주선 부품 제작에 필요한 시간과 돈을 절약할 수 있음을 설명하는 글이므로, 제목으로 ⑤ '경제적이고 시간을 절약해 주는 우주선'이 가장 적절하다.

2 ②: 문장 ❷에서 Dragon호가 국제 우주 정거장으로 다수의 운행을 한 첫 번째 우주선이라고는 했지만, 그곳을 방문한 최초의 우주선이라는 것에 대한 언급은 없다.
①: 문장 ❷에서 Dragon호는 국제 우주 정거장으로 다수의 운행을 했다고 했다.
③: 문장 ❾에 언급되어 있다.
④: 문장 ❼에서 Dragon호가 많은 손상 없이 본부로 돌아오는 데 성공했다고 했다.
⑤: 문장 ❽에서 Dragon호의 부품 중 대부분이 재사용할 수 있었다고 했다.

3 빈칸에 공통으로 들어갈 알맞은 단어는 '공기; 분위기'라는 뜻을 가진 atmosphere이다.

4 문제 해석 참고

→ it은 가목적어이고, to navigate 이하가 진목적어이다. 이때 가목적어 it은 따로 해석하지 않는다.
❼ 「succeed in + v-ing」는 '~하는 데 성공하다'라는 의미이다.
❽ As a result, **most of its parts** were reusable[, *which* saved the time and money {<u>needed</u> to make new ones}].
→ 「most of + 명사」는 '~ 중 대부분, 대부분의 ~'라는 의미이다. 주어로 쓰일 경우 of 뒤에 오는 명사에 따라 동사의 수가 결정된다. 이 문장에서는 parts라는 복수명사가 와서 복수동사 were이 쓰였다.
cf. 「most of + 단수명사 + 단수동사」 *ex.* **Most of the house was** damaged by fire. (그 집의 대부분이 화재로 손상되었다.)
→ [ ]는 앞에 온 문장 전체를 선행사로 가지는 계속적 용법의 관계대명사절이다. 여기서는 '그런데 이것(그 결과 부품 중 대부분이 재사용할 수 있었던 것)은 ~하다'라고 해석한다.
→ { }는 앞에 온 the time and money를 수식하는 과거분사구이다. 이때 needed는 '필요한, 요구되는'이라고 해석한다.
❿ 「try + to-v」는 '~하려고 노력하다'라는 의미이다. *cf.* 「try + v-ing」: (시험 삼아) ~해보다

본문 해석

❶ Minnie의 오빠인 Phil은 최신형 노트북을 마련했다. ❷ 하지만, 그는 절대로 그녀가 그것을 사용하게 두지 않았다. ❸ 어느 날, Minnie는 그가 축구 연습 중인 동안 그의 노트북을 사용하려고 했다. ❹ 하지만 그녀가 그것을 켰을 때, 그것은 비밀번호로 잠겨있었다! ❺ 다행히, 그것을 알아내기 위한 단서가 있었다.

❻ 다섯 개의 색칠된 네모가 있었고, 각각의 네모에는 글자가 있었다. ❼ Minnie는 그 글자들을 입력하려고 했지만, 이것은 잘되지 않았다. ❽ 숫자들만 입력될 수 있었다. ❾ 그녀는 그 글자와 색깔이 어떻게 관련되어 있는지 생각했다. ❿ 첫 번째 네모는 노란색이었고 글자 'W'를 포함하고 있었다. ⓫ 몇 분 후에, 그녀는 미소를 지었다. ⓬ 그녀는 숫자들을 입력했고 그것들은 정확했다!

⓭ Minnie는 컴퓨터 게임을 하기 시작했지만, 곧 Phil이 집에 돌아와 그녀를 발견했다. ⓮ 놀랍게도, 그는 아무 말도 하지 않았다. ⓯ 대신에, 그는 부엌으로 달려가 도넛을 집었다. ⓰ "그만둬!" ⓱ Minnie는 그가 그것을 한 입 베어 무는 것을 보았을 때 소리를 질렀다. ⓲ 그는 그녀가 하루 종일 아껴두었던 도넛을 먹고 있었다!

---

❶ Minnie's brother Phil / got a brand-new laptop. / ❷ However, / he
　　Minnie의 오빠인 Phil은　　최신형 노트북을 마련했다　　　하지만　　그는

would never let her use it. / ❸ One day, / Minnie tried to use his laptop /
절대로 그녀가 그것을 사용하게 두지 않았다　어느 날　　Minnie는 그의 노트북을 사용하려고 했다

while he was at soccer practice. / ❹ But when she turned ⓐ it on, / it was
그가 축구 연습 중인 동안　　　　　　하지만 그녀가 그것을 켰을 때　　그것은

locked with a password! / ❺ Luckily, / there was a clue / to figure ⓑ it out: /
비밀번호로 잠겨있었다　　다행히　　단서가 있었다　　그것을 알아내기 위한

❻ There were five colored boxes, / and each box had a letter. /
다섯 개의 색칠된 네모가 있었다　　　그리고 각각의 네모에는 글자가 있었다

❼ Minnie tried to enter these letters, / but this didn't work. / ❽ Only
Minnie는 그 글자들을 입력하려고 했다　　　하지만 이것은 잘되지 않았다　　오직

numbers could be entered. / ❾ She thought about / how the letters and
숫자들만 입력될 수 있었다　　　그녀는 ~에 관해 생각했다　　그 글자들과

colors were connected. / ❿ The first box was yellow and contained the
색깔들이 어떻게 관련되어 있는지　　첫 번째 네모는 노란색이었고 글자 'W'를 포함하고 있었다

letter W. / ⓫ After a few minutes, / she smiled. / ⓬ She typed the numbers
몇 분 후에　　　　　　그녀는 미소를 지었다　그녀는 숫자들을 입력했다

in / and ⓒ they were right! /
그리고 그것들은 정확했다

⓭ Minnie started playing a computer game, / but soon / Phil came home
Minnie는 컴퓨터 게임을 하기 시작했다　　　　　하지만 곧　　Phil이 집에 돌아와

and caught her. / ⓮ Surprisingly, / he didn't say anything. / (③ ⓯ Instead, /
그녀를 발견했다　　놀랍게도　　그는 아무 말도 하지 않았다　　대신에

he ran to the kitchen and grabbed a donut. /) ⓰ "Stop!" / ⓱ Minnie
그는 부엌으로 달려가 도넛을 집었다　　　　그만둬　　Minnie는

screamed / as she watched him take a bite of it. / ⓲ He was eating the
소리를 질렀다　그녀가 그가 그것을 한 입 베어 무는 것을 보았을 때　그는 도넛을 먹고 있었다

donut / she had been saving all day! /
그녀가 하루 종일 아껴두었던

구문 해설

❷ 「let + 목적어 + 동사원형」은 '~가 …하게 두다'라는 의미이다.

❸ One day, Minnie **tried to use** his laptop *while* he was at soccer practice.
　→ 「try + to-v」는 '~하려고 노력하다'라는 의미이다.　*cf.* 「try + v-ing」: (시험 삼아) ~해보다
　→ while은 부사절을 이끄는 접속사로, '~하는 동안'이라는 의미이다.
　　cf. 접속사 while의 두 가지 의미: ① ~하는 동안 ② ~하는 반면에

❹ 「turn + 목적어 + on」은 '~을 켜다'라는 의미이다. 목적어가 대명사인 경우 turn과 on 사이에 와야 하지만, 대명사가 아닌 경우 turn on 뒤에도 올 수 있다.　*ex.* Could you **turn on the radio**? (라디오를 켜주시겠습니까?)

❾ She thought about [how the letters and colors were connected].
　→ [ ]는 「의문사 + 주어 + 동사」의 간접의문문으로, thought about의 목적어 역할을 하고 있다.

⓭ start는 목적어로 동명사와 to부정사 모두 쓸 수 있다.　*ex.* I **started to play** the piano. (나는 피아노를 치기 시작했다.)

1 Write what ⓐ, ⓑ, and ⓒ refer to in the passage. ⓐ, ⓑ, ⓒ가 가리키는 것을 글에서 찾아 쓰시오.

ⓐ: _____ his laptop _____ 그의 노트북

ⓑ: _____ a password _____ 비밀번호

ⓒ: _____ the numbers _____ 숫자들

2 Where is the best place for the sentence? 다음 문장이 들어가기에 가장 적절한 곳은?

> Instead, he ran to the kitchen and grabbed a donut.
> 대신에, 그는 부엌으로 달려가 도넛을 집었다.

①   ②   ③✔   ④   ⑤

3 Write Phil's laptop password. Phil의 노트북 비밀번호를 쓰시오.

PASSWORD: 6 ___4___ ___2___ ___2___ ___1___

4 How does Minnie feel by the end of the story? 이야기의 마지막에 Minnie는 어떻게 느꼈는가?

① relieved 안도한   ② afraid 두려운   ③✔ upset 화난

④ excited 신난   ⑤ moved 감동한

5 Complete each sentence with ONE word from the passage.

이 글에서 알맞은 한 단어를 찾아 각 문장을 완성하시오.

> • To use the phone, you have to _____ enter _____ the password.
> 휴대폰을 사용하려면, 당신은 비밀번호를 입력해야 합니다.
> • People cannot _____ enter _____ the museum after 8 p.m.
> 사람들은 오후 8시 이후에 박물관에 들어갈 수 없다.

정답   **1** ⓐ his laptop ⓑ a password ⓒ the numbers   **2** ③   **3** 4221   **4** ③   **5** enter

---

문제 해설

1 ⓐ는 문장 ❸의 his laptop(그의 노트북)을, ⓑ는 문장 ❹의 a password (비밀번호)를, ⓒ는 문장 ⑫의 the numbers(숫자들)를 가리킨다.

2 주어진 문장은 문장 ⑭에서 Phil이 아무 말도 하지 않은 대신 취한 행동으로 볼 수 있으며, 문장 ⑯-⑰의 내용은 그가 집어 든 도넛을 먹는 것을 보고 Minnie가 한 행동에 해당한다. 따라서 주어진 문장은 문장 ⑭와 ⑯ 사이에 오는 것이 자연스러우므로, ③이 가장 적절하다.

3 문장 ⑩에서 첫 번째 네모는 노란색 (yellow)이고 글자 W를 포함하고 있다고 했다. 이때 비밀번호의 첫 글자인 6은 yellow에서 6번째 글자인 W가 위치한 순서에 해당하므로, 나머지 비밀번호는 blue(파란색)에서 E, red(빨간색)에서 E, white(하얀색)에서 H, green(초록색)에서 G가 위치한 순서대로 4221임을 알 수 있다.

4 문장 ⑱에서 Phil이 Minnie가 하루 종일 아껴두었던 도넛을 먹고 있었다고 했으므로, 이야기의 마지막에 Minnie가 느꼈을 심경으로 ③ '화난'이 가장 적절하다.

5 빈칸에 공통으로 들어갈 알맞은 단어는 '입력하다; 들어가다'라는 뜻을 가진 enter이다.

---

⑰ Minnie screamed **as** she *watched him take* a bite of it.

→ as는 '~할 때, ~하면서'라는 의미로, 부사절을 이끄는 접속사로 쓰여 뒤에 「주어 + 동사」의 절이 왔다.

cf. 접속사 as의 다양한 의미: ① ~할 때, ~하면서 ② ~하듯이, ~하는 대로 ③ ~하기 때문에 ④ ~할수록, ~함에 따라

→ 「watch + 목적어 + 동사원형」은 '~가 …하는 것을 보다'라는 의미이다.

⑱ He **was eating** the donut [(which/that) she *had been saving* all day]!

→ 「be동사의 과거형 + v-ing」는 과거진행 시제로, '~하고 있었다, ~하는 중이었다'라고 해석한다.

→ [ ]는 앞에 온 선행사 the donut을 수식하는 목적격 관계대명사절로, 목적격 관계대명사 which/that이 생략되어 있다.

→ 「had been + v-ing」는 과거완료진행 시제로, 과거의 특정 시점보다 더 이전에 시작된 일이 그 시점까지도 계속 진행 중임을 강조하여 나타낸다. 그가 도넛을 먹고 있었던 과거의 시점보다 더 이전부터 그때까지 Minnie가 하루 종일 계속해서 그 도넛을 아껴두었다는 의미이다.

Review Test

1 ① **2** ⑤ **3** awareness **4** land **5** experience **6** familiarity **7** carry out **8** provide **9** 병원은 보급 본부에 더 많은 혈액을 요청한다. **10** 시간이 지나면서, 그들은 그것에 익숙해졌고 그것을 좋아하기 시작했다.

1 saved(구했다)와 가장 비슷한 의미의 단어는 ① 'rescued(구조했다)'이다.

> 소방관들은 건물 안에 갇혀있던 모든 사람들을 <u>구했다</u>.

② 시험했다 ③ 영향을 줬다 ④ 조사했다 ⑤ 지지했다

2 attach(붙이다)와 가장 반대되는 의미의 단어는 ⑤ 'separate(분리하다)'이다.

> 나는 벽에 선반을 <u>붙이기</u> 위해 망치와 못을 사용했다.

① 길을 찾다 ② 업로드하다 ③ 배달하다 ④ 마음을 끌다

[3-5]

3 이 캠페인은 환경 문제에 대한 대중의 (능력 / 인식)을 높인다.

4 우리 비행기는 두 시간 후에 시드니에 (착륙할 / 돈을 빌려줄) 것입니다.

5 자선 행사에 도움을 제공하는 것은 귀중한 (경험 / 차이)이었다.

[6-8]

보기	실시하다	제공하다	방향을 틀다	친밀함	사고

6 Dane이 내 형제처럼 생겨서 나는 <u>친밀함</u>을 느꼈다.

7 연구원들은 기후 변화의 원인을 찾기 위해 실험을 <u>실시할</u> 것이다.

8 청중의 관심을 유지하기 위해서는, 흥미로운 정보를 <u>제공하는</u> 것이 중요하다.

[9-10]

9 ask A for B: A에 B를 요청하다

10 get used to: ~에 익숙해지다

1 ⓑ **2** ⓒ **3** ⓐ **4** ② **5** construction **6** board **7** oversee **8** appointment **9** 그러고 나서 그 혼합물은 냉동되고 여러 조각들로 부서진다. **10** 사람들은 종종 제품이나 서비스를 위해 미리 예약을 한다.

[1-3]

1 expectation(예상) - ⓑ 어떤 것이 미래에 일어날 것이라는 믿음이나 느낌

2 appropriate(적절한) - ⓒ 특정한 상황이나 목적에 알맞은

3 sensation(느낌, 감각) - ⓐ 어떤 것을 신체적으로 느끼는 능력

4 satisfied(만족시켰다)와 가장 비슷한 의미의 단어는 ② 'pleased(기쁘게 했다)'이다.

> 그 게임은 그것을 사기 위해 줄 서서 기다려야 했던 고객들을 만족시켰다.

① 막았다   ③ 놀라게 했다   ④ 기억했다   ⑤ 짜증나게 했다

[5-8]

보기	건설 예약, 약속 감독하다 탑승하다 폭발

5 그 팀은 가능한 한 빠르게 호텔을 짓기 위해 그것의 건설에 열심히 애썼다.

6 모든 승객은 반드시 배가 떠나기 전에 탑승해야 합니다.

7 식당의 관리자는 주방 직원들과 종업원들을 감독해야 한다.

8 Emma는 오늘 오후에 치과 의사 선생님과 예약이 있었지만, 그것에 대해 잊어버렸다.

[9-10]

9 break into pieces: 여러 조각들로 부수다, 부서지다

10 make a reservation: 예약을 하다

Review Test

UNIT 03 본책 p.40

1 ③   **2** ④   **3** method/방식   **4** interrupt/방해하다   **5** surface/표면   **6** run out of   **7** transfer   **8** attempt   **9** 다시 말해서, 자일리톨은 그것들이 굶어 죽도록 만든다!   **10** 식료품점에서 복숭아 바구니를 살펴보고 있는 한 여성을 상상해 보아라.

1   ③ consume: 먹다; 소비하다

> • 우리는 근육을 키우기 위해 충분한 단백질을 <u>먹어야</u> 한다.
> • 이 숙제는 끝내는 데 많은 시간을 <u>소비할</u> 것이다.

① 소화하다   ② 쓰다   ④ 굽다   ⑤ 채우다

2   harmful(해로운)과 가장 반대되는 의미의 단어는 ④ 'safe(안전한)'이다.

> 이 상품은 피부에 <u>해로운</u> 영향을 끼치므로, 우리는 그것을 사용하는 것을 피해야 한다.

① 개인적인   ② 편리한   ③ 다양한   ⑤ 우아한

[3-5]

> **보기**   장식   방해하다   표면   방식   튕기다

3   어떤 것을 하는 방법 – method/방식

4   어떤 사람 또는 어떤 것을 잠시 동안 멈추게 하다 – interrupt/방해하다

5   어떤 것의 바깥쪽 또는 맨 위층 – surface/표면

[6-8]

> **보기**   ~을 다 써버리다   시도   가지고 다니다   옮기다   허용하다

6   내가 당장 휴대폰을 충전하지 않는다면 그것은 곧 에너지를 <u>다 써버릴</u> 것이다.

7   나는 종종 내 스마트폰을 이용해서 돈을 다른 사람들에게 <u>옮긴다</u>.

8   그의 첫 번째 <u>시도</u>에서, 그 선수는 이전의 기록을 깼다.

[9-10]

9   starve to death: 굶어 죽다

10   look through: ~을 살펴보다, 훑어보다

1 wealth **2** freedom **3** popularity **4** ② **5** ③ **6** vision **7** force **8** signal **9** 그런데 이 인형극들이 독립과 무슨 관련이 있을까? **10** 흥미롭게도, 일부 식당들은 이러한 현상을 더 많은 손님들을 끌어들일 기회로 여긴다.

[1-3]

> 보기   선택(지)(명사) : 선택적인(형용사)

1 형용사 wealthy(부유한)의 명사형은 wealth(부)이다.

2 형용사 free(자유로운)의 명사형은 freedom(자유)이다.

3 형용사 popular(인기 있는)의 명사형은 popularity(인기)이다.

[4-5]

4 ② seed: 씨앗

> 식물에 의해 만들어지는 새로운 식물로 자라날 수 있는 작은 물체

① 가지   ③ 잎   ④ 기관, 장기   ⑤ 줄기

5 ③ invader: 침략자

> 다른 나라에 들어가서 지배하는 한 나라의 군대 또는 사람들

① 군인   ② 재난   ④ 손님   ⑤ 상인

[6-8]

> 보기   강요하다   미루다   시력   신호   상황

6 Grace는 <u>시력</u>이 나쁘기 때문에 새로운 안경을 구입해야 한다.

7 나는 일찍 잠에 들고 싶지 않지만, 내 부모님은 항상 내가 그렇게 하도록 <u>강요하신다</u>.

8 우리가 음식이 필요할 때 뇌는 위장에 <u>신호</u>를 보낸다.

[9-10]

9 have to do with: ~과 관련이 있다

10 see A as B: A를 B로 여기다

UNIT 05 본책 p.64

1 ① **2** ② **3** ③ **4** as long as **5** promote **6** rather than **7** put aside **8** criticize **9** 그의 경력 동안 그는 많은 직업적인 공을 세웠다. **10** 대부분의 팬데믹은 동물과 인간 모두를 감염시키는 바이러스에서 비롯된다.

1 ②, ③, ④, ⑤는 명사이고, ① 'pleasant(즐거운)'는 형용사이다.

② 영양소 ③ 어른 ④ 향 ⑤ 사고

2 ② 'region(지역)'의 올바른 영영 풀이는 an area belonging to a country or a large area of the world(한 나라에 속해 있는 지역 또는 세계의 넓은 지역)이다. the belief in a god or gods(신 또는 신들에 대한 믿음)에 해당하는 단어는 religion(종교)이다.

① 조각상 - 어떤 사람이 돌이나 목재 같은 재료로 만든 예술 작품
③ 업적, 성취 - 열심히 노력한 것에서 얻어진 좋은 결과
④ 인구 - 특정한 지역에 살고 있는 사람들의 전체 수
⑤ 접근 - 어떤 것 또는 어떤 사람에게 다가가거나 가까이 가는 방식

3 declared(선언했다)와 가장 비슷한 의미의 단어는 ③ 'announced(발표했다)'이다.

> 비평가들은 <드라큘라>가 그 해의 최고의 영화라고 <u>선언했다</u>.

① 검토했다 ② 원했다 ④ 이의를 제기했다 ⑤ 발생했다

[4-8]

| 보기 | ~하기만 하면 | 비판하다 | ~을 제쳐두다 | ~보다는 | 홍보하다 |

4 내가 집에 8시까지 도착<u>하기만 하면</u> 나는 여전히 그 TV 쇼를 볼 수 있다.

5 그 상점은 그것의 개업 행사를 <u>홍보하기</u> 시작했다.

6 나는 포기하<u>기보다는</u> 시험을 위해 계속해서 열심히 공부할 것이다.

7 문제점들<u>은 제쳐두고</u> 좋은 점들에 대해 먼저 얘기해보자.

8 대중은 공장이 호수를 오염시켰기 때문에 그것을 <u>비판했다</u>.

[9-10]

9 make a contribution: 공을 세우다

10 originate from: ~에서 비롯되다

1 ④ **2** ① **3** ④ **4** doubt **5** apply **6** measure **7** try out **8** In honor of **9** '바이럴'이라는 용어는 바이러스가 사람들을 감염시키는 방식처럼, 제품 정보가 빠르게 널리 퍼지는 방식을 나타낸다. **10** 그리고 현재, 땀 센서는 그것을 이용하고 있다.

1 ①, ②, ③, ⑤는 유의어 관계이고, ④ 'specific(구체적인) - vague(모호한)'는 반의어 관계이다.
   ① 모으다 - 모으다   ② 공개하다 - 보여주다   ③ 설명하다 - 설명하다   ⑤ 편한 - 편리한

[2-3]

2 ① predict: 예측하다

사건이나 상황이 미래에 일어날 것이라고 말하다

   ② 존경하다   ③ 감지하다   ④ 영감을 주다   ⑤ 추천하다

3 ④ strategy: 전략

성공을 이루기 위한 자세한 계획이나 방법

   ① 홍보   ② 난장판   ③ 장비   ⑤ 진술

[4-6]

보기	소개하다 적용되다 의심하다 측정하다 부수다, 깨다

4 나는 Brad가 긴장되어 보이기 때문에 그가 내게 진실을 말하고 있다는 것을 <u>의심한다</u>.

5 프로 농구에서 새로운 규칙들이 모든 국가에 <u>적용될</u> 것이다.

6 우리는 책상을 방에 두기 전에 그것의 크기를 <u>측정해야</u> 한다.

[7-8]

보기	~을 기념하여 ~에서 떨어져 나오다 시도하다 ~에 위치해 있다

7 나는 하나를 고르기 전에 몇 가지 상품들을 <u>시도하기로</u> 결정했다.

8 부모님의 20주년 결혼 기념일을 <u>기념하여</u>, 나는 그들에게 꽃을 사드렸다.

[9-10]

9 refer to: ~을 나타내다, 가리키다

10 take advantage of: (기회 등을) 이용하다

Review Test

UNIT 07 본책 p.88

1 ⓒ   **2** ⓑ   **3** ⓐ   **4** complained   **5** mind   **6** benefits   **7** recipe   **8** content   **9** 무엇이 그들이 그렇게 오랜 시간을 기꺼이 기다리는 데 보내도록 만들까?   **10** 그리고 당신의 입은 스스로 빠르게 치유할 수 있다.

[1-3]

1 지나치게 많은 불량 식품을 먹는 것은 당신의 위장에 손상을 야기할 수 있다. - ⓒ harm(손상, 피해)

2 제발 어제 일어났던 일에 대한 나의 진실된 사과를 받아주세요. - ⓑ truthful(진실한)

3 선생님께서는 내 성적에 관해 부모님과 대화를 하셨다. - ⓐ conversation(대화)

[4-6]

4 그 호텔의 많은 손님들은 더러운 방에 대해 (불평했다 / 약속했다).

5 나는 음식을 내 친구들과 나누는 것을 (상기시키지 / 꺼리지) 않는다.

6 책을 읽는 것은 사고력을 향상시키는 것과 같은 많은 (이점 / 단백질)을 가진다.

[7-8]

보기	성격	조리법	구매	내용(물)

7 A: 너는 스파게티 소스를 만드는 방법을 알고 있니?

　　B: 내가 인터넷으로 그 조리법을 검색해 볼게.

8 A: 너는 과학 수업에 대해 어떻게 생각했니?

　　B: 그건 어려웠지만, 내용은 매력적이었어.

[9-10]

9 willing to: 기꺼이 ~하는

10 be capable of: ~할 수 있다

UNIT 08 본책 p.100

1 ②　**2** ③　**3** fable/우화　**4** route/경로　**5** enormous/엄청난　**6** pedestrian　**7** caution　**8** illusion　**9** 많은 책과 영화에서, 그 이야기는 중동에서 일어난다.　**10** 사실, 그것들은 이미 그 가게가 재고가 동나는 것을 두려워한 사람들에 의해 구매되었다.

1　①, ③, ④, ⑤는 동사이고 ② 'valley(계곡)'는 명사이다.
　　① 파괴하다　　　　　③ 다르다　　　　　④ 즐기다　　　　　⑤ 흔들리다

2　①, ②, ④, ⑤는 동사 - 명사 관계이고 ③ 'technique(기법) - technology(기술)'는 명사 - 명사 관계이다.
　　① 분리하다 - 분리　　② 혼합하다 - 혼합물　　④ 교육하다 - 교육　　⑤ 경향이 있다 - 경향

[3-5]

보기		경로　　선반　　적절한　　엄청난　　우화

3　인생에 대한 교훈을 말해주는 짧은 전통적인 이야기 - fable/우화

4　한 장소에서 다른 장소로 가기 위해 사용하는 길 - route/경로

5　극히 크기가 크거나 양이 많은 - enormous/엄청난

[6-8]

보기		현상　　보행자　　상징　　환상　　경계(심)

6　자전거를 타고 있었을 때 나는 한 <u>보행자</u>를 거의 칠 뻔했다.

7　길거리가 눈으로 덮여 있었기 때문에 Lisa는 <u>경계심</u>을 갖고 걸었다.

8　그 탐험가는 사막에서 오아시스를 발견했다고 생각했지만, 그것은 <u>환상</u>이었다.

[9-10]

9　take place: 일어나다, 발생하다

10 run out of: ~이 동나다, ~을 다 써버리다

UNIT 09 본책 p.112

1 survival **2** injury **3** combination **4** ① **5** ③ **6** emphasize **7** take over **8** overcome **9** 최소한 두 시간마다 일어나서 당신의 발뒤꿈치를 위아래로 움직여라. **10** 그것들의 디자인은 각 나라에서 무엇이 더 많은 관객을 끌어들일 것인지에 달려있다.

[1-3]

보기	계산(명사) : 계산하다(동사)

1 동사 survive(살아남다)의 명사형은 survival(생존)이다.

2 동사 injure(부상을 입히다)의 명사형은 injury(부상)이다.

3 동사 combine(조합하다)의 명사형은 combination(조합)이다.

[4-5]

4 ① strengthen: 강화하다

어떤 것을 물리적으로 더 튼튼하게 또는 더 효과적이게 만들다

② 돌아가다　　　　③ 접속하다　　　　④ 붙잡다　　　　⑤ 얻다

5 ③ instruction: 설명서

어떤 것을 하거나 사용하는 방법을 설명하는 조언이나 정보

① 지능　　　　② 집중　　　　④ 인상　　　　⑤ 불가사의

[6-8]

보기	이어받다　　극복하다　　낭비하다　　알아내다　　강조하다

6 만약 당신의 발표에서 몇 가지 말을 <u>강조하고</u> 싶다면, 그것들을 더 크게 말해라.

7 Flora씨가 다른 도시로 이사할 것이기 때문에, 다른 선생님께서 그녀의 수업을 <u>이어받을</u> 것입니다.

8 Richard는 어려운 상황을 포기하지 않고 <u>극복하려고</u> 노력하고 있다.

[9-10]

9 at least: 최소한

10 depend on: ~에 달려있다

1 ⑤ **2** ② **3** anxiety **4** clue **5** succeed in **6** won by **7** submit **8** participated in **9** 그에 따라, 그 경연의 이름은 대통령 쿠키 선거로 바뀌었다. **10** Minnie는 그가 그것을 한 입 베어 무는 것을 보았을 때 소리를 질렀다.

[1-2]

1 ⑤ report: 보고하다

어떤 것에 대한 설명이나 정보를 어떤 사람에게 주다

① 일정을 변경하다 ② 발견하다 ③ 구분하다 ④ 개선하다

2 ② commercial: 상업적인

상품을 구매하거나 판매하는 것에 관련된

① 화학적인 ③ 의료의 ④ 탄력 있는 ⑤ 직업적인

[3-4]

3 나라의 침체된 경제 때문에 사람들의 (불안 / 기회)이 증가하고 있다.

4 탐정이 범죄를 해결하는 것을 도울 (가치 / 단서)를 발견했다.

[5-8]

보기	제출하다 ~에 성공하다 ~의 차이로 승리하다 ~에 참여하다 탈출하다

5 나는 내가 지난번보다 더 높은 시험 점수를 받는 데 성공할 것이라고 확신한다.

6 그 경기는 팀이 단 1점의 차이로 승리했기 때문에 매우 흥미진진했다. (이때 문장에서 과거 시제가 쓰였으므로, win을 won으로 고쳐 써야 한다.)

7 Swift씨는 학생들에게 그들의 수학여행 허가서를 제출하라고 말했다.

8 Rolando는 작년에 동물을 보호하기 위한 지역 자원봉사 활동에 참여했다. (이때 문장에서 과거를 나타내는 last year(작년에)가 쓰였으므로, participate를 participated로 고쳐 써야 한다.)

[9-10]

9 in response: 그에 따라, 대응하여

10 take a bite of: ~을 한 입 베어 물다

Workbook

직독직해

◀ QR로 정답 확인하기

* 해설집 pp.2~80에 실린 지문 끊어읽기 해석으로 정답을 확인하거나, 정답 PDF를 해커스북(HackersBook.com)에서 다운받을 수 있습니다.

서술형 추가 문제

UNIT 01 — 1   p.3

A
(1) accident
(2) operation
(3) rescue

B
(1) start learning
(2) has been fixed
(3) which caused great damage

C
(1) deliver blood bags
(2) drop a box
(3) look for missing people
(4) search in the dark
(5) hard to reach

UNIT 01 — 2   p.5

A
(1) experience
(2) repeatedly
(3) indifferent

B
(1) the park where they play badminton
(2) Yoona used to play the cello
(3) The movie was so touching that I cried

C
(1) hated

---

(2) inside
(3) love[like]
(4) center
(5) naturally
(6) familiarity principle
(7) exposed

UNIT 01 — 3   p.7

A
(1) provide
(2) similar
(3) length

B
(1) grew up to become
(2) three times colder than
(3) may[might] have forgotten

C
(1) eight
(2) Passing
(3) navigating
(4) two
(5) lane
(6) fast[quickly]

UNIT 01 — 4   p.9

A
(1) record
(2) accuracy
(3) carry out

B
(1) I looked at myself in the mirror
(2) The horse became tired after running
(3) we call him an artist

C
(1) participated
(2) ice water
(3) awareness

UNIT 02 — 1   p.11

A
(1) sensation
(2) trap
(3) melt

B
(1) Have, watched
(2) made me join
(3) What Edison invented

C
(1) outer layer
(2) escapes
(3) cracking[popping]
(4) carbon dioxide
(5) bubbles

UNIT 02 — 2   p.13

A
(1) prevent
(2) opportunity
(3) in advance

B
(1) Fair play is as important as victory
(2) The night view was even more beautiful
(3) the vaccine by using a new technology

C
(1) damaging business
(2) order food in advance
(3) the food goes to waste
(4) making a blacklist

UNIT 02 — 3   p.15

A
(1) symbolize
(2) similarly
(3) appropriate

B

(1) register to run

(2) when going up

(3) why Jason is upset

C

(1) crack[break]

(2) break[crack]

(3) end

(4) dry

(5) sadness

(6) bad luck

(7) odd

UNIT 02
4   p.17

A

(1) Technology

(2) construct

(3) require

B

(1) How much money do you spend

(2) As the speech went on

(3) This clock can be bought

C

(1) a small crew

(2) be built in a day

(3) withstand extreme weather

(4) build a brand-new home

UNIT 03
1   p.19

A

(1) decoration

(2) fill

(3) sort

B

(1) is called Nemo

(2) to make a reservation

(3) spent all day playing

C

(1) doors

(2) behind

(3) open

(4) Christmas

(5) receiver

UNIT 03
2   p.21

A

(1) digest

(2) attempt

(3) starve to death

B

(1) I want something spicy for dinner

(2) a machine that can take pictures

(3) The boy ate a few cookies

C

(1) sugar

(2) natural sweetener

(3) similar

(4) consume[eat]

(5) run out of

UNIT 03
3   p.23

A

(1) select

(2) look through

(3) carry around

B

(1) so young that

(2) are connected to

(3) to hunt prey

C

(1) bank accounts

(2) automatically

(3) cash

(4) credit cards

(5) faster[simpler]

(6) simpler[faster]

UNIT 03
4   p.25

A

(1) notice

(2) smooth

(3) direction

B

(1) Have you ever listened to this song

(2) made people stay inside

(3) Without the map, the sailors would get lost

C

(1) double

(2) surface

(3) airflow

(4) bounce off

(5) players

(6) pitches

UNIT 04
1   p.27

A

(1) independence

(2) celebrate

(3) document

B

(1) by using pheromones

(2) has studied

(3) Since farming began

C

(1) German

(2) plays

(3) Czech

(4) native language

(5) independence

UNIT 04
2   p.29

A

(1) astronaut

(2) regularly

Workbook

(3) production

B

(1) mammals that live in the sea
(2) need to take in vitamins every day
(3) It is dangerous to ride a bicycle

C

(1) ③
(2) stems
(3) roots
(4) ⑤
(5) downward
(6) upward

**UNIT 04
3** p.31

A

(1) gather
(2) disappear
(3) stare at

B

(1) kept snowing
(2) what he said
(3) has left

C

(1) tiny spot
(2) nerves
(3) see
(4) fills
(5) the other eye
(6) created

**UNIT 04
4** p.33

A

(1) frequently
(2) decision
(3) delay

B

(1) see video games as a waste of time
(2) where the first Olympics were held

---

(3) couldn't decide what to wear

C

(1) wrong choice[decision]
(2) many[some] options[choices]
(3) attract
(4) single

**UNIT 05
1** p.35

A

(1) exhibit
(2) modify
(3) entirely

B

(1) tried to catch
(2) Have you been
(3) is made of

C

(1) upside down
(2) fountain
(3) ordinary
(4) gold
(5) museum bathroom
(6) unnecessary[luxurious]

**UNIT 05
2** p.37

A

(1) comment
(2) discouraged
(3) positive

B

(1) Not everyone agreed with
(2) impossible for us to change the train tickets
(3) explains how to build a robot

C

(1) hurt
(2) easily
(3) self-esteem

---

(4) depression
(5) encouraging[positive]
(6) lose
(7) improve

**UNIT 05
3** p.39

A

(1) capable
(2) surgeon
(3) career

B

(1) the artist who painted
(2) as scary as
(3) not math but science

C

(1) secret
(2) woman
(3) doctor
(4) study medicine
(5) dressed up
(6) degree
(7) army
(8) medical officer

**UNIT 05
4** p.41

A

(1) infect
(2) occur
(3) cooperate

B

(1) It has not rained since last month
(2) allowed me to borrow her laptop
(3) the restaurant that appeared on TV

C

(1) disease
(2) large proportion
(3) viruses
(4) animals
(5) declared

---

(6) cooperate

(7) vaccine

UNIT 06 1 p.43

A

(1) odd

(2) tradition

(3) break

B

(1) why he was crying

(2) told me to wash

(3) Once we arrived

C

(1) wedding tradition

(2) dishes[plates]

(3) good luck

(4) Shards

UNIT 06 2 p.45

A

(1) tool

(2) reveal

(3) advertising

B

(1) Though polar bears look cute

(2) the way she ties a knot

(3) The brown bag placed on the table

C

(1) anniversary

(2) once

(3) social media

(4) pop culture

(5) virus

(6) success

UNIT 06 3 p.47

A

(1) comfortable

(2) stick

(3) predict

B

(1) is able to solve

(2) to buy a guitar

(3) difficult to understand

C

(1) patch

(2) flexible

(3) sweat

(4) effort

(5) physical[health]

UNIT 06 4 p.49

A

(1) personality

(2) admire

(3) outgoing

B

(1) if the rumor was true

(2) so excited that he can't fall asleep

(3) lucky for the actor to get the role

C

(1) Barnum Effect

(2) tendency

(3) accurate

(4) apply

(5) vague

UNIT 07 1 p.51

A

(1) willing to

(2) complain

(3) celebrity

B

(1) don't mind lending

(2) None of the books

(3) used to go

C

(1) put up a tent

(2) short

(3) limited

(4) rare

UNIT 07 2 p.53

A

(1) put on

(2) all of a sudden

(3) exaggerate

B

(1) What Carl ate for breakfast

(2) much more popular than soccer

(3) The art festival will continue until the end of May

C

(1) ordinary

(2) colors

(3) coated

(4) vivid[colorful]

(5) color blindness

UNIT 07 3 p.55

A

(1) daily

(2) recipe

(3) sincere

B

(1) where to go

(2) fast enough to set

(3) of conducting this survey

C

(1) getting ready for
(2) learn tips
(3) directly connect
(4) real personalities

UNIT 07
4 p.57

A

(1) painful
(2) heal
(3) protein

B

(1) which was written 13 years ago
(2) may have used a hill
(3) The winter jacket was too big to wear

C

(1) enzyme
(2) burn
(3) breaks down
(4) digest

UNIT 08
1 p.59

A

(1) goods
(2) take place
(3) merchant

B

(1) the deepest lake
(2) built by the eagle
(3) might[may] come

C

(1) network
(2) connected
(3) Chinese
(4) silk
(5) fables
(6) cultural exchange

UNIT 08
2 p.61

A

(1) frustrated
(2) suitable
(3) destroy

B

(1) Lily wants Max to come
(2) watched the train coming into the station
(3) As we were having dinner

C

(1) Strong winds
(2) dyed
(3) valley
(4) engineers
(5) ⓑ, ⓒ, ⓐ

UNIT 08
3 p.63

A

(1) clever
(2) pedestrian
(3) float

B

(1) he were innocent
(2) heard that the restaurant
(3) while taking a walk
(4) appeared to be

C

(1) optical illusions
(2) flat
(3) shading techniques
(4) caution
(5) cheaper

UNIT 08
4 p.65

A

(1) rapidly
(2) cheap

(3) phenomenon

B

(1) diseases could be cured
(2) Whenever I have an exam
(3) gave me flowers, which made me happy

C

(1) store
(2) disaster
(3) harmful
(4) increase
(5) danger

UNIT 09
1 p.67

A

(1) tight
(2) responsibility
(3) lift

B

(1) spraining her ankle
(2) spent too much money buying
(3) forgot to charge

C

(1) sitting
(2) butt muscles
(3) take over
(4) cause
(5) sit still
(6) heels
(7) strengthen

UNIT 09
2 p.69

A

(1) scent
(2) instruction
(3) combination

B

(1) so clear that we could see the stars
(2) her friend who loves music

(3) Many people choose to live

C

(1) String cheese
(2) Milk
(3) Coffee
(4) perfumes
(5) necessities

UNIT 09
3 p.71

A

(1) mystery
(2) injury
(3) calculation

B

(1) to lie
(2) had missed the train
(3) located downtown

C

(1) ②
(2) a light fever
(3) a light headache
(4) ⑥
(5) common
(6) rare

UNIT 09
4 p.73

A

(1) original
(2) equally
(3) depend on

B

(1) Flowers were being planted by the children
(2) what made Daeho upset
(3) The cyclist was holding a bottle, which was full of water

C

(1) same

(2) bigger
(3) monster
(4) main characters
(5) grabbed

UNIT 10
1 p.75

A

(1) escape
(2) anxiety
(3) awake

B

(1) until he showed
(2) what happened yesterday
(3) is known to have

C

(1) anxiety[stress]
(2) stress[anxiety]
(3) creativity
(4) artistic
(5) Frequent
(6) health
(7) awake
(8) fatigued

UNIT 10
2 p.77

A

(1) submit
(2) run for
(3) competition

B

(1) taller than the statue by two meters
(2) The firefighter was called a hero
(3) Both English and French are spoken

C

(1) recipe
(2) presidential election[poll]
(3) spouses
(4) submitted
(5) voted

UNIT 10
3 p.79

A

(1) mission
(2) reusable
(3) multiple

B

(1) difficult for children to climb
(2) tried to go
(3) which comes every 10 minutes

C

(1) damage
(2) trips
(3) reusable
(4) saved
(5) space travel[flight/trips]

UNIT 10
4 p.81

A

(1) turn on
(2) enter
(3) scream

B

(1) She wants to know how the novel ends
(2) Jiwon had been waiting
(3) while he was visiting Europe

C

(1) brand-new laptop
(2) locked
(3) connected
(4) numbers

MEMO

MEMO

HACKERS
READING
SMART 3
LEVEL

해설집

나에게 맞는 교재 선택!

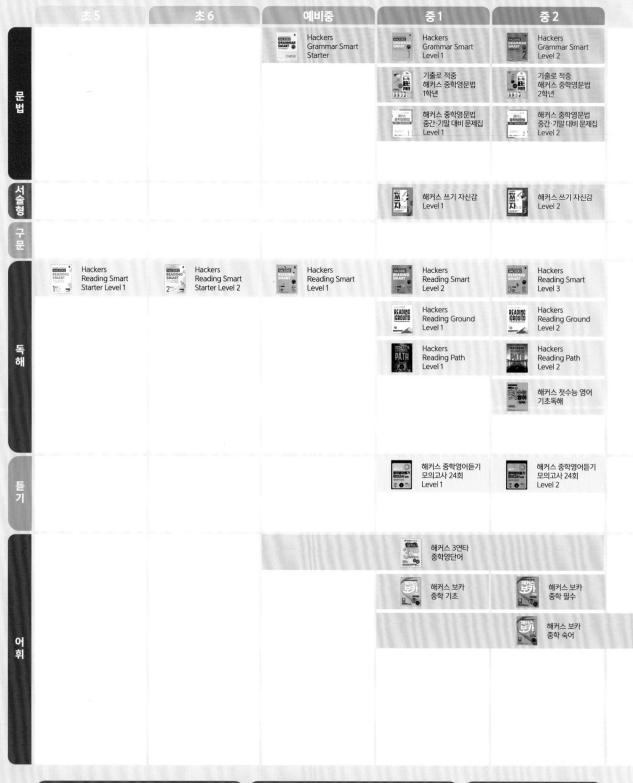

	초5	초6	예비중	중1	중2
문법			Hackers Grammar Smart Starter	Hackers Grammar Smart Level 1	Hackers Grammar Smart Level 2
				기출로 적중 해커스 중학영문법 1학년	기출로 적중 해커스 중학영문법 2학년
				해커스 중학영문법 중간·기말 대비 문제집 Level 1	해커스 중학영문법 중간·기말 대비 문제집 Level 2
서술형				해커스 쓰기 자신감 Level 1	해커스 쓰기 자신감 Level 2
구문					
독해	Hackers Reading Smart Starter Level 1	Hackers Reading Smart Starter Level 2	Hackers Reading Smart Level 1	Hackers Reading Smart Level 2	Hackers Reading Smart Level 3
				Hackers Reading Ground Level 1	Hackers Reading Ground Level 2
				Hackers Reading Path Level 1	Hackers Reading Path Level 2
					해커스 첫수능 영어 기초독해
듣기				해커스 중학영어듣기 모의고사 24회 Level 1	해커스 중학영어듣기 모의고사 24회 Level 2
어휘			해커스 3연타 중학영단어		
				해커스 보카 중학 기초	해커스 보카 중학 필수
					해커스 보카 중학 숙어

	READING	LISTENING	VOCA
토플	HACKERS APEX READING for the TOEFL iBT — Basic/Intermediate/Advanced/Expert	HACKERS APEX LISTENING for the TOEFL iBT — Basic/Intermediate/Advanced/Expert	HACKERS APEX VOCA for the TOEFL iBT — HACKERS VOCABULARY

HACKERS
READING SMART

LEVEL
3

WORKBOOK

HACKERS

실력을 올리는 직독직해

끊어 읽기 한 표시를 따라 문장 구조에 유의하여 해석을 쓰고, 각 문장의 주어에는 밑줄을, 동사에는 동그라미를 쳐보세요.

❶ Imagine / someone has been rushed to the hospital / after a car

accident. / ❷ The patient starts losing a lot of blood / during an operation. /

❸ The hospital asks the supply center / for more blood. / ❹ But it can take

hours / to deliver blood bags by car. / ❺ Instead, / the center sends a

drone. / ❻ It only takes 15 minutes / to deliver the bags! / ❼ Drones

have already made life-saving deliveries like this / 25,000 times / in Africa

alone. / ❽ And they make the deliveries / without landing. / ❾ The drones

simply drop a box / containing medical supplies / from the sky. / ❿ The

box is attached to a small parachute, / which allows it to land safely. /

⓫ However, / this isn't the only task / drones perform / to save lives. /

⓬ They play an especially big role / when looking for missing people /

after natural disasters. / ⓭ Drones can search / in the dark / or in areas

that are hard to reach. / ⓮ So / a drone is sometimes the best way / to save

people in need of rescue. /

실력을 더 올리는 **서술형 추가 문제**

A 우리말과 일치하도록 빈칸에 알맞은 단어를 글에서 찾아 쓰시오.

(1) Amy는 그 끔찍한 사고에 대해 들어서 슬펐다.

⇒ Amy was sad to hear about the terrible _____.

(2) 그 의사들은 어젯밤에 응급 수술을 했다.

⇒ The doctors performed an emergency _____ last night.

(3) 구조 작전은 매우 성공적이었다.

⇒ The _____ mission was very successful.

B 우리말과 일치하도록 괄호 안의 말을 활용하여 문장을 완성하시오.

(1) 나는 이탈리아어를 배우기 시작할 것이다. (start, learn)

⇒ I am going to _____ _____ Italian.

(2) 그 엘리베이터는 기술자에 의해 수리되었다. (fix)

⇒ The elevator _____ _____ _____ by the engineer.

(3) 그 도시는 태풍에 타격을 받았는데, 그것은 막대한 손해를 유발했다. (cause, great damage)

⇒ The city was hit by a typhoon, _____ _____ _____

_____.

C 글의 내용과 일치하도록 다음 빈칸에 들어갈 말을 보기에서 찾아 쓰시오.

| 보기 | hard to reach | drop a box | search in the dark |
| | deliver blood bags | look for missing people | easy to find |

Life-saving deliveries	**Rescuing people**
Drones can (1) _____ to hospitals in only 15 minutes. They (2) _____ containing medical supplies from the sky with a small parachute.	Drones can also be used to help (3) _____ after natural disasters. They can (4) _____ _____ and in places that are (5) _____.

실력을 올리는 직독직해

끊어 읽기 한 표시를 따라 문장 구조에 유의하여 해석을 쓰고, 각 문장의 주어에는 밑줄을, 동사에는 동그라미를 쳐보세요.

❶ Guy de Maupassant, a famous writer, / used to have lunch / every day / at a restaurant inside the Eiffel Tower. / ❷ He said, / "It is the only place in Paris / where I can sit / and not actually see the tower!" / ❸ Like him, / many Parisians hated the Eiffel Tower / at first. /

❹ However, / the tower was located in the city's center, / so people naturally saw it / every day. / ❺ Over time, / they got used to it / and started to love it. / ❻ This is an example of the familiarity principle. /

❼ The more you are exposed to something, / the more you like it. /

❽ You may have had this experience / with advertisements. /

❾ Advertisers use the same commercial / repeatedly. / ❿ At first, / you may be indifferent / or even annoyed by it. / ⓫ But later, / you find / yourself choosing the brand / you saw in the commercial. / ⓬ Just like the Parisians and the Eiffel Tower, / you get so familiar with it / that you like it in the end. /

실력을 더 올리는 **서술형 추가 문제**

A 다음 빈칸에 알맞은 단어를 보기에서 골라 쓰시오.

> 보기   familiarity   repeatedly   indifferent   actually   experience

(1) Customers often have a bad _____ at that restaurant.

(2) If you want to make something a habit, you need to do it _____.

(3) Some people seem _____ to environmental issues these days.

B 우리말과 일치하도록 괄호 안의 말을 알맞게 배열하시오.

(1) 이곳은 그들이 토요일마다 배드민턴을 치는 공원이다. (they / the park / badminton / where / play)

⇒ This is _____ every Saturday.

(2) 윤아는 학교 오케스트라에서 첼로를 연주하곤 했다. (play / used / the cello / Yoona / to)

⇒ _____ in the school orchestra.

(3) 그 영화가 너무 감동적이어서 나는 울었다. (touching / that / the movie / so / cried / was / I)

⇒ _____.

C 글의 내용과 일치하도록 다음 빈칸에 들어갈 말을 글에서 찾아 쓰시오.

> **Q.** How did many Parisians feel about the Eiffel Tower at first?
>
> **A.** They (1) _____ it at first. Guy de Maupassant even had lunch every day
> at a restaurant (2) _____ the tower in order not to see it.

> **Q.** How did their feelings about the tower change?
>
> **A.** They started to (3) _____ it. The tower was located in the city's
> (4) _____, so they (5) _____ saw it every day and got used to it.

> **Q.** What does this example illustrate?
>
> **A.** It shows the (6) _____ _____. If you are (7) _____ to
> something a lot, you like it in the end.

실력을 올리는 직독직해

끊어 읽기 한 표시를 따라 문장 구조에 유의하여 해석을 쓰고, 각 문장의 주어에는 밑줄을, 동사에는 동그라미를 쳐보세요.

❶ If you've ever seen the Winter Olympics, / you may have thought /

short-track skating and speed skating / look very similar. / ❷ However, /

these two are completely different sports. / ❸ The most basic difference /

is the track length. / ❹ The track for speed skating, / which is 400 meters

long, / is around four times longer / than that for short-track skating. /

❺ The rules are also quite different. / ❻ In short-track skating, / four to

eight skaters compete / at once. / ❼ Because there are so many skaters /

on the track, / passing competitors / and navigating around them quickly /

are important skills. / ❽ But in speed skating, / only two skaters are on

the ice, / each skating / in his or her own lane. / ❾ Skaters only focus on

going / as fast as possible. /

❿ In addition, / the blades of speed skates are long / to provide more

speed. / ⓫ The blades of short-track skates, / on the other hand, /

are shorter / so that the skaters can make turns / more easily. /

실력을 더 올리는 서술형 추가 문제

A 다음 영영 풀이에 해당하는 단어를 보기에서 골라 쓰시오.

> 보기   similar   length   compete   navigate   provide

(1) _____ : to give someone what they need

(2) _____ : alike and almost the same

(3) _____ : how long something is

B 우리말과 일치하도록 괄호 안의 말을 활용하여 문장을 완성하시오.

(1) 민수는 자라서 변호사가 되었다. (grow up, become)

⇒ Minsu _____ _____ _____ _____ a lawyer.

(2) 오늘 모스크바는 서울보다 세 배 더 춥다. (three times, cold)

⇒ Moscow is _____ _____ _____ _____ Seoul today.

(3) 그는 어제 꽃에 물 주는 것을 잊었을 수도 있다. (forget)

⇒ He _____ _____ _____ to water the flowers yesterday.

C 글의 내용과 일치하도록 다음 빈칸에 들어갈 말을 글에서 찾아 쓰시오.

Rules: Short-track Skating vs. Speed Skating

Short-track Skating	Speed Skating
• Four to (1) _____ skaters compete at one time.	• There are only (4) _____ skaters on the ice at one time.
• (2) _____ competitors and (3) _____ around them quickly are two important skills.	• Each of them skates in his or her own (5) _____. So they only have to focus on going very (6) _____.

실력을 올리는 **직독직해**

끊어 읽기 한 표시를 따라 문장 구조에 유의하여 해석을 쓰고, 각 문장의 주어에는 밑줄을, 동사에는 동그라미를 쳐보세요.

❶ People have started a new online challenge / with a plastic bottle. /

❷ It starts with closing the cap loosely. / ❸ Then / they kick the cap with the tips of their toes / to open it. / ❹ They record this / and upload the video / to their social media accounts. / ❺ After that, / the challenge is complete! /

❻ Actually, / martial artists used to do this / to increase the accuracy of their kicks. / ❼ It became popular / when some celebrities started doing it / on social media, / calling it the Bottle Cap Challenge. /

❽ Online challenges like this / are just for fun. / ❾ But many challenges are also carried out / in the public interest. / ⓫ The most famous one / is the Ice Bucket Challenge, / where people poured ice water over themselves. / ⓬ It was started / to raise awareness of Lou Gehrig's disease, / and tens of millions of people around the world / participated. /

❿ As a result, / lots of people learned about the disease. /

실력을 더 올리는 서술형 추가 문제

A 우리말과 일치하도록 빈칸에 알맞은 단어나 표현을 글에서 찾아 쓰시오.

(1) James는 어젯밤에 그 야구 경기를 녹화했다.

⇒ James _____(e)d the baseball game last night.

(2) 그 체조 선수들은 신속성과 정확성을 심사 받았다.

⇒ The gymnasts were judged on speed and _____.

(3) 그 경찰은 범죄자를 찾기 위해 조사를 실시할 것이다.

⇒ The police will _____ _____ an investigation to find the criminal.

B 우리말과 일치하도록 괄호 안의 말을 알맞게 배열하시오.

(1) 나는 머리를 손질하기 위해 거울 속 나 자신을 바라보았다. (the mirror / I / myself / in / looked at)

⇒ _____ to fix my hair.

(2) 그 말은 경주를 뛴 후 지치게 되었다. (after / became / the horse / tired / running)

⇒ _____ the race.

(3) Brian은 미술을 잘해서, 우리는 그를 예술가라고 부른다. (him / call / an artist / we)

⇒ Brian is good at art, so _____.

C 글의 내용과 일치하도록 다음 SNS 게시글의 빈칸에 들어갈 말을 글에서 찾아 쓰시오.

Young Hoon Kim
◎ 2 hours ago

I finally (1) _____ in the Ice Bucket Challenge! Thanks for choosing me, @**HackersSmart**. I poured (2) _____ _____ over myself, but I'm glad that I did it. I really hope this helps raise (3) _____ of Lou Gehrig's disease. Let's keep the challenge going! You're up next, @**happyjenny**. #IceBucketChallenge

♥ 5789 likes

실력을 올리는 직독직해

끊어 읽기 한 표시를 따라 문장 구조에 유의하여 해석을 쓰고, 각 문장의 주어에는 밑줄을, 동사에는 동그라미를 쳐보세요.

❶ Have you ever tried Shooting Star ice cream? / ❷ When you eat it, /

you can feel tiny explosions / in your mouth. / ❸ This is caused by

candies / called Pop Rocks. / ❹ They provide a unique sensation / by

popping / as they melt in your mouth. / ❺ So what makes Pop Rocks

pop? /

❻ The key is carbon dioxide / trapped inside the candy. / ❼ To make

Pop Rocks, / carbon dioxide gas is poured into sugar water. / ❽ Then /

the mixture is frozen / and broken into pieces. / ❾ When you eat

them, / the outer layer of sugar melts / and the carbon dioxide gas

escapes / into the air. / ❿ This causes the popping sensation / in your

mouth, / as well as the cracking sound / that comes with it. /

⓫ Carbon dioxide is also contained / in many soft drinks. / ⓬ That's

why / it feels like / bubbles are popping in your mouth / when you drink

them! /

실력을 더 올리는 서술형 추가 문제

A 다음 빈칸에 알맞은 단어를 보기에서 골라 쓰시오.

> 보기   freeze   trap   mixture   sensation   melt

(1) You might feel a painful _____ if you eat something cold very quickly.

(2) Wool keeps you warm because it _____s your body heat.

(3) The butter _____(e)d in the pan.

B 우리말과 일치하도록 괄호 안의 말을 활용하여 문장을 완성하시오.

(1) 당신은 인도 영화를 본 적이 있는가? (watch)

⇒ _____ you ever _____ an Indian movie?

(2) 나의 친구들은 내가 체스 클럽에 가입하도록 만들었다. (make, join)

⇒ My friends _____ _____ _____ the chess club.

(3) 에디슨이 발명했던 것은 우리 삶을 더 편하게 만들었다. (Edison, invent)

⇒ _____ _____ _____ made our lives more convenient.

C 글의 내용과 일치하도록 다음 빈칸에 들어갈 말을 글에서 찾아 쓰시오.

> **Q.** What makes Pop Rocks pop?
>
> **A.** When you eat Pop Rocks, the (1) _____ _____ of sugar melts and the carbon dioxide gas (2) _____ into the air. This makes a popping sensation and a(n) (3) _____ sound.

> **Q.** Why do soft drinks also cause a popping sensation in your mouth?
>
> **A.** Soft drinks also contain (4) _____ _____. That's why it feels like (5) _____ are popping in your mouth when you drink them.

실력을 올리는 **직독직해**

끊어 읽기 한 표시를 따라 문장 구조에 유의하여 해석을 쓰고, 각 문장의 주어에는 밑줄을, 동사에는 동그라미를 쳐보세요.

❶ People often make reservations / in advance / for products or services. / ❷ However, / some customers never show up / and don't cancel beforehand. / ❸ These customers are called no-shows. /

❹ No-shows cause problems / for other customers. / ❺ For example, / some people may not be able to board a train or plane / because of unused tickets / bought by no-shows. / ❻ In the restaurant business, / no-shows are even worse. / ❼ They can damage the business itself. /

❽ Customers sometimes make reservations / or order food / in advance. / (❾ Good service at the restaurant / is as important to customers as the food. /) ❿ If the people don't come, / the restaurant doesn't get paid for the work / and the food goes to waste. / ⓫ In addition, / the restaurant loses an opportunity / to accept other customers / while waiting for the no-show. / ⓬ The loss is even bigger / when the no-show is a large group. /

⓭ Nowadays, / many businesses try to prevent no-shows / by charging ahead of time / or making a blacklist. / ⓮ But no-shows still remain a problem / for businesses. /

실력을 더 올리는 서술형 추가 문제

A 우리말과 일치하도록 빈칸에 알맞은 단어나 표현을 글에서 찾아 쓰시오.

(1) 안전벨트를 매는 것은 심각한 부상을 막는 데 도움이 된다.

⇒ Wearing a seat belt helps _____ serious injuries.

(2) 파리 여행은 프랑스어를 연습할 수 있는 좋은 기회가 될 것이다.

⇒ The trip to Paris will be a great _____ to practice French.

(3) 비행기 표를 미리 사는 것이 더 저렴하다.

⇒ It's cheaper to buy airplane tickets _____ _____.

B 우리말과 일치하도록 괄호 안의 말을 알맞게 배열하시오.

(1) 페어플레이는 승리만큼 중요하다. (as / fair play / important / is / victory / as)

⇒ _____.

(2) 야경은 내가 생각했던 것보다 훨씬 더 아름다웠다. (even / beautiful / was / the night view / more)

⇒ _____ than I thought.

(3) 그 과학자는 신기술을 사용함으로써 백신을 개발했다. (using / the vaccine / a new technology / by)

⇒ The scientist developed _____.

C 글의 내용과 일치하도록 다음 대화의 빈칸에 들어갈 말을 보기에서 찾아 쓰시오.

> 보기   order food in advance   stand in line   damaging business
> the food goes to waste   making a blacklist   forget to pay

Robert: No-shows are (1) _____ these days.

Allen : That doesn't sound good. What's wrong?

Robert: Some customers make reservations or (2) _____.

If they don't come, we don't get paid for our work, and (3) _____

_____.

Allen : Why don't you try charging ahead of time or (4) _____?

Robert: Maybe I should try that!

실력을 올리는 **직독직해**

끊어 읽기 한 표시를 따라 문장 구조에 유의하여 해석을 쓰고, 각 문장의 주어에는 밑줄을, 동사에는 동그라미를 쳐보세요.

❶ Getting a gift for a boyfriend or girlfriend / can be difficult. /

❷ This is especially true / when he or she is from another country. /

❸ Here are a few examples / of why it's important to understand a

culture / when you give gifts. /

❹ In Vietnam, / cups and handkerchiefs are very bad gifts. / ❺ For

Vietnamese people, / cups symbolize the end of a relationship / since they

often crack or break. / ❻ Similarly, / handkerchiefs are not appropriate /

because they are used / to dry a person's tears. / ❼ In other words, / they

represent sadness after a breakup. /

❽ Meanwhile, / in Russia, / flowers are a favorite gift, / but you must

be careful / when giving them. / ❾ Never give yellow flowers / as they are

thought to be bad luck. / ❿ In addition, / always give bouquets / with an

odd number of flowers. / ⓫ Even numbers of flowers / are only given

at funerals. /

실력을 더 올리는 서술형 추가 문제

A 다음 빈칸에 알맞은 단어를 보기에서 골라 쓰시오.

> 보기   meanwhile   symbolize   crack   similarly   appropriate

(1) Flags _____ countries.

(2) The twins liked to dress _____ when they were young.

(3) Violent movies are not _____ for children.

B 우리말과 일치하도록 괄호 안의 말을 활용하여 문장을 완성하시오.

(1) 모든 마라톤 주자들은 경주를 뛰기 위해 등록해야 한다. (register, run)

⇒ All marathon runners must _____ _____ _____ in the race.

(2) 미나는 무대에 올라갈 때 긴장했다. (when, go, up)

⇒ Mina felt nervous _____ _____ _____ on stage.

(3) 나는 왜 Jason이 속상해 하는지 알고 싶다. (Jason, be, upset)

⇒ I want to know _____ _____ _____ .

C 글의 내용과 일치하도록 다음 빈칸에 들어갈 말을 글에서 찾아 쓰시오.

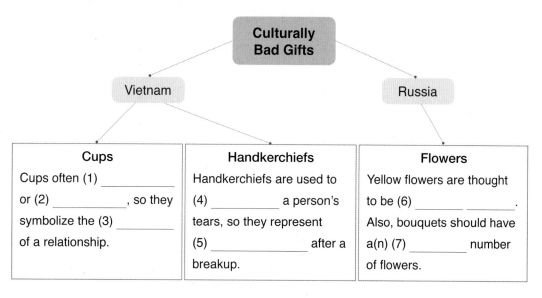

Culturally Bad Gifts

Vietnam

Russia

Cups	**Handkerchiefs**	**Flowers**
Cups often (1) _____ or (2) _____ , so they symbolize the (3) _____ of a relationship.	Handkerchiefs are used to (4) _____ a person's tears, so they represent (5) _____ after a breakup.	Yellow flowers are thought to be (6) _____ _____ . Also, bouquets should have a(n) (7) _____ number of flowers.

실력을 올리는 **직독직해**

끊어 읽기 한 표시를 따라 문장 구조에 유의하여 해석을 쓰고, 각 문장의 주어에는 밑줄을, 동사에는 동그라미를 쳐보세요.

❶ How long / do you think / it takes / to build a house? /

❷ Surprisingly, / a single 3D-printed house / takes only about a day /

to build. / ❹ It doesn't even require a lot of workers / to construct

it / because the 3D printer is controlled / by special software on a tablet. /

❸ With this program, / it can be built / by a small crew of four to six

people / in a day. / ❺ The workers just have to watch / the printer building

the basic structure / and make a few adjustments. / ❻ This structure is so

strong / that the house can withstand extreme weather. / ❼ It can even

remain standing / through hurricanes and earthquakes. / ❽ Best of all, / it

costs only about $10,000 / to build a brand-new home! /

❾ As technology improves, / 3D-printed houses will become cheaper

and faster / to build, / and their quality will increase. / ❿ In the future, /

we may be able to make entire cities / with the push of a button. /

실력을 더 올리는 서술형 추가 문제

A 우리말과 일치하도록 빈칸에 알맞은 단어를 글에서 찾아 쓰시오.

(1) 기술은 교실 환경을 바꿔놓았다.

⇒ _____ has changed the classroom environment.

(2) 저 다리를 건설하는 데 5년이 걸렸다.

⇒ It took five years to _____ that bridge.

(3) 선인장은 물을 거의 필요로 하지 않아서, 사막에서도 생존한다.

⇒ Cactuses _____ little water, so they survive even in deserts.

B 우리말과 일치하도록 괄호 안의 말을 알맞게 배열하시오.

(1) 당신은 한 달에 얼마나 많은 돈을 쓰나요? (you / spend / how / money / do / much)

⇒ _____ in a month?

(2) 연설이 계속될수록, 찬미는 점점 더 지루해졌다. (the speech / on / as / went)

⇒ _____, Chanmi got more and more bored.

(3) 이 시계는 20달러로 구매될 수 있다. (bought / this clock / be / can)

⇒ _____ for 20 dollars.

C 글의 내용과 일치하도록 다음 광고의 빈칸에 들어갈 말을 보기에서 찾아 쓰시오.

보기	withstand extreme weather	a small crew	a large group
	build a brand-new home	break down easily	be built in a day

Now on Sale : 3D-Printed Houses

With (1) _____ of people, a single 3D-printed house can (2) _____ ! It can even (3) _____ such as hurricanes or earthquakes. The greatest advantage is the price! It costs only about $10,000 to (4) _____. Contact us now. Your new home is waiting!

실력을 올리는 직독직해

끊어 읽기 한 표시를 따라 문장 구조에 유의하여 해석을 쓰고, 각 문장의 주어에는 밑줄을, 동사에는 동그라미를 쳐보세요.

❶ You can get 24 Christmas gifts / with this special calendar! / ❷ It's

called an Advent calendar. / ❸ It has 24 little "doors," / and there is a

different gift / behind each one. / ❹ From December 1, / you open one

door / a day. / ❺ You receive a surprise every day / until Christmas. /

❻ Usually, / Advent calendars contain chocolates, sweets, or Christmas

decorations. / ❼ Sometimes, / more special items are found inside them. /

❽ Beauty product samples or popular character figures / can be behind

the doors! / ❾ You can also make your own Advent calendar. /

❿ You can fill it with letters or photos / and give it to your family or

friends. / ⓫ You can include / whatever the receiver likes, / so the

handmade calendars are more personal. /

⓬ Advent calendars let you enjoy every day / you spend / waiting for

Christmas. / ⓭ What sort of presents / would you like to get / from the

calendar? /

실력을 더 올리는 서술형 추가 문제

A 우리말과 일치하도록 빈칸에 알맞은 단어를 글에서 찾아 쓰시오.

(1) 풍선은 생일 파티를 위한 장식으로 자주 사용된다.

⇒ Balloons are often used as _____s for birthday parties.

(2) 나는 냉장고를 과일로 채웠다.

⇒ I _____(e)d the refrigerator with fruit.

(3) Sarah와 Peter는 같은 종류의 음악을 좋아한다.

⇒ Sarah and Peter like the same _____ of music.

B 우리말과 일치하도록 괄호 안의 말을 활용하여 문장을 완성하시오.

(1) 저 금붕어는 나의 가족에 의해 Nemo라고 불린다. (call, Nemo)

⇒ That goldfish _____ _____ _____ by my family.

(2) 저는 예약을 하고 싶습니다. (make, a reservation)

⇒ I would like _____ _____ _____.

(3) Paul은 게임을 하는 데 하루 종일을 보냈다. (spend, all day, play)

⇒ Paul _____ _____ _____ _____ games.

C 글의 내용과 일치하도록 다음 빈칸에 들어갈 말을 글에서 찾아 쓰시오.

A Christmas Tradition: The Advent Calendar

What it is	There are 24 little (1) _____ with a different gift (2) _____ each one.
How to use it	From December 1st, (3) _____ one door a day. You can receive a surprise every day until (4) _____.
What is inside	They contain desserts or Christmas decorations. You can also include whatever the (5) _____ likes.

실력을 올리는 **직독직해**

끊어 읽기 한 표시를 따라 문장 구조에 유의하여 해석을 쓰고, 각 문장의 주어에는 밑줄을, 동사에는 동그라미를 쳐보세요.

❶ Many types of bacteria / live in your mouth. / ❷ Among them, /

there are harmful bacteria / that cause tooth decay. / ❸ S. mutans, / for

example, / is actually the main cause of tooth decay. / ❹ This type of

bacteria / usually gets energy / from the sugar / in the food you eat. /

❺ However, / there is something sweet / that S. mutans can't digest. /

❻ It's a natural sweetener / called xylitol. / ❼ It has chemical qualities /

similar to those of sugar. / ❽ For this reason, / when you eat xylitol, /

the S. mutans bacteria mistake it for sugar / and consume it. / ❾ But

they cannot digest xylitol, / so they get no energy from it. / ❿ After a

few attempts / to eat xylitol, / the bacteria finally run out of energy, / die, /

and fall out of your mouth. / ⓫ In other words, / xylitol causes / them to

starve to death! /

실력을 더 올리는 서술형 추가 문제

A 다음 빈칸에 알맞은 단어나 표현을 보기에서 골라 쓰시오.

> 보기   digest   attempt   starve to death   quality   fall out of

(1) It takes about six to eight hours to _____ food.

(2) My first _____ at making muffins was successful.

(3) In the drought, many animals were left to _____.

B 우리말과 일치하도록 괄호 안의 말을 알맞게 배열하시오.

(1) 나는 저녁 식사로 무언가 매운 것을 원한다. (something / dinner / want / I / for / spicy)

⇒ _____.

(2) 드론은 공중에서 사진을 찍을 수 있는 기계이다. (take pictures / that / a machine / can)

⇒ A drone is _____ in the air.

(3) 그 소년은 간식으로 약간의 쿠키를 먹었다. (ate / cookies / few / the boy / a)

⇒ _____ for his snack.

C 글의 내용과 일치하도록 다음 빈칸에 들어갈 말을 글에서 찾아 쓰시오.

> **Q.** How do S. mutans bacteria get energy?
>
> **A.** They usually get energy from the (1) _____ in the food that you eat.

> **Q.** Is there something sweet that S. mutans bacteria cannot digest?
>
> **A.** Yes, they cannot digest a(n) (2) _____ _____ called xylitol.
> Its chemical qualities are (3) _____ to sugar.

> **Q.** How does xylitol cause S. mutans to die?
>
> **A.** The bacteria mistake xylitol for sugar and (4) _____ it. Their attempts
> to eat xylitol cause them to (5) _____ _____ _____
> energy and die.

실력을 올리는 직독직해

끊어 읽기 한 표시를 따라 문장 구조에 유의하여 해석을 쓰고, 각 문장의 주어에는 밑줄을, 동사에는 동그라미를 쳐보세요.

❶ Imagine a woman / looking through a basket of peaches / at a grocery store. / ❷ After selecting one of the fruits, / she doesn't go to a checkout counter / to pay. / ❸ Instead, / she scans a QR code with her phone, / and the payment is made! /

❹ In China, / this is a common method / for buying things. / ❺ Apps such as AliPay and WeChat Pay / are connected to users' bank accounts, / and their payments are automatically transferred / when they scan the QR codes. / ❻ This not only makes it unnecessary / to carry around cash or credit cards / but also makes / processing payments / much faster and simpler. /

❼ Now, / the technology is so popular / that it can be seen all across the country. / ❽ Even street performers and musicians / accept tips / this way. / ❾ Many believe / it will soon become the main form of payment / in other parts of the world, too. /

실력을 더 올리는 서술형 추가 문제

A 다음 영영 풀이에 해당하는 단어나 표현을 보기 에서 골라 쓰시오.

> 보기　　　look through　　select　　store　　carry around　　connect

(1) _____ : to choose something

(2) _____ : to check or read something quickly

(3) _____ : to take something from one place to another with you

B 우리말과 일치하도록 괄호 안의 말을 활용하여 문장을 완성하시오.

(1) 그는 너무 어려서 운전을 할 수 없다. (young)

⇒ He is _____ _____ _____ he can't drive a car.

(2) 그 헤드폰은 휴대전화에 연결되어 있다. (connect)

⇒ The headphones _____ _____ _____ the phone.

(3) 늑대들은 먹이를 사냥하기 위해 협력한다. (hunt, prey)

⇒ Wolves work together _____ _____ _____ .

C 글의 내용과 일치하도록 다음 빈칸에 들어갈 말을 글에서 찾아 쓰시오.

Using QR Codes to Pay

How it works	Apps are connected to users' (1) _____ _____ . When people scan the QR codes to buy things, their payments are (2) _____ transferred.
Why it is convenient	People no longer have to carry around (3) _____ or (4) _____ _____ . Using QR codes also makes processing payments much (5) _____ and (6) _____ .

실력을 올리는 직독직해

끊어 읽기 한 표시를 따라 문장 구조에 유의하여 해석을 쓰고, 각 문장의 주어에는 밑줄을, 동사에는 동그라미를 쳐보세요.

❶ Have you ever noticed the stitches on a baseball? / ❷ Most baseballs

have exactly 108 red double stitches / on their surface. / ❸ Interestingly, /

these stitches aren't just for show. / ❹ Without them, / the game of

baseball wouldn't be the same / as it is now. /

❺ Generally, / smooth surfaces have less air resistance. / ❻ However, /

fast flying balls are different. / ❼ When a ball without stitches travels /

in the air, / the opposing airflow moves / along the surface of the ball. /

❽ This pulls the ball backward / and makes it fly slower. / ❾ But the

stitches interrupt the airflow, / which causes the air to change directions /

and bounce off the ball. / ❿ So, / the air can't drag the ball back. /

⓫ This design also allows players to throw / various types of pitches, /

including fast balls, curve balls, and others. / ⓬ Therefore, / the little red

stitches / are quite important in baseball! /

실력을 더 올리는 서술형 추가 문제

A 우리말과 일치하도록 빈칸에 알맞은 단어를 글에서 찾아 쓰시오.

(1) 준수는 그의 모자가 없어진 것을 알아차렸다.

⇒ Junsu _____(e)d that his hat was missing.

(2) 그 대리석 식탁은 매끄럽고 차갑게 느껴졌다.

⇒ The marble table felt _____ and cold.

(3) 만약 네가 계속 그쪽 방향으로 걷는다면, 너는 은행을 보게 될 것이다.

⇒ If you keep walking in that _____, you'll see the bank.

B 우리말과 일치하도록 괄호 안의 말을 알맞게 배열하시오.

(1) 당신은 전에 이 노래를 들어본 적이 있는가? (ever / to / listened / you / this song / have)

⇒ _____ before?

(2) 추운 날씨는 사람들이 실내에 머물게 만들었다. (people / made / inside / stay)

⇒ The cold weather _____.

(3) 그 지도가 없다면, 선원들은 길을 잃을 것이다. (the sailors / get / the map / would / lost / without)

⇒ _____.

C 글의 내용과 일치하도록 다음 빈칸에 들어갈 말을 글에서 찾아 쓰시오.

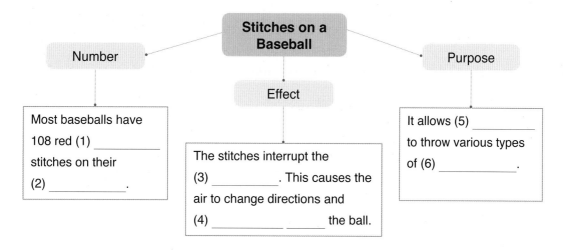

Stitches on a Baseball

Number

Most baseballs have 108 red (1) _____ stitches on their (2) _____ .

Effect

The stitches interrupt the (3) _____ . This causes the air to change directions and (4) _____ _____ the ball.

Purpose

It allows (5) _____ to throw various types of (6) _____ .

실력을 올리는 직독직해

끊어 읽기 한 표시를 따라 문장 구조에 유의하여 해석을 쓰고, 각 문장의 주어에는 밑줄을, 동사에는 동그라미를 쳐보세요.

❶ Czech people really love their marionettes. / ❷ These are a kind of puppet / controlled by moving wires or strings. / ❸ Marionette shows are common / during Czech festivals, / especially ones that celebrate the nation's independence. / ❹ But what do these puppet shows have to do / with independence? /

❺ In the 17th century, / Czech lands were under Habsburg rule. / ❻ During that time, / people were forced to use German, / the language of their invaders. / ❼ Conversations, documents, and even plays / had to be in German. / ❽ However, / the small puppet shows / that were held in homes and alleys / could still be performed in Czech. / ❾ This helped people / preserve their native language. / ❿ They also built up / hopes and dreams for independence / through these puppet shows. /

⓫ Since the country gained its freedom, / the marionettes have become a significant part of the culture. /

실력을 더 올리는 **서술형 추가 문제**

A 다음 빈칸에 알맞은 단어를 [보기]에서 골라 쓰시오.

> [보기]   celebrate   independence   rule   document   preserve

(1) Korea gained _____ in 1945.

(2) We are going to _____ Suji's birthday tomorrow.

(3) I need an envelope to put this _____ in.

B 우리말과 일치하도록 괄호 안의 말을 활용하여 문장을 완성하시오.

(1) 개미는 페로몬을 이용함으로써 의사소통할 수 있다. (use, pheromones)

⇒ Ants can communicate _____ _____ _____.

(2) Richard는 작년부터 중국어를 공부해왔다. (study)

⇒ Richard _____ _____ Chinese since last year.

(3) 농업이 시작된 이후로, 소는 중요하게 여겨졌다. (farming, begin)

⇒ _____ _____ _____, cows have been considered important.

C 글의 내용과 일치하도록 다음 빈칸에 들어갈 말을 글에서 찾아 쓰시오.

> **Q.** Why were puppet shows significant to the Czech people in the 17th century?
>
> **A.** During that time, people were forced to use (1) _____ in conversations, documents, and even in (2) _____. However, small puppet shows in people's homes and alleys could still be performed in (3) _____.

> **Q.** How did the puppet shows influence the Czech people?
>
> **A.** They helped preserve their (4) _____ _____. Also, the shows built up hopes and dreams for (5) _____.

실력을 올리는 **직독직해**

끊어 읽기 한 표시를 따라 문장 구조에 유의하여 해석을 쓰고, 각 문장의 주어에는 밑줄을, 동사에는 동그라미를 쳐보세요.

---

❶ Can humans grow plants / in space? / ❷ It seems impossible / because

it's hard / to provide plants with water, light, and gravity / in space. /

❸ Yet, / astronauts have found ways / to solve this problem! /

❹ Veggie / —also known as the Vegetable Production System— / is a

space garden / on the International Space Station. / ❺ To grow plants on

the Earth, / we only need to place a seed or roots in dirt / and regularly

provide water. / ❻ However, / this doesn't work in space. / ❼ Without

gravity, / the soil does not settle in pots / around the plants. / ❽ So /

Veggie's plants are grown / in a container of water. / ❾ Their roots are

fixed / with a special gum / that helps the plants grow in one place. /

❿ Furthermore, / LED lights installed above the plants / guide the stems

to grow upward. / ⓫ In this way, / gardening has become possible in

space. / ⓬ Soon, / we might be able to see a space farm / with various

plants! /

실력을 더 올리는 서술형 추가 문제

A 다음 영영 풀이에 해당하는 단어를 보기에서 골라 쓰시오.

> 보기   regularly   astronaut   production   install   gravity

(1) _____ : a person who travels and works in a spacecraft

(2) _____ : to do something at the same time each day, week, month, etc.

(3) _____ : the act of making things like goods, foods, plants, etc.

B 우리말과 일치하도록 괄호 안의 말을 알맞게 배열하시오.

(1) 고래는 바다에서 사는 포유류이다. (that / the sea / mammals / in / live)

⇒ Whales are _____ .

(2) 우리 몸은 매일 비타민을 섭취해야 한다. (to / take in / every day / need / vitamins)

⇒ Our bodies _____ .

(3) 헬멧 없이 자전거를 타는 것은 위험하다. (dangerous / it / a bicycle / ride / is / to)

⇒ _____ without a helmet.

C 다음은 국제 우주 정거장에서 식물을 기르고 있는 우주인의 일기이다. 글의 내용과 일치하지 <u>않는</u> 보기를 두 개 고르고, 알맞은 말을 글에서 찾아 바르게 고쳐 쓰시오.

> **Hello, Space Plants!**   **April, 202X**
>
>   With our space garden, growing plants in space is now possible! We found a way to provide water, light, and gravity. The plants are grown in ① a container of water. With ② a special gum, the ③ stems are fixed in place. Also, ④ LED lights guide the stems to grow ⑤ downward. Who knows? We might be able to create a space farm soon. Can't wait!

틀린 보기	고쳐 쓰기	
(1) _____	(2) _____ → (3) _____	
(4) _____	(5) _____ → (6) _____	

실력을 올리는 **직독직해**

끊어 읽기 한 표시를 따라 문장 구조에 유의하여 해석을 쓰고, 각 문장의 주어에는 밑줄을, 동사에는 동그라미를 쳐보세요.

❶ The human eye is an incredible organ. / ❷ Each one contains / as many as 1.6 million nerve fibers. / ❸ These fibers send signals to your brain, / which processes / what you see. / ❹ However, / there is a tiny spot in each eye / that does not have any nerves. / ❺ This is called the blind spot. / ❻ You cannot see anything / that comes in this area. / ❼ But you normally do not realize it. / ❽ Why? / ❾ Your brain immediately fills in the image / using information / gathered from the other eye. / ❿ Therefore, / you think / you have full vision, / but part of it is actually created / by your brain. /

⓫ You can check your blind spot / with this test. / ⓬ Cover your right eye / and stare at the green heart. / ⓭ Slowly move your face closer, / but keep focusing on it. / ⓮ At some point, / you may suddenly notice / that the red heart has disappeared. / ⓯ This happens / when the red heart is in your blind spot. /

실력을 더 올리는 **서술형 추가 문제**

A 다음 빈칸에 알맞은 단어나 표현을 보기에서 골라 쓰시오.

> 보기   stare at   disappear   nerve   gather   vision

(1) A bee is _____ing honey from flowers.

(2) Dinosaurs _____(e)d about 65 million years ago.

(3) Don't _____ the sun directly for too long.

B 우리말과 일치하도록 괄호 안의 말을 활용하여 문장을 완성하시오.

(1) 주말 내내 계속해서 눈이 내렸다. (keep, snow)

⇒ It _____ _____ throughout the weekend.

(2) Bella는 그가 말했던 것을 이해할 수 없었다. (he, say)

⇒ Bella couldn't understand _____ _____ _____.

(3) 부산행 기차는 이미 떠났다. (leave)

⇒ The train to Busan _____ _____ already.

C 글의 내용과 일치하도록 다음 빈칸에 들어갈 말을 글에서 찾아 쓰시오.

> **Q.** What is a blind spot?
>
> **A.** It is a(n) (1) _____ _____ in each eye that does not have any (2) _____. Therefore, you cannot (3) _____ anything that comes in to area.

> **Q.** Why do you normally not realize it?
>
> **A.** It is because your brain immediately (4) _____ in the image using information gathered from (5) _____ _____ _____. So, your full vision is actually (6) _____ by your brain.

실력을 올리는 직독직해

끊어 읽기 한 표시를 따라 문장 구조에 유의하여 해석을 쓰고, 각 문장의 주어에는 밑줄을, 동사에는 동그라미를 쳐보세요.

❶ "To be, / or not to be, / that is the question." / ❷ This is the most famous line / from the play *Hamlet*. / ❹ In the play, / Hamlet, the main character, / faces a situation / where he struggles to make a decision. /

❺ Like him, / you may have a hard time / making decisions / in some cases. / ❸ As a result, / you might delay making choices / or let others decide for you. /

❻ But / if this happens frequently, / you could have a condition / known as Hamlet Syndrome. / ❼ People with this syndrome are afraid / they will make the wrong choice. / ❽ Even an everyday decision / like choosing what to drink / can be stressful. / ❾ To these people, / having many options means / that they get more stressed! /

❿ Interestingly, / some restaurants see this phenomenon as an opportunity / to attract more customers. / ⓫ They provide a special menu each day / with a single item / for people who can't make a choice. /

⓬ They even have a menu item / for so-called Hamlets: / *Whatever*. /

실력을 더 올리는 **서술형 추가 문제**

A 우리말과 일치하도록 빈칸에 알맞은 단어를 글에서 찾아 쓰시오.

(1) 화재는 겨울에 더 자주 발생한다.

⇒ Fires occur more ＿＿＿＿＿＿＿＿ in the winter.

(2) 우리는 더 나은 결정을 하기 위해 다른 사람들의 말을 들어야 한다.

⇒ We should listen to others to make better ＿＿＿＿＿s.

(3) 그 항공편은 안개 때문에 미뤄졌다.

⇒ The flight was ＿＿＿＿＿(e)d because of the fog.

B 우리말과 일치하도록 괄호 안의 말을 알맞게 배열하시오.

(1) 많은 부모들은 비디오 게임을 시간 낭비로 여긴다. (video games / a waste of time / see / as)

⇒ Many parents ＿＿＿＿＿＿＿＿＿＿＿＿＿＿＿＿＿＿.

(2) 첫 올림픽이 열렸던 도시는 올림피아라고 불렸다. (the first Olympics / held / were / where)

⇒ The city ＿＿＿＿＿＿＿＿＿＿＿＿＿＿＿＿ was called Olympia.

(3) Joy는 축제에 갈 때 무엇을 입을지 결정할 수 없었다. (to / couldn't / wear / decide / what)

⇒ Joy ＿＿＿＿＿＿＿＿＿＿＿＿＿＿＿＿＿＿ for the festival.

C 글의 내용과 일치하도록 다음 빈칸에 들어갈 말을 글에서 찾아 쓰시오.

Hamlet Syndrome

What it is	People with this syndrome are afraid of making the (1) ＿＿＿＿＿＿＿＿ ＿＿＿＿＿＿＿. Having (2) ＿＿＿＿＿＿＿ ＿＿＿＿＿＿＿ makes them get more stressed.
How restaurants use it	Some restaurants use this as an opportunity to (3) ＿＿＿＿＿＿＿＿ more customers. They offer a special menu every day with a(n) (4) ＿＿＿＿＿＿ item for those who can't make a choice.

실력을 올리는 직독직해

끊어 읽기 한 표시를 따라 문장 구조에 유의하여 해석을 쓰고, 각 문장의 주어에는 밑줄을, 동사에는 동그라미를 쳐보세요.

❶ Have you ever seen a toilet exhibited / as art? / ❷ In 1917, / Marcel

Duchamp created a work / called *Fountain*. / ❸ The piece was just a

common urinal, / but he turned it upside down / to make it look like

a fountain. / ❹ This challenged many people's idea / of what art could

be. / ❺ And it showed / that ordinary objects could be art / as long as

they were modified / in a creative way. /

❻ A century later, / another artist / named Maurizio Cattelan / created

a sculpture / in the form of a toilet, / too. / ❼ It was placed in a museum

bathroom, / and people could actually use it. / ❽ More surprisingly, / the

sculpture was made entirely of gold! / ❾ Cattelan named it *America*. /

❿ Through *America*, / he tried to criticize / those who waste money on

unnecessary objects. / ⓫ He also made people ask themselves / whether

they really desired overly luxurious things, / like the golden toilet. /

실력을 더 올리는 **서술형 추가 문제**

A 우리말과 일치하도록 빈칸에 알맞은 단어를 글에서 찾아 쓰시오.

(1) 그 미술관은 클로드 모네의 그림들을 전시할 것이다.

⇒ The art museum will _____ paintings by Claude Monet.

(2) 이 앱에서 당신은 소리 설정을 쉽게 수정할 수 있다.

⇒ You can easily _____ the sound settings in this application.

(3) 그 연극의 관객은 전부 학생들이었다.

⇒ The audience of the play was _____ students.

B 우리말과 일치하도록 괄호 안의 말을 활용하여 문장을 완성하시오.

(1) Eric은 그 모기를 잡으려고 노력했으나, 그것은 너무 빨랐다. (try, catch)

⇒ Eric _____ _____ _____ the mosquito, but it was too fast.

(2) 당신은 전에 나이아가라 폭포에 가본 적이 있는가? (be)

⇒ _____ _____ _____ to Niagara Falls before?

(3) 그 가구는 나무로 만들어졌다. (make)

⇒ The furniture _____ _____ _____ wood.

C 글의 내용과 일치하도록 다음 빈칸에 들어갈 말을 글에서 찾아 쓰시오.

Fountain	*America*
• An artist turned a common urinal (1) _____ _____ to make it look like a(n) (2) _____ .	• It is a toilet-shaped sculpture made entirely of (4) _____ . It was placed in a(n) (5) _____ _____ .
• It challenged people's idea of art and showed how (3) _____ objects could be art.	• The artist tried to criticize those who waste money on (6) _____ objects.

실력을 올리는 **직독직해**

끊어 읽기 한 표시를 따라 문장 구조에 유의하여 해석을 쓰고, 각 문장의 주어에는 밑줄을, 동사에는 동그라미를 쳐보세요.

❶ Nowadays, / many kids are creating videos / and posting them online. / ❷ Many of their videos become popular, / and some even get millions of hits. / ❸ Unfortunately, / people sometimes post hateful comments / about these videos. / ❹ That's why / a few websites have banned leaving comments / for all videos / posted by children. / ❺ What do you think / about this? /

[Andrew] ❻ Although these comments could be just jokes, / young kids can be hurt by them / much more easily than adults. / ❼ As a result, / they can become discouraged / and have lower self-esteem. /

❽ In extreme cases, / they may even experience depression. /

[Emma] ❾ Not everyone posts hateful comments. / ❿ Most of the comments are not harmful, / and many are even encouraging. /

⓫ Banning all comments / stops us from giving positive feedback. / ⓬ For kids, / this means / they lose the opportunity / to improve their content. /

⓭ It is difficult / for them to know / what people like / or how to make their videos better. /

실력을 더 올리는 **서술형 추가 문제**

A 다음 빈칸에 알맞은 단어를 보기에서 골라 쓰시오.

> 보기   positive   discouraged   comment   ban   self-esteem

(1) You can express your opinion by posting _____s on the Internet.

(2) Jim's repeated failures made him feel _____.

(3) CCTV has both _____ and negative effects on society.

B 우리말과 일치하도록 괄호 안의 말을 알맞게 배열하시오.

(1) 모든 사람이 새로운 학교 정책에 대해 동의한 것은 아니다. (everyone / with / not / agreed)

   ⇒ _____ the new school policy.

(2) 우리가 기차표를 바꾸는 것은 불가능했다. (to / for / the train tickets / us / change / impossible)

   ⇒ It was _____.

(3) 그 설명서는 어떻게 로봇을 조립하는지 설명해준다. (build / explains / a robot / to / how)

   ⇒ The manual _____.

C 글의 내용과 일치하도록 다음 빈칸에 들어갈 말을 글에서 찾아 쓰시오.

Should leaving comments for all videos posted by children be banned?

YES	NO
• Hateful comments can (1) _____ young kids much more (2) _____ than adults. • The kids can become discouraged, have lower (3) _____, or even experience (4) _____.	• Not all comments are hateful, and many of them are even (5) _____. • If all comments are banned, kids can (6) _____ the chance to (7) _____ their content.

실력을 올리는 **직독직해**

끊어 읽기 한 표시를 따라 문장 구조에 유의하여 해석을 쓰고, 각 문장의 주어에는 밑줄을, 동사에는 동그라미를 쳐보세요.

❶ Dr. James Barry was a famous British surgeon / who served in the army / in the 19th century. / ❷ He made many professional contributions / during his career. /

⓫ One of them was / promoting the importance of sanitation in hospitals. / ⓬ For his entire professional life, / however, / he kept a great secret. / ⓭ After his death, / it was revealed / that Dr. James Barry was not a man but a woman! /

❻ James Barry was originally Margaret Bulkley. / ❼ She wanted to become a doctor, / but women were not allowed / to study medicine / at the time. / ❽ However, / Bulkley would not give up her dream. / ❾ She took her dead uncle's name / and dressed up like a man. / ❿ Then / she entered the University of Edinburgh Medical School. /

❸ She got her degree in 1812, / and she joined the army as a doctor / the next year. / ❹ She eventually became the second-highest medical officer / in the army. / ❺ Her life shows / that women are just as capable as men. /

실력을 더 올리는 **서술형 추가 문제**

A 다음 영영 풀이에 해당하는 단어를 보기에서 골라 쓰시오.

> 보기   surgeon   degree   capable   promote   career

(1) _____ : able to do things well

(2) _____ : a doctor who performs surgeries

(3) _____ : period of professional work in someone's life

B 우리말과 일치하도록 괄호 안의 말을 활용하여 문장을 완성하시오.

(1) 레오나르도 다빈치는 <모나리자>를 그린 예술가이다. (the artist, paint)

⇒ Leonardo da Vinci is _____ _____ _____ _____

the *Mona Lisa*.

(2) 그 영화는 Helen이 예상했던 것만큼 무섭지 않았다. (scary)

⇒ The movie wasn't _____ _____ _____ Helen expected.

(3) Adam이 가장 좋아하는 과목은 수학이 아니라 과학이다. (math, science)

⇒ Adam's favorite subject is _____ _____ _____

_____ .

C 다음은 James Barry의 가상 일기이다. 글의 내용과 일치하도록 다음 빈칸에 들어갈 말을 글에서 찾아 쓰시오.

> I have a great (1) _____ that no one knows. I am not a man but a(n)
> (2) _____ . Before I was Dr. James Barry, I was named Margaret Bulkley.
> I wanted to become a(n) (3) _____ , but women were not allowed to
> (4) _____ _____ . That is why I took my dead uncle's name and
> (5) _____ _____ like a man.
> I got my (6) _____ from the University of Edinburgh Medical School and
> joined the (7) _____ . I am now the second-highest (8) _____
> _____ in the army.

실력을 올리는 **직독직해**

끊어 읽기 한 표시를 따라 문장 구조에 유의하여 해석을 쓰고, 각 문장의 주어에는 밑줄을, 동사에는 동그라미를 쳐보세요.

---

❶ In the board game *Pandemic*, / players must cooperate / rather

than compete. / ❷ Each player picks a role, / and everyone has to work

together / to prevent four diseases from spreading / across the world. /

❸ When real pandemics occur, / countries around the world react /

in the same way. / ❹ A pandemic is a disease / that spreads across

different regions of the world / and infects a large proportion of the

population. / ❺ Most pandemics originate from viruses / that infect

both animals and humans. / ❻ One example is the swine flu. / ❼ It was

declared a pandemic / by the World Health Organization (WHO) /

in 2009. / ❽ After that, / countries cooperated / to share information

about the virus / and develop a vaccine. / ❾ This allowed doctors around

the world / to treat patients quickly and effectively. / ❿ Recently, /

countries have battled / the worldwide coronavirus disease-2019

(COVID-19). / ⓫ Just like in the game, / the entire world has put its

differences aside / to fight the pandemic. /

실력을 더 올리는 서술형 추가 문제

A 우리말과 일치하도록 빈칸에 알맞은 단어를 글에서 찾아 쓰시오.

(1) 말라리아는 인간뿐만 아니라 동물도 감염시킨다.

⇒ Malaria _____s not only humans but also animals.

(2) 어제 그 자동차 사고는 어떻게 발생했나요?

⇒ How did the car accident _____ yesterday?

(3) 조별 과제를 할 때는, 학생들이 서로 협력해야 한다.

⇒ In a group project, students have to _____ with one another.

B 우리말과 일치하도록 괄호 안의 말을 알맞게 배열하시오.

(1) 지난달부터 비가 내리지 않았다. (rained / last month / it / not / since / has)

⇒ _____.

(2) Maya는 내가 그녀의 노트북을 빌리는 것을 허락했다. (borrow / allowed / to / her laptop / me)

⇒ Maya _____.

(3) 나는 TV에 나온 그 레스토랑에 가고 싶다. (that / on / appeared / TV / the restaurant)

⇒ I want to go to _____.

C 글의 내용과 일치하도록 다음 빈칸에 들어갈 말을 글에서 찾아 쓰시오.

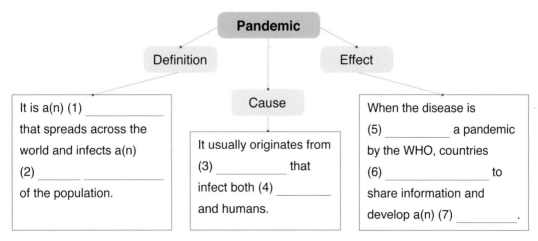

Pandemic

Definition

Effect

Cause

It is a(n) (1) _____ that spreads across the world and infects a(n) (2) _____ _____ of the population.

It usually originates from (3) _____ that infect both (4) _____ and humans.

When the disease is (5) _____ a pandemic by the WHO, countries (6) _____ to share information and develop a(n) (7) _____.

실력을 올리는 **직독직해**

끊어 읽기 한 표시를 따라 문장 구조에 유의하여 해석을 쓰고, 각 문장의 주어에는 밑줄을, 동사에는 동그라미를 쳐보세요.

---

❶ During my homestay in Germany, / my host's cousin Karl / had a

wedding. / ❷ I was invited to his house / for a party / the night before the

wedding. / ❸ Karl told me to bring some plates. / ❹ It was a little odd, /

but I thought / he needed extra plates / for all the guests. /

❺ However, / once the party started, / everyone gathered together /

and suddenly threw their dishes on the ground! / ❻ The ground became

a mess, / but everyone was smiling happily. /

❼ I asked one of the guests / why everyone was breaking the plates. /

❽ He said, / "To wish the couple good luck / in their marriage." /

❾ This event is called *Polterabend*, / a wedding tradition in Germany. /

❿ Germans do this / because of the old saying, / "Shards bring luck." /

⓫ "But don't break a mirror," / the guest said. / ⓬ "That means seven

years of bad luck!" /

실력을 더 올리는 **서술형 추가 문제**

A 다음 빈칸에 알맞은 단어를 보기에서 골라 쓰시오.

> 보기   marriage   gather   tradition   break   odd

(1) The _____ results of the experiment confused the scientist.

(2) It became a(n) _____ to wear a white dress at weddings.

(3) Be careful not to _____ the vase.

B 우리말과 일치하도록 괄호 안의 말을 활용하여 문장을 완성하시오.

(1) 수미는 그에게 왜 울고 있는지 물었다. (he, cry)

⇒ Sumi asked him _____ _____ _____ _____ .

(2) 아빠가 나에게 설거지를 하라고 말씀하셨다. (tell, me, wash)

⇒ Dad _____ _____ _____ _____ the dishes.

(3) 우리가 도착하자마자, 그 연극은 시작했다. (we, arrive)

⇒ _____ _____ _____ , the play started.

C 글의 내용과 일치하도록 다음 빈칸에 들어갈 말을 글에서 찾아 쓰시오.

Q. What is the *Polterabend*?

A. It is a(n) (1) _____ _____ in Germany where the guests throw

(2) _____ on the ground.

Q. Why do people break plates?

A. They do this in order to wish the couple (3) _____ _____ in their

marriage. They do this because of the old saying, "(4) _____ bring luck."

실력을 올리는 직독직해

끊어 읽기 한 표시를 따라 문장 구조에 유의하여 해석을 쓰고, 각 문장의 주어에는 밑줄을, 동사에는 동그라미를 쳐보세요.

❶ Viral marketing is a powerful advertising tool. / ❷ The term *viral* refers to the way / product information spreads quickly and widely, / like the way a virus infects people. /

❸ The Daily Twist campaign by Oreo cookies / is a good example of this. / ❹ In honor of its 100-year anniversary, / the company started a new promotion. / ❺ It revealed a fun image of an Oreo / inspired by pop culture / once a day for 100 days. / ❻ From June 25 to October 2, / the images were posted / on its social media pages. / ❼ For example, / a "Batman Oreo" image was posted / when *The Dark Knight Rises* movie came out. / ❽ There was also a "Gangnam Style Oreo" / that showed the famous horse dance. /

❾ The campaign was a huge success. / ❿ Within three days, / the images got 26 million "likes." / ⓫ Though Oreo didn't ask people / to share the event, / the images were all over social media, / spreading as fast as a virus! /

실력을 더 올리는 **서술형 추가 문제**

A 우리말과 일치하도록 빈칸에 알맞은 단어를 글에서 찾아 쓰시오.

(1) 백과사전은 정보를 얻는 데 유용한 수단이다.

⇒ The encyclopedia is a valuable _____ for getting information.

(2) 그 회사는 3월에 신제품을 공개할 것이다.

⇒ The company will _____ a new product in March.

(3) 새로운 광고 캠페인은 매출을 늘리는 데 도움이 되었다.

⇒ The new _____ campaign has helped increase sales.

B 우리말과 일치하도록 괄호 안의 말을 알맞게 배열하시오.

(1) 북극곰은 귀여워 보이지만, 그들은 매우 위험한 동물이다. (cute / polar bears / though / look)

⇒ _____ , they are very dangerous animals.

(2) Ella는 나에게 그녀가 매듭을 묶는 방법을 보여줬다. (knot / she / the way / a / ties)

⇒ Ella showed me _____ .

(3) 책상 위에 놓인 그 갈색 가방은 나의 것이다. (the table / placed / the brown bag / on)

⇒ _____ is mine.

C 글의 내용과 일치하도록 다음 빈칸에 들어갈 말을 글에서 찾아 쓰시오.

The Daily Twist Campaign

Why	A new promotion was started in honor of Oreo cookies 100-year (1) _____ .
How long	For 100 days, images were posted (2) _____ a day on Oreo's (3) _____ _____ pages.
What	Fun images of Oreos inspired by (4) _____ _____ were revealed, such as a "Batman Oreo" and a "Gangnam Style Oreo."
Result	The images spread as fast as a(n) (5) _____ , and the campaign was a huge (6) _____ .

실력을 올리는 직독직해

끊어 읽기 한 표시를 따라 문장 구조에 유의하여 해석을 쓰고, 각 문장의 주어에는 밑줄을, 동사에는 동그라미를 쳐보세요.

❶ Most people hate sweating / because it makes them / smell bad and feel sticky. / ❷ However, / sweat can tell us a lot / about our bodies. /

❸ And now, / sweat sensors are taking advantage of it. /

❹ A sweat sensor is a patch / that is small, thin, and flexible. / ❺ You stick it / on your body, / and it measures specific chemicals / in your sweat. / ❻ For example, / it can show glucose levels. / ❼ This is particularly useful / to those with diabetes. / ❽ Without it, / they have to get multiple blood tests / throughout the day / just to check their glucose levels. / ❾ It can even help people predict heart attacks / by checking the potassium levels / in their sweat. /

❿ Sweat sensors are able to reduce the time and effort / required to check certain health conditions. / ⓫ They can even make it possible / to monitor the physical conditions / in real time. / ⓬ And best of all, / they are comfortable to wear! /

실력을 더 올리는 서술형 추가 문제

A 다음 빈칸에 알맞은 단어를 보기에서 골라 쓰시오.

> 보기   stick   multiple   comfortable   specific   predict

(1) These sneakers are _____ to wear when hiking.

(2) I will _____ the poster on the board.

(3) Scientists _____ that more animals and plants will become extinct.

B 우리말과 일치하도록 괄호 안의 말을 활용하여 문장을 완성하시오.

(1) Julie는 어려운 수학 문제들을 빠르게 풀 수 있다. (solve)

⇒ Julie _____ _____ _____ _____ difficult math

problems quickly.

(2) 나는 기타를 사기 위해 돈을 저축했다. (buy, a guitar)

⇒ I saved money _____ _____ _____ _____.

(3) 그 시는 이해하기에 어려웠다. (difficult, understand)

⇒ The poem was _____ _____ _____.

C 글의 내용과 일치하도록 다음 광고의 빈칸에 들어갈 말을 글에서 찾아 쓰시오.

Wearable Technology: Sweat Sensors	
What it is	It is a(n) (1) _____ that is small, thin, and even (2) _____. If you stick it on your body, it measures specific chemicals in your (3) _____, such as glucose.
Why you should get one	The sweat sensors can reduce the time and (4) _____ needed to check certain health conditions. You can monitor the (5) _____ conditions in real time. It is also comfortable to wear!

실력을 올리는 **직독직해**

끊어 읽기 한 표시를 따라 문장 구조에 유의하여 해석을 쓰고, 각 문장의 주어에는 밑줄을, 동사에는 동그라미를 쳐보세요.

❶ Here's a personality test. / ❷ Check the box / if the statement applies

to you. /

☐ ❸ You have a need / for others / to like and admire you. /

☐ ❹ You sometimes doubt / if you have made the right decision. /

☐ ❺ You are often too critical of yourself. /

☐ ❻ Sometimes you are outgoing, / but other times you are shy. /

❼ How many boxes did you check? / ❽ If you checked all four of

them, / you've just experienced the Barnum Effect. / ❾ It refers to our

tendency to believe / that personality descriptions are accurate / and

apply specifically to us. / ❿ This psychological effect happens / because

the descriptions sound specific, / but only on the surface. / ⓫ If we take a

closer look, / we discover / they are so vague and general / that they can

apply to everyone. / ⓬ In fact, / personality tests, horoscopes, and fortune

cookies / all use the Barnum Effect. /

⓭ Try it out on your friends. / ⓮ Show the statements to each friend /

individually. / ⓯ They will probably all say / the statements describe them /

perfectly! /

실력을 더 올리는 서술형 추가 문제

A 우리말과 일치하도록 빈칸에 알맞은 단어를 글에서 찾아 쓰시오.

(1) 그들은 그녀의 정직한 성격 때문에 Nicky를 신뢰했다.

⇒ They trusted Nicky because of her honest _____.

(2) 많은 미국인들은 링컨 대통령을 존경한다.

⇒ Many Americans _____ President Lincoln.

(3) Jacob은 아주 외향적이고 많은 친구들이 있다.

⇒ Jacob is very _____ and has many friends.

B 우리말과 일치하도록 괄호 안의 말을 알맞게 배열하시오.

(1) 많은 기자들은 그 소문이 사실인지 알아내려고 노력했다. (the rumor / if / true / was)

⇒ Many reporters tried to find out _____.

(2) Ken은 너무 신이 나서 잠을 잘 수 없다. (so / he / excited / fall asleep / can't / that)

⇒ Ken is _____.

(3) 그 배우가 그 역할을 따낸 것은 행운이었다. (for / to / the role / the actor / lucky / get)

⇒ It was _____.

C 글의 내용과 일치하도록 다음 대화의 빈칸에 들어갈 말을 글에서 찾아 쓰시오.

Leo   : I tried out a personality test, and the result described me perfectly!

Sophie: It's probably because you experienced the (1) _____ _____.

Leo   : What's that?

Sophie: It's the (2) _____ to believe that personality descriptions are

          (3) _____ and (4) _____ specifically to us.

Leo   : Why do people think that way?

Sophie: The descriptions are so (5) _____ and general that they can apply to

          everyone.

실력을 올리는 직독직해

끊어 읽기 한 표시를 따라 문장 구조에 유의하여 해석을 쓰고, 각 문장의 주어에는 밑줄을, 동사에는 동그라미를 쳐보세요.

❶ Have you ever stood in line / to buy a limited-edition product, / such as Nike Air Max shoes? / ❷ Many people wait in line / for hours, / and some even put up a tent / in front of the store. / ❸ Interestingly, / none of these people complain. / ❹ What makes them / willing to spend such a long time waiting? /

❺ There are some products / you can only buy for a short time / or in limited numbers. / ❻ They might be collaborations / between brands and artists, / or items that celebrities used to wear. / ❼ These are very rare, / and not everyone can buy them. / ❽ Because people feel more satisfied / once they get them, / they don't mind waiting / for these items. /

❾ Besides, / waiting in line / may not be so bad. / ❿ You and everyone else in the line / share a common interest, / so you can have a nice chat with them. / ⓫ You may even make a new friend! /

실력을 더 올리는 **서술형 추가 문제**

A 다음 영영 풀이에 해당하는 단어나 표현을 보기에서 골라 쓰시오.

> 보기　　　　　complain　　willing to　　mind　　celebrity　　chat

(1) _____ : to be happy to do something

(2) _____ : to say that you are unhappy about something or someone

(3) _____ : someone who is famous

B 우리말과 일치하도록 괄호 안의 말을 활용하여 문장을 완성하시오.

(1) 나는 너에게 내 자전거를 빌려주는 것을 꺼리지 않는다. (mind, lend)

　⇒ I _____ _____ _____ you my bicycle.

(2) 그 책들 중 아무것도 흥미로워 보이지 않는다. (none, the books)

　⇒ _____ _____ _____ _____ look interesting.

(3) 나의 가족은 여름마다 캠핑을 가곤 했다. (go)

　⇒ My family _____ _____ _____ camping every summer.

C 다음은 한정판 제품을 사기 위해 상점 앞에서 줄 서 있는 사람과의 인터뷰이다. 글의 내용과 일치하도록 다음 답변의 빈칸에 들어갈 말을 글에서 찾아 쓰시오.

> **Q.** Look at the long line! Are you here to buy the limited-edition product?
>
> **A.** Of course! I've been waiting in line for hours. In fact, I even saw some people
> (1) _____ _____ _____ _____ in front of the store.

> **Q.** Wow! What makes you willing to spend such a long time waiting?
>
> **A.** The product that I want can only be bought for a(n) (2) _____ time and in
> (3) _____ numbers. It's so (4) _____ that not everyone can buy
> it. That's why I don't mind waiting!

실력을 올리는 직독직해

끊어 읽기 한 표시를 따라 문장 구조에 유의하여 해석을 쓰고, 각 문장의 주어에는 밑줄을, 동사에는 동그라미를 쳐보세요.

❶ On his 66th birthday, / William Reed was enjoying a party / with his

family. / ❷ His wife told him, / "I have a present for you. / ❸ Open it!" /

❹ The gift looked like a pair of ordinary sunglasses. / ❺ William put them

on, / and all of a sudden, / everything around him looked different! /

❻ It was the first time / that he was able to see color / because William

was color-blind. / ❼ Until that moment, / his life had always been in

black and white. /

❽ What changed his world / was a pair of special glasses / made

for color-blind people. / ❾ The lenses are coated with a material / that

exaggerates certain wavelengths of light. / ❿ This makes colors look /

much richer and more vivid. / ⓫ That's why / William could distinguish

different colors / after putting on the glasses. /

⓬ For now, / these glasses don't work / for all types of color blindness. /

⓭ Yet, / they have helped / many color-blind people / experience a

colorful world. /

실력을 더 올리는 서술형 추가 문제

A 우리말과 일치하도록 빈칸에 알맞은 단어나 표현을 글에서 찾아 쓰시오.

(1) 너는 황사 때문에 마스크를 써야 한다.

⇒ You should _____ _____ a mask because of the yellow dust.

(2) 나는 갑자기 어지러웠다.

⇒ I felt dizzy _____ _____ _____ _____ .

(3) Allison은 그녀가 말할 때 많이 과장하는 경향이 있다.

⇒ Allison tends to _____ a lot when she talks.

B 우리말과 일치하도록 괄호 안의 말을 알맞게 배열하시오.

(1) Carl이 아침 식사로 먹은 것은 도넛과 약간의 시리얼이었다. (breakfast / Carl / for / ate / what)

⇒ _____ was a donut and some cereal.

(2) 미국에서는, 야구가 축구보다 훨씬 더 인기 있다. (more / than / much / soccer / popular)

⇒ In America, baseball is _____ .

(3) 그 예술제는 5월 말까지 계속될 것이다. (continue / the end of May / will / the art festival / until)

⇒ _____ .

C 글의 내용과 일치하도록 다음 광고의 빈칸에 들어갈 말을 글에서 찾아 쓰시오.

Special Glasses for Color-blind People
What it is — They look like (1) _____ sunglasses, but they're not! After putting on the glasses, you can distinguish different (2) _____ !
How it works — The lenses are (3) _____ with a material that exaggerates certain wavelengths of light. This makes colors look much richer and more (4) _____ .
*Caution: These glasses don't work for all types of (5) _____ .

실력을 올리는 **직독직해**

끊어 읽기 한 표시를 따라 문장 구조에 유의하여 해석을 쓰고, 각 문장의 주어에는 밑줄을, 동사에는 동그라미를 쳐보세요.

❶ Do you think / your daily activities are interesting enough / to share with the world? / ❸ Recently, / many people have been recording their day-to-day lives / and sharing the videos online. / ❹ These are called video blogs, or vlogs. / ❷ GRWM (Get Ready With Me) is a popular type of vlog / that shows a person / getting ready for school, work, or an event. /

❺ Viewers sometimes receive tips for everyday life / through these videos. / ❻ Some watch couples' vlogs / to get ideas / of where to go on a date. / ❼ Others watch vlogs from chefs / to learn cooking tips and recipes. /

❽ The most successful vlogs / are usually made by celebrities. / ❾ They often use vlogs / to directly connect with their fans. / ❿ They also show their real personalities in their daily lives / through vlogs. / ⓫ This makes the content sound more sincere / and gives fans the impression / of having a personal relationship with them. /

실력을 더 올리는 서술형 추가 문제

A 다음 영영 풀이에 해당하는 단어를 보기에서 골라 쓰시오.

> 보기   daily   impression   directly   recipe   sincere

(1) _____ : happening every day

(2) _____ : a set of instructions telling you how to cook food

(3) _____ : honest and true

B 우리말과 일치하도록 괄호 안의 말을 활용하여 문장을 완성하시오.

(1) David는 휴가 때 어디를 갈지에 대해 생각하는 중이다. (go)

⇒ David is thinking about _____ _____ _____ on vacation.

(2) 그 운동선수는 세계 기록을 세울 만큼 충분히 빨랐다. (fast, set)

⇒ The athlete was _____ _____ _____ _____ a
world record.

(3) 이 설문 조사를 실행하는 것의 목적은 무엇입니까? (of, conduct, this survey)

⇒ What is the purpose _____ _____ _____ _____ ?

C 글의 내용과 일치하도록 다음 빈칸에 들어갈 말을 보기에서 찾아 쓰시오.

> 보기   learn tips   getting ready for   fake lives
>   real personalities   write a journal   directly connect

Q. What types of vlogs are there?

A. One popular type of vlog is GRWM (Get Ready With Me). It shows a person

(1) _____ school, work, or an event. Viewers can sometimes

(2) _____ for everyday life.

Q. Why do celebrities use vlogs?

A. By using vlogs, celebrities can (3) _____ with their fans. The
videos can show their (4) _____ .

실력을 올리는 **직독직해**

끊어 읽기 한 표시를 따라 문장 구조에 유의하여 해석을 쓰고, 각 문장의 주어에는 밑줄을, 동사에는 동그라미를 쳐보세요.

❶ You may have noticed / that your tongue sometimes feels painful /

when you eat pineapple. / ❷ Why does this happen? / ❸ It's because /

pineapples contain an enzyme / that makes your mouth burn! / ❹ But

there is no need to worry. / ❺ It's too weak / to do any serious damage. /

❻ And your mouth is capable of / healing itself quickly. / ❼ Besides, /

this enzyme is / what makes pineapple helpful. / ❽ It breaks down

the protein / in the food we eat, / which makes it easier to digest. /

(❾ Getting the right amount of protein in your diet / is good for your

health. /) ❿ For this reason, / pineapple is often served with dishes / that

contain lots of protein, / such as beef or pork. /

⓫ Pineapples are not the only fruit / with this enzyme. / ⓬ Many

other fruits like kiwis and mangoes / have it, / and they cause a stinging

feeling, too! /

실력을 더 올리는 서술형 추가 문제

A 우리말과 일치하도록 빈칸에 알맞은 단어를 글에서 찾아 쓰시오.

(1) 뱀에 물리는 것은 정말 아플 수 있다.

⇒ Being bitten by a snake can be very _____.

(2) 우리의 면역 체계는 스스로 치유할 수 있는 능력이 있다.

⇒ Our immune system has the ability to _____ itself.

(3) 손톱은 케라틴이라고 불리는 단백질로 이루어져 있다

⇒ Fingernails are made of a _____ called Keratin.

B 우리말과 일치하도록 괄호 안의 말을 알맞게 배열하시오.

(1) 나는 <헝거 게임>을 읽었는데, 그것은 13년 전에 쓰였다. (written / was / 13 years ago / which)

⇒ I read *The Hunger Games*, _____.

(2) 이집트인들은 피라미드를 짓기 위해 언덕을 이용했을 수도 있다. (a hill / used / may / have)

⇒ The Egyptians _____ to build pyramids.

(3) 그 겨울 재킷은 입기에 너무 컸다. (to / was / wear / too / the winter jacket / big)

⇒ _____.

C 글의 내용과 일치하도록 다음 대화의 빈칸에 들어갈 말을 글에서 찾아 쓰시오.

> **James** : Mom, my tongue feels weird. Do you think I have pineapple allergies?
>
> **Mom** : Don't worry. It's natural. Pineapples contain a(n) (1) _____ that makes our mouths (2) _____.
>
> **James** : Oh, that's interesting!
>
> **Mom** : Besides, this enzyme is helpful. It (3) _____ _____ the protein in the food we eat and makes it easier to (4) _____.

실력을 올리는 직독직해

끊어 읽기 한 표시를 따라 문장 구조에 유의하여 해석을 쓰고, 각 문장의 주어에는 밑줄을, 동사에는 동그라미를 쳐보세요.

❶ *Aladdin and the Magic Lamp* is a popular story / of an Arabian character named Aladdin. / ❷ In many books and movies, / the story takes place in the Middle East. / ❸ However, / in the original book, / the story is set somewhere in China! / ❹ How did two very different cultures appear / in one old story, / then? / ❺ It might be because of the Silk Road. /

❻ The Silk Road was a network / of ancient trade routes. / ❼ This 6,400-kilometer-long road / connected China to countries in the West. / ❽ Chinese merchants sold various kinds of goods, / including tea and silk, / along the routes / to the Middle East and Rome. / ❾ Silk was the most popular item, / so it became the road's name. / ❿ In addition to merchandise, / Chinese traders also shared various other things, / like their food and fables. / ⓫ As a result of this cultural exchange, / stories like Aladdin's developed. /

실력을 더 올리는 서술형 추가 문제

A 다음 영영 풀이에 해당하는 단어나 표현을 보기에서 골라 쓰시오.

> 보기   trade   goods   merchant   exchange   take place

(1) _____ : things that are made to be sold

(2) _____ : to happen or occur

(3) _____ : a person whose job is to buy and sell products

B 우리말과 일치하도록 괄호 안의 말을 활용하여 문장을 완성하시오.

(1) 바이칼 호수는 세계에서 가장 깊은 호수이다. (deep, lake)

⇒ Lake Baikal is _____ _____ _____ in the world.

(2) 독수리에 의해 지어진 그 둥지는 컸다. (build, the eagle)

⇒ The nest _____ _____ _____ _____ was large.

(3) Tony는 오늘 오후에 나의 집에 올지도 모른다. (come)

⇒ Tony _____ _____ to my house this afternoon.

C 글의 내용과 일치하도록 다음 빈칸에 들어갈 말을 글에서 찾아 쓰시오.

> **Q. What was the Silk Road?**
>
> **A.** It was a(n) (1) _____ of ancient trade routes that (2) _____ China to Western countries.

> **Q. How did the road get its name?**
>
> **A.** (3) _____ merchants sold various kinds of goods. Among them,
> (4) _____ was the most popular item, so the road was named after it.

> **Q. How did the story of Aladdin develop?**
>
> **A.** The Chinese traders also shared other things, like food and (5) _____ .
> This (6) _____ _____ is how stories like Aladdin's developed.

실력을 올리는 직독직해

끊어 읽기 한 표시를 따라 문장 구조에 유의하여 해석을 쓰고, 각 문장의 주어에는 밑줄을, 동사에는 동그라미를 쳐보세요.

❶ *Valley Curtain* was a work / by the artists Christo and Jeanne-

Claude. / ❷ It was a 381-meter-long wall of orange cloth / hanging

between two Colorado mountain slopes. / ❸ It looked like a curtain /

laid down by a giant. / ❹ For 28 months between 1970 and 1972, / they

sketched the curtain's shape, / dyed a huge piece of fabric, / and found a

suitable valley. / ❺ Then, / they gathered a team of 100 engineers /

and installed the curtain. / ❻ However, / the work was destroyed /

by strong winds, / just 28 hours after it was installed. / ❼ They had to

remove the work, / but they were not frustrated. / ❽ In fact, / this was

close / to what they expected! /

❾ This style of artwork is known / as land art or Earth art. / ❿ Land

artists want / their work / to be a part of nature. / ⓫ *Valley Curtain*, / for

example, / swayed as the wind blew, / so it changed with the movement

of nature. / ⓬ In the end, / it was also finished by nature. /

실력을 더 올리는 서술형 추가 문제

A 우리말과 일치하도록 빈칸에 알맞은 단어를 글에서 찾아 쓰시오.

(1) Justin은 그가 시험에서 떨어졌기 때문에 좌절했다.

⇒ Justin was _____ because he failed the exam.

(2) 목성의 위성 중 어떤 것들은 생물을 위한 적절한 환경을 가지고 있을지도 모른다.

⇒ Some of Jupiter's moons may have _____ conditions for life.

(3) 그 다리는 화재로 인해 완전히 파괴되었다.

⇒ The bridge was completely _____ (e)d by the fire.

B 우리말과 일치하도록 괄호 안의 말을 알맞게 배열하시오.

(1) Lily는 Max가 그녀의 생일 파티에 오기를 원한다. (to / Max / wants / Lily / come)

⇒ _____ to her birthday party.

(2) 승객들은 역으로 들어오는 열차를 보았다. (the train / watched / into the station / coming)

⇒ The passengers _____ .

(3) 우리가 저녁을 먹고 있을 때, 전화가 울렸다. (having / were / as / dinner / we)

⇒ _____ , the phone rang.

C 글의 내용과 일치하도록 다음 빈칸에 들어갈 말을 글에서 찾아 쓰고, ⓐ~ⓒ를 알맞은 순서대로 배열하시오.

The *Valley Curtain* Project

ⓐ (1) _____ destroyed the work, and they had to remove it.

ⓑ The artists sketched the curtain's shape, (2) _____ a huge piece of fabric, and found a suitable (3) _____ .

ⓒ The artists gathered a team of 100 (4) _____ and installed the curtain.

순서: (5) _____ → _____ → _____

실력을 올리는 **직독직해**

끊어 읽기 한 표시를 따라 문장 구조에 유의하여 해석을 쓰고, 각 문장의 주어에는 밑줄을, 동사에는 동그라미를 쳐보세요.

❶ One day, / Tim saw something astonishing / while driving to work. /

❷ The crosswalk was floating! / ❸ He slowed down with caution / and

soon realized / that it was just an illusion. /

❹ This was a new type of crosswalk / that was invented in a town in

Iceland. / ❺ The residents were afraid of fast-driving cars, / so special

crosswalks were installed / in the town. / ❻ These crosswalks appeared to

be 3D, / but are actually optical illusions. / ❼ They are painted on a flat

surface / by using clever shading techniques / that make them look like

white boards / floating above the street! /

❽ These crosswalks are helpful / in many ways. / ❾ They're much

cheaper than speed bumps, / but they still increase drivers' caution. /

❿ Pedestrians also love them. / ⓫ From far away, / people appear / as if

they were walking on air. / ⓬ The crosswalks are now used / in several

other countries, / including France, China, and Spain. /

실력을 더 올리는 **서술형 추가 문제**

A 다음 빈칸에 알맞은 단어나 표현을 보기에서 골라 쓰시오.

> 보기   slow down   clever   float   technique   pedestrian

(1) The _____ monkey unlocked the cage.

(2) Drivers have to watch out for both traffic and _____s when driving.

(3) The jellyfish are _____ing in the water and looking for prey.

B 우리말과 일치하도록 괄호 안의 말을 활용하여 문장을 완성하시오.

(1) 그 범죄자는 마치 그가 결백한 것처럼 행동했다. (be, innocent)

⇒ The criminal behaved as if _____ _____ _____.

(2) 나는 그 레스토랑 음식이 맛있다고 들었다. (hear, the restaurant)

⇒ I _____ _____ _____ _____ has tasty food.

(3) 예리는 산책을 하는 동안 노래를 불렀다. (take, a walk)

⇒ Yeri sang a song _____ _____ _____ _____.

(4) 그 나방은 나뭇잎인 것처럼 보였다. (appear, be)

⇒ The moth _____ _____ _____ a leaf.

C 글의 내용과 일치하도록 다음 기사의 빈칸에 들어갈 말을 글에서 찾아 쓰시오.

> ### Clever and Helpful Floating Crosswalks!
>
> A new type of crosswalk is being used in several countries. These crosswalks appear to be 3D, but they are actually (1) _____ _____!
> They are painted on (2) _____ surfaces with clever (3) _____
> _____. These special crosswalks not only increase drivers'
> (4) _____ but are also much (5) _____ than speed bumps.

실력을 올리는 **직독직해**

끊어 읽기 한 표시를 따라 문장 구조에 유의하여 해석을 쓰고, 각 문장의 주어에는 밑줄을, 동사에는 동그라미를 쳐보세요.

---

❶ You go to a store, / but all the shelves are empty. / ❷ Where are

all the goods? / ❸ Actually, / they were already bought / by people who

feared / that the store would run out of supplies. /

❹ Whenever there is a disaster, / people tend / to buy lots of products /

and store them. / ❺ This phenomenon is called panic buying. / ❻ In

2020, / COVID-19 caused / many people worldwide / to be frightened. /

❼ They were scared of running out of supplies, / so they bought /

enormous amounts of toilet paper, water, and canned food. /

(❽ Canned food has become much cheaper / recently. /) ❾ Even with

buying limits, / products continued to sell faster / than they could be

supplied. /

❿ Sometimes, / panic buying can have harmful effects / on society. /

⓫ It can cause / prices of items like food and medicine / to increase

rapidly. / ⓬ Some people / may not be able to get these necessities /

at all, / which can put their lives in danger. /

실력을 더 올리는 **서술형 추가 문제**

A 우리말과 일치하도록 빈칸에 알맞은 단어를 글에서 찾아 쓰시오.

(1) QR 코드 이용량은 빠르게 증가하고 있다.

⇒ QR code usage has been increasing _____ .

(2) Timmy는 그 기념품 가게에서 저렴한 어떤 것도 찾을 수 없었다.

⇒ Timmy couldn't find anything _____ at the souvenir shop.

(3) 오로라는 신비롭고 아름다운 자연 현상이다.

⇒ Auroras are a mysterious and beautiful natural _____ .

B 우리말과 일치하도록 괄호 안의 말을 알맞게 배열하시오.

(1) 피를 빼내면 질병들이 치료될 수 있다고 한때 믿어졌었다. (could / cured / diseases / be)

⇒ It was once believed _____ by draining blood.

(2) 나는 시험이 있을 때마다, 일찍 일어나려고 노력한다. (have / I / whenever / an exam)

⇒ _____ , I try to wake up early.

(3) Ben이 나에게 꽃을 주었는데, 이것은 나를 행복하게 만들었다.

(made / gave / me / happy / me / flowers / which)

⇒ Ben _____ .

C 글의 내용과 일치하도록 다음 빈칸에 들어갈 말을 글에서 찾아 쓰시오.

Panic Buying

Definition	It is a tendency to buy lots of products and (1) _____ them whenever there is a(n) (2) _____ .
Problems	It can have (3) _____ effects on society. It can (4) _____ the prices of necessities, which could put some people's lives in (5) _____ .

실력을 올리는 **직독직해**

끊어 읽기 한 표시를 따라 문장 구조에 유의하여 해석을 쓰고, 각 문장의 주어에는 밑줄을, 동사에는 동그라미를 쳐보세요.

❶ Is your butt dead or alive? / ❷ Try this to find out: / ❸ Lie on the floor / with your face down / and lift one leg. / ❹ See if your butt muscles become tight. / ❺ If not, / it may be a sign of Dead Butt Syndrome. /

❻ Your butt muscles connect to your hips and thighs, / helping to support them. / ❼ But / if you spend too much of your day sitting, / your body forgets / to use your butt muscles. / ❽ Instead, / other body parts, / like the waist, / take over the responsibility / of supporting your hips and thighs. / ❾ However, / this can cause / hip pain, backache, and knee problems. / ❿ It can even lead the hips and spine / to rotate and twist. /

⓫ How can you avoid this syndrome? / ⓬ The answer is rather simple. / ⓭ Don't sit still / for too long! / ⓮ Get up / and move your heels up and down / at least every two hours. / ⓯ Doing this will strengthen your butt muscles. /

실력을 더 올리는 서술형 추가 문제

A 다음 영영 풀이에 해당하는 단어를 보기에서 골라 쓰시오.

> 보기   responsibility   lift   alive   tight   twist

(1) _____ : firm and not loose

(2) _____ : a duty or job to deal with something

(3) _____ : to move something to a higher place or position

B 우리말과 일치하도록 괄호 안의 말을 활용하여 문장을 완성하시오.

(1) Betty는 계단에서 넘어졌고, 그녀의 발목을 삐었다. (sprain, her ankle)

⇒ Betty fell down the stairs, _____ _____ _____ .

(2) 우리는 저 소파를 사는 데 너무 많은 돈을 썼다. (spend, too much money, buy)

⇒ We _____ _____ _____ _____

that sofa.

(3) 나는 내 휴대폰을 충전하는 것을 잊어버렸다. (forget, charge)

⇒ I _____ _____ _____ my cell phone.

C 글의 내용과 일치하도록 다음 빈칸에 들어갈 말을 글에서 찾아 쓰시오.

Dead Butt Syndrome

Problem	If you spend too much time (1) _____ , your body forgets to use your (2) _____ . This makes other body parts (3) _____ _____ the responsibility of supporting your hips and thighs. As a result, it can (4) _____ pain and physical problems.
Solution	Don't (5) _____ _____ for too long. Get up and move your (6) _____ up and down at least every two hours. By doing so, you can (7) _____ your butt muscles.

실력을 올리는 **직독직해**

끊어 읽기 한 표시를 따라 문장 구조에 유의하여 해석을 쓰고, 각 문장의 주어에는 밑줄을, 동사에는 동그라미를 쳐보세요.

❶ Have you ever tried / spicy noodles with string cheese / or milk with soda water? / ❷ Interestingly, / these combinations were created by consumers, / and they became so popular / that they were made into actual products. /

❸ Usually, / food products come with instructions / to follow. /

❹ But / people sometimes choose / to create their own recipes. /

❺ Coca-Cola With Coffee, / for example, / was first invented by people / who enjoyed the scent of coffee and the sensation of soda. / ❻ Soon, / the drink became very popular. / ❼ Then, / the manufacturer took the recipe / and used it to develop a new product. /

❽ This trend / does not just apply to food products. / ❾ Some people combine two different perfumes / to make a unique scent. / ❿ Likewise, / many consumers mix various goods / like cosmetics, bathing products, or other daily necessities / to match their preferences. / ⓫ Do you also have / your own particular way / of using products? /

실력을 더 올리는 **서술형 추가 문제**

A 다음 빈칸에 알맞은 단어를 보기에서 골라 쓰시오.

> 보기   instruction   combination   spicy   scent   particular

(1) My house was filled with the sweet _____ of apple pie.

(2) The _____ s for my new camera are complicated.

(3) The color orange is a(n) _____ of red and yellow.

B 우리말과 일치하도록 괄호 안의 말을 알맞게 배열하시오.

(1) 밤하늘이 매우 맑아서 우리는 별들을 볼 수 있었다. (clear / that / could / so / we / the stars / see)

⇒ The night sky was _____.

(2) Megan은 음악을 좋아하는 그녀의 친구와 뮤지컬을 보러 갔다. (loves / her friend / music / who)

⇒ Megan went to a musical with _____.

(3) 요즘 많은 사람들이 도시에서 사는 것을 선택한다. (choose / people / live / to / many)

⇒ _____ in the city these days.

C 글의 내용과 일치하도록 다음 빈칸에 들어갈 말을 글에서 찾아 쓰시오.

Food Product Combinations	**Other Combinations**
• (1) _____ _____ with spicy noodles	• A mix of (4) _____ to make a unique scent
• (2) _____ with soda water	• A mix of cosmetics, bathing products, or other daily (5) _____ to match people's preferences
• Coca-Cola With (3) _____	

실력을 올리는 **직독직해**

끊어 읽기 한 표시를 따라 문장 구조에 유의하여 해석을 쓰고, 각 문장의 주어에는 밑줄을, 동사에는 동그라미를 쳐보세요.

❶ One day, / a 10-year-old boy named Orlando Serrell / was hit in the head by a ball / while playing baseball. / ❷ He didn't go to the doctor / because he only had a light headache. / ❸ However, / when the pain ended, / something unusual happened. / ❹ He could suddenly perform calendar calculations. / ❺ Given any date, / he could immediately tell / which day of the week it was or would be. / ❻ His answers were always correct. / ❼ In addition, / he was able to remember every day perfectly / after the accident. / ❽ He knew / what the weather was like, / what clothes he was wearing, / and every other detail of each day. /

❾ Later, / the doctor said / that he had developed savant syndrome / from the injury. / ❿ Only a few people in the world / have this syndrome, / and they are usually born with it. / ⓫ It is rare to acquire savant syndrome / later in life / like Orlando. / ⓬ Therefore, / doctors are now studying his mind / to solve the mystery of his incredible ability. /

실력을 더 올리는 서술형 추가 문제

A 다음 영영 풀이에 해당하는 단어를 보기에서 골라 쓰시오.

> 보기   injury   mystery   acquire   calculation   develop

(1) _____ : something strange or not known

(2) _____ : damage or harm done to your body

(3) _____ : using numbers to find out an amount, date, price, etc.

B 우리말과 일치하도록 괄호 안의 말을 활용하여 문장을 완성하시오.

(1) 어떤 상황에서라도 거짓말하는 것은 옳지 않다. (lie)

⇒ It is wrong _____ _____ in any situation.

(2) Fred는 기차를 놓쳤기 때문에 버스를 탔다. (miss, the train)

⇒ Fred took a bus because he _____ _____ _____ _____ .

(3) 시내에 위치한 그 야구 경기장은 오늘 문을 연다. (locate, downtown)

⇒ The baseball stadium _____ _____ opens today.

C 다음은 Orlando Serrell의 가상 자서전이다. 글의 내용과 일치하지 <u>않는</u> 보기를 두 개 고르고, 알맞은 말을 글에서 찾아 바르게 고쳐 쓰시오.

> I was hit in the head by ① a ball when I was 10 years old. I only had ② a light fever, so I didn't go to the doctor. However, when the pain ended, I could suddenly perform ③ calendar calculations and ④ remember every day perfectly. I found out that I had developed ⑤ savant syndrome. It is ⑥ common to acquire it later in life, like me.

틀린 보기	고쳐 쓰기	
(1) _____	(2) _____	→ (3) _____
(4) _____	(5) _____	→ (6) _____

실력을 올리는 **직독직해**

끊어 읽기 한 표시를 따라 문장 구조에 유의하여 해석을 쓰고, 각 문장의 주어에는 밑줄을, 동사에는 동그라미를 쳐보세요.

❶ Did you know / that the posters for the movie *Avengers: Endgame* /

are not the same / in all countries? / ❷ For example, / the poster in China /

emphasized all of the characters equally / by keeping them the same

size. / ❸ However, / other countries' posters, / including Korea's, /

had the most popular characters placed in the center / and shown in a

bigger size. /

❹ Likewise, / there are different posters for *The Host*, / a Korean

monster film, / which was released in 202 foreign countries. / ❺ In the

original version of the poster, / there was no monster. / ❻ It only showed

the main characters. / ❼ However, / the posters looked a lot different /

in other countries. / ❽ Most of them portrayed the scene of a girl / who

was being grabbed by the tail of the monster. /

❾ In short, / movie posters may vary / in different countries. / ❿ Their

designs depend on / what will draw a larger audience / in each country. /

실력을 더 올리는 서술형 추가 문제

A 우리말과 일치하도록 빈칸에 알맞은 단어나 표현을 글에서 찾아 쓰시오.

(1) 나는 우리가 원래의 계획을 고수해야 한다고 생각한다.

⇒ I think we should stick to the _____ plan.

(2) Alice와 Tom은 상금을 똑같이 나누기로 결정했다.

⇒ Alice and Tom decided to divide the prize money _____.

(3) 시험 결과는 네가 얼마나 열심히 공부하는지에 달려있다.

⇒ Exam results _____ _____ how hard you study.

B 우리말과 일치하도록 괄호 안의 말을 알맞게 배열하시오.

(1) 꽃들이 아이들에 의해 공원에 심어지고 있었다. (by / were / planted / flowers / the children / being)

⇒ _____ in the park.

(2) 나는 아직도 어제 무엇이 대호를 화나게 만들었는지 모르겠다. (what / upset / Daeho / made)

⇒ I still don't know _____ yesterday.

(3) 그 자전거 선수는 병을 들고 있었는데, 그것은 물로 가득 차 있었다.

(the cyclist / which / holding / was / a bottle / full of water / was)

⇒ _____.

C 글의 내용과 일치하도록 다음 빈칸에 들어갈 말을 글에서 찾아 쓰시오.

Avengers: Endgame	*The Host*
• In the Chinese poster, the characters are the (1) _____ size. • In many other countries, the most popular characters are shown in a(n) (2) _____ size.	• The original poster had no (3) _____ and only showed the (4) _____ _____. • In other countries, the poster showed the monster and a girl being (5) _____ by it.

실력을 올리는 **직독직해**

끊어 읽기 한 표시를 따라 문장 구조에 유의하여 해석을 쓰고, 각 문장의 주어에는 밑줄을, 동사에는 동그라미를 쳐보세요.

---

❶ Every time you go to sleep, / there is a chance / that you will have a

dream. / ❹ When you dream, / you usually don't realize / you're

dreaming / until you wake up. / ❸ But during a lucid dream, /

you know / that you are dreaming. / ❷ Sometimes / you can even

control / what happens in a lucid dream. / ❺ For example, / let's say

you are dreaming / that zombies are chasing you. / ❻ Then you could

change / where you are / just by thinking about it / and escape. /

❼ Scientists say / lucid dreams reduce anxiety and stress. / ❽ This is

because / you can do anything you want / in a lucid dream. / ❾ These

dreams are also known to boost creativity. / ❿ Some artists have

reported / that they can try different artistic techniques in lucid dreams /

and then apply them in real life. / ⓫ However, / frequent lucid dreams

are not good for your health. / ⓬ They keep your mind awake, / so you

feel fatigued. /

실력을 더 올리는 서술형 추가 문제

A 다음 빈칸에 알맞은 단어를 보기에서 골라 쓰시오.

> 보기   awake   chase   escape   anxiety   frequent

(1) The survivors were lucky to _____ from the fire.

(2) Many students feel _____ on their first day of school.

(3) The noisy storm kept me _____ all night.

B 우리말과 일치하도록 괄호 안의 말을 활용하여 문장을 완성하시오.

(1) 우리는 그가 우리에게 증거를 보여줄 때까지 Jack을 믿지 않았다. (he, show)

⇒ We didn't believe Jack _____ . _____ _____ us proof.

(2) 어제 일어난 일을 나에게 말해줘. (happen, yesterday)

⇒ Tell me _____ _____ _____ .

(3) 저 약은 부작용이 있다고 알려져 있다. (know, have)

⇒ That medicine _____ _____ _____ _____ a side effect.

C 글의 내용과 일치하도록 다음 빈칸에 들어갈 말을 글에서 찾아 쓰시오.

Lucid Dreams

Positive	Negative
• They reduce (1) _____ and (2) _____ because, in lucid dreams, you can do anything you want. • They also boost (3) _____. Some artists try different (4) _____ techniques in their dreams and apply them in real life.	• (5) _____ lucid dreams are not good for your (6) _____. • They keep your mind (7) _____ and make you feel (8) _____.

실력을 올리는 직독직해

끊어 읽기 한 표시를 따라 문장 구조에 유의하여 해석을 쓰고, 각 문장의 주어에는 밑줄을, 동사에는 동그라미를 쳐보세요.

❶ "Well, / after a tough race, / the candidate won by 287 votes. /

❷ Congratulations to the chocolate chip cookie!" /

❸ Between 1992 and 2016, / a cookie recipe competition was held /

before every presidential election / in the U.S. / ❹ The competitors were

the spouses / of the presidential candidates. / ❺ Each spouse submitted /

his or her own recipe. / ❻ Then, / citizens voted / for the one they liked

more / after baking the cookies themselves. / ❼ Interestingly, / the

spouse of the winner / usually won the presidential election / as well. /

❽ For example, / the Obamas, the Bushes, and the Clintons won / both

the cookie recipe contest and the presidential poll. /

❾ The competition was originally called / the First Lady Cookie

Contest. / ❿ However, / when Hillary Clinton ran for president, / her

husband Bill had to submit his recipe. / ⓫ In response, / the contest's

name was changed / to the Presidential Cookie Poll. /

실력을 더 올리는 **서술형 추가 문제**

A 우리말과 일치하도록 빈칸에 알맞은 단어나 표현을 글에서 찾아 쓰시오.

(1) 설문지를 다음 주 월요일까지 제출해주세요.

⇒ Please _____ the questionnaire by next Monday.

(2) Davis는 반장에 출마하기로 결정했다.

⇒ Davis decided to _____ _____ class president.

(3) 그 팀은 연습을 많이 했기 때문에 지역 경연에서 우승했다.

⇒ The team won the regional _____ because they practiced a lot.

B 우리말과 일치하도록 괄호 안의 말을 알맞게 배열하시오.

(1) 이 나무는 그 동상보다 2미터만큼 더 높다. (the statue / taller / by / than / two meters)

⇒ This tree is _____.

(2) 그 소방관은 많은 사람들에 의해 영웅이라고 불렸다. (a hero / was / the firefighter / called)

⇒ _____ by many people.

(3) 캐나다에서는 영어와 프랑스어 둘 다 사용된다. (are spoken / and / French / English / both)

⇒ _____ in Canada.

C 글의 내용과 일치하도록 다음 빈칸에 들어갈 말을 글에서 찾아 쓰시오.

Presidential Cookie Poll

What it was	• It was a cookie (1) _____ competition held before every (2) _____ _____ in the U.S. • The competitors were the (3) _____ of the presidential candidates.
How it worked	• Each competitor (4) _____ his or her own cookie recipe. • Citizens (5) _____ for their favorite recipe after baking them.

실력을 올리는 직독직해

끊어 읽기 한 표시를 따라 문장 구조에 유의하여 해석을 쓰고, 각 문장의 주어에는 밑줄을, 동사에는 동그라미를 쳐보세요.

❶ The spacecraft Dragon / came back to the Earth successfully again /

after its final mission / in April 2020. / ❷ It was the first spacecraft / to

make multiple trips / to the International Space Station. /

❸ Usually, / when spacecraft are sent into space, / it's extremely

difficult / for them / to return without damage. / ❹ They must withstand /

temperatures of up to 1,850°C. / ❺ Moreover, / they don't always land /

in the right place. / ❻ Heavy winds / blowing in the upper atmosphere /

make it difficult / to navigate to the landing zone. / ❼ However, / the

Dragon succeeded / in returning home without much damage. / ❽ As

a result, / most of its parts were reusable, / which saved the time and

money / needed to make new ones. /

❾ Spacecraft like the Dragon / will eventually allow / for more frequent

and cheaper space travel. / ❿ In fact, / spacecraft developers are trying /

to make commercial space flight possible / in the future. / ⓫ If they

succeed, / we might even take field trips / to the Moon! /

실력을 더 올리는 **서술형 추가 문제**

A 다음 영영 풀이에 해당하는 단어를 보기에서 골라 쓰시오.

> 보기   final   reusable   mission   multiple   upper

(1) _____ : an important task or job

(2) _____ : able to be used again

(3) _____ : involving more than one thing or person

B 우리말과 일치하도록 괄호 안의 말을 활용하여 문장을 완성하시오.

(1) 아이들이 저 산을 오르는 것은 어렵다. (difficult, children, climb)

⇒ It is _____ _____ _____ _____ _____

that mountain.

(2) Alison은 다시 잠들려고 노력했다. (try, go)

⇒ Alison _____ _____ _____ back to sleep.

(3) 매일, 나는 버스를 타는데, 그것은 10분마다 온다. (come, every, 10 minutes)

⇒ Every day, I take the bus, _____ _____ _____

_____ _____ .

C 글의 내용과 일치하도록 다음 기사의 빈칸에 들어갈 말을 글에서 찾아 쓰시오.

> **Science Daily**   **April, 20XX**
>
> The spacecraft Dragon successfully returned home without much (1) _____ .
> It was the first spacecraft to make multiple (2) _____ to the International Space
> Station. Most of its parts were (3) _____ . This (4) _____ the time and
> money needed to make new ones. Spacecraft like the Dragon will allow for more frequent
> and cheaper (5) _____ _____ !

실력을 올리는 직독직해

끊어 읽기 한 표시를 따라 문장 구조에 유의하여 해석을 쓰고, 각 문장의 주어에는 밑줄을, 동사에는 동그라미를 쳐보세요.

❶ Minnie's brother Phil / got a brand-new laptop. / ❷ However, / he would never let her use it. / ❸ One day, / Minnie tried to use his laptop / while he was at soccer practice. / ❹ But when she turned it on, / it was locked with a password! / ❺ Luckily, / there was a clue / to figure it out: /

❻ There were five colored boxes, / and each box had a letter. / ❼ Minnie tried to enter these letters, / but this didn't work. / ❽ Only numbers could be entered. / ❾ She thought about / how the letters and colors were connected. / ❿ The first box was yellow and contained the letter *W*. / ⓫ After a few minutes, / she smiled. / ⓬ She typed the numbers in / and they were right! /

⓭ Minnie started playing a computer game, / but soon / Phil came home and caught her. / ⓮ Surprisingly, / he didn't say anything. / ⓯ Instead, / he ran to the kitchen and grabbed a donut. / ⓰ "Stop!" / ⓱ Minnie screamed / as she watched him take a bite of it. / ⓲ He was eating the donut / she had been saving all day! /

실력을 더 올리는 **서술형 추가 문제**

A 우리말과 일치하도록 빈칸에 알맞은 단어나 표현을 글에서 찾아 쓰시오.

(1) 에어컨을 켜 줄 수 있니?

⇒ Can you ＿＿＿＿＿＿ ＿＿＿＿＿＿ the air conditioner?

(2) 너는 그 파일을 열기 위해 비밀번호를 입력해야 한다.

⇒ You have to ＿＿＿＿＿＿ the password to open the file.

(3) Lucy는 벌이 그녀를 향해 날아왔을 때 소리 질렀다.

⇒ Lucy ＿＿＿＿＿＿(e)d when the bee flew towards her.

B 우리말과 일치하도록 괄호 안의 말을 알맞게 배열하시오.

(1) 그녀는 그 소설이 어떻게 끝나는지 알고 싶어 한다. (know / the novel / she / wants / how / ends / to)

⇒ ＿＿＿＿＿＿＿＿＿＿＿＿＿＿＿＿＿＿＿＿＿＿ .

(2) 내가 도착했을 때 지원이는 30분 동안 기다리고 있었다. (waiting / had / Jiwon / been)

⇒ ＿＿＿＿＿＿＿＿＿＿＿＿＿＿＿ for 30 minutes when I arrived.

(3) 그 가수는 유럽을 방문하는 동안 많은 콘서트를 열었다. (visiting / while / he / Europe / was)

⇒ The singer held many concerts ＿＿＿＿＿＿＿＿＿＿＿＿＿＿ .

C 글의 내용과 일치하도록 다음 빈칸에 들어갈 말을 글에서 찾아 쓰시오.

Problem	Minnie's brother Phil got a(n) (1) ＿＿＿＿＿ ＿＿＿＿＿ , but he would never let her use it. She tried to use it while he went out, but it was (2) ＿＿＿＿＿ with a password.
Solution	• She thought about how letters and colors in the clue boxes were (3) ＿＿＿＿＿ . • When she typed the (4) ＿＿＿＿＿ in, it was unlocked!

MEMO

MEMO

MEMO